赵赵◎著

动什么别动感情

年年岁岁花相似，年年岁岁花不同。赵赵与我们这一代作家已有很大的不同。代与代不同的主要区别是，你以为是重要的东西，他以为是不重要的东西，甚至是可以忽略的。你丢失了一条前清的辫子如丧考妣，或者说你以这条辫子赖以生存；他的话题中，压根就没有头发这回事，他说的是七分裤和唇膏。

长江文艺出版社

CONTENTS | 目录

•序 不用再装

刘震云

年年岁岁花相似，年年岁岁花不同。赵赵与我们这一代作家已有很大不同。代与代不同的主要区别是，你以为是重要的东西，他以为是不重要的，甚至是可以忽略的。你丢失了一条前清的辫子如丧考妣，或者说你以这条辫子赖以生存；他的话题中，压根就没有头发这回事，他说的是七分裤和唇膏。譬如讲，我们这一代作家，还重视过“社会”这回事，许多人都赖此生存，但到了赵赵这一代，“社会”的概念在作品中自动消释，如冰块到了沸水中，她从头到尾说的就是“生活”。仔细想来，“生活”的概念确实比“社会”大呀。

赵赵过去写散文和随笔。《动什么，别动感情》是她的第一部长篇小说。这部长篇小说也是根据她创作的同名电视剧改编的。由影视作品改为小说，在我们这一代作家里，也是一件有辱门风甚至是男盗女娼的事。你怎么能本末倒置呢？你怎么这么浮躁呢？你怎么不孤独和坚持呢？你把祖宗的基业拿去抽大烟了。家就败在了你的手里。但到了赵赵这里，问题变得十分简单：我得赚钱养车和养家呀。一点看不出丢人的意思。

《动什么，别动感情》是一部好小说。说它是一部好小说并不是说它多么鸿篇巨制和“史诗”，而这是我们这一代作家追求的；而它追求的就是一个“好看”。“好看”也是“好”的一种。这类小说的口号和旗帜十分鲜明：它是面向大众和消费。甚至是：千万别拿书和读书当回事。极而言之，这是不是回到了柳敬亭说书的地步？而柳敬亭的职业，才是小说原本的祖业呀。当然，《动什么，别动感情》对生活也有新的发现，作者写出了消费时代的中国儿女们的心的新的形态，那就是：感情在生活中正趋于麻木。佳期和佳音这一对姊妹，确实不拿生活和自己的那点事当事。由于不当事，就更加当事。人和生活也就更加拧巴。这种拧巴立即在一个家庭的祖孙三代中引起波澜和传染，老、中、青三代，个个开始二百五。三代二百五，又在一起多么好看呀。动什么，别动感情，就成了一个时代的标志。可你往大街小巷和周围的人群看一看，历史的一页，也就这么翻过去了。

认识赵赵是通过王朔。王朔是我们这一代中最优秀的几个作家之一。他可能还更优秀。我曾经说过，王朔的作品，我通篇读下来就两个字：别装。就像鲁迅读几千年的中国文明史读出“吃人”两个字一样。现在读赵赵的小说，字里行间，已开始读出这样的意思：我不用装。卸掉面具和盔甲，才是一个人甚至是一个民族进步的起始。只是我们用的时间长了一些。

我曾向赵赵推荐过另一个题目：动什么，别动脑子。这也是这个时代另一种残酷的现实和玩笑。希望这种玩笑能给大多数人带来好运，或者相反。

1

第 N 次分手未遂

这一天，贺佳期摩拳擦掌准备在伴娘的岗位上站好最后一班岗，把她所知道的天南地北的花活全部不惜力地要出来，就当是告别演出了。

她早就听说过，女人这一辈子只能当三次伴娘，超过了的话就嫁不出去了。不错，这是她第三次当伴娘，第 N 次参加婚礼。她是多么希望下次参加的，是自己的婚礼啊。

结婚是两个人的事，光她一人儿时刻准备着没用。今天从一早上起来，佳期就觉着莫名的亢奋，因为出乎她的意料，她那位整天耷拉着脸的男友万征竟然同意拨冗出席。

万征是很少让佳期如了意的，基本上他们两人相处的秘籍就是怎么拧吧怎么来，以至佳期渐变成最乐观的悲观主义者——万征对她不好，她心安理得；万征对她好，她喜出望外。

佳期希望通过参加此次婚礼，让万征感受到结婚，受到祝福，是一件美好的事，也因此就坡下驴，在不远的将来把她给娶了，所以她亢奋。她想，这将是改变她命运的一天，她人生中仅次于结婚的一天，她给自己强烈心理暗示的同时，很是希冀老天爷也能接收到。

世间万物都讲求生态平衡。她亢奋了，就肯定有人颓了。眼下，防盗门外的新郎已经处在崩溃边缘。他被贺佳期拦在门外已经有一刻钟了。他努力克制着自己，低三下四地对着防盗门里那张不知道是怎么想的以至扭曲的脸微笑着，一边好声好气地哀求：“姐姐，你先开开门，开开门我就给你钱！”他把那束包装十分精美的玫瑰花换左手拿着，右手接过身后兄弟团临时装好的一个瘪瘪的小红包，哆哆嗦嗦顺窗户塞进去，突然猛拉门把手，发出“哐哐”的徒劳的声音。

佳期拆开看了一眼，一撇嘴，顺手递给身后黑压压的一帮女的：“瞧瞧，这里面是钱吗？十元儿！叫钱吗？能让他进吗？”

这帮同样不长眼的女的配合着：“不——能——！”

佳期有撑腰的，准备把这个杂耍玩下去：“十元儿不行，一千个十元儿我考虑考虑。”

门外的兄弟团虽然神头鬼脸长相各异，但看得出来都是精心捣饬过的。婚礼是没主儿男女互相勾搭的大好时机，光大吃大喝是不能把份子钱赚回来的，总要留下个把异性的电话号码才不算赔本儿买卖。不过，新郎边儿上的廖宇没打这种算盘，他穿得很随便，随便到你一眼就能看出来他和这些人没关系，当然，他肩上的摄像机也很说明问题。

廖宇的摄像机正对着“新郎”这两个红底小黄字狂拍特写，然后镜头拉开，那是一朵插着满天星的玫瑰胸花，再往后拉，新郎那张已经气出了油的脸出现在画面上，他的半个身子卡在防盗门框里，一伙人里就数他狼狈，举止夸张过度，以至看不出来是不是急了。

新郎说：“先开开门，都好商量是不是？”他的余光注意到廖宇的镜头一直在对着他，觉得十分跌面儿。他不能理解为什么这个女的要在他大喜的日子里这么作贱他。

佳期把门开了一条缝，新郎趁机横着膀子一撞，谁知佳期后面的女的一拥而上，而新郎身后的兄弟团也“嗷”一声拱了上来，最前面这俩人被挤得用肉脸支撑着冰冷的防盗门，佳期看见新郎头上喷得硬硬的头发已经往下耷拉了，他大吼着：“别挤了别挤了！……姐姐，姐姐！我求你了，快放我进去吧。”

虽然姿势难拿，但佳期仍打算把广东人这套索要进门利是的风俗进行到底：“谁是你姐姐？大娘现在只认钱！”此时此刻她脑子里只有两个字：热闹。结婚不就是图个热闹吗？不然要这么多人干嘛？要她这个资深

伴娘干嘛?

谁知就这么一眨眼的功夫，新郎的忍耐冲破了底限。他瞪视了贺佳期几秒，突然就急了——面红耳赤地一撅屁股，把后边的兄弟拱至一尺多远，矜持瞬间回归肉体，回了魂儿似的体面起来。他尿爽了一样抖抖身子，把花往伴郎手里一塞：“我——还——不——进——去——了我告诉你。”

廖宇乐得脸都咧了，佳期一时没反应过来，也收起了弯腰使劲的架势，站直了身子张大嘴：“啊——？”

廖宇的镜头转向她，再转向新郎。新郎像个受尽了委屈的长工，大眼睛里全是恼羞成怒，但他装得很平静，仿佛一切与己无关：“既然你不让我进去，那我走了。”他潇洒地拍拍手，跟掸掉一手不小心沾上的土似的。

兄弟团傻眼了，伴郎连忙伸手拉：“哎哎哎别真走啊，开玩笑呢吧？！”新郎很不服气地一拧身子，扒拉开伴郎的手，直往楼下走去。下面的兄弟连忙拥堵，他视若无物地挤出一条缝，给大家留下一个孤傲的背影。

廖宇一直笑嘻嘻地拍着，直到新郎的背影消失在楼梯的转角，才回来拍门里的贺佳期。佳期反应过来，连忙推门出来了：“哎，什么意思啊？真走啊？哎——”，她回头看看屋里面面相觑的姐妹团，又看看伴郎同情的目光：“为什么啊？不都这么玩吗？”

姐妹们惊恐万状，“追啊，快追啊佳期。”佳期没功夫迟疑，甩开长腿就往楼下跑，回过闷儿来的兄弟团赶紧跟着。佳期一边跑一边嘟囔：“不带这样的。”

廖宇坚守岗位，紧随佳期身后。可她瞥见这起哄架秧子的，倒是有地儿泄火了，谁让他地位低呢：“别拍了！说你呢，还拍什么呀拍！”

她捂向镜头的粗暴的手势，像极了电视新闻里被曝光的小商小贩。

二美的婚纱裙摆很大，几乎占着后座的所有地方，完全看不出来贺佳期穿着衣服，她和新郎仿佛是从裙摆两头儿钻出来的。

二美像个大拿，一副全摆平的样子，一边安抚新郎，一边还跟司机聊："师傅，今儿辛苦了哈，咱们得赶紧点，刚才时间有点耽误，那什么……"

"放心呗新娘子，今儿结婚的人多，咱们走公交线，警察他也不忍心罚咱们。"

臊眉搭眼的佳期看见前面是辆有天窗的车，那个讨厌的摄像正从天窗探出身子向后趴着拍整个结婚的车队。风很大，吹得他有点长的头发像个黑色的火炬。

二美满脸堆笑，假睫毛忽闪忽闪，一挥手："那是，他要真敢拦咱们，我就下去……"

"你下去干嘛呀？"新郎一梗脖子。

"啊？我？我穿着婚纱呢！我一新娘子站大马路上求他让咱们过去，他能不让咱过去吗？"

新郎的气还没撒完呢："你丢不丢人啊你？"

二美顿时不服地挺起了胸脯："我结婚——！结婚有什么丢人的？你觉得结婚丢人吗？还是觉着跟我结婚丢人？"她突然警惕起来。

"得了得了你。"新郎看二美要急，懒得抻茬儿了。二美虽然知道这会儿生气不值当的，可是忍不住嘟囔："刚才还扭身走了你……你上哪儿呀你？"

车里顿时一片死寂，佳期开始认真地咬手指头。半晌，二美整理整理情绪，问："哎佳期，戒指你那儿呢还是小蒯那儿呢？"

文质彬彬得有点土的伴郎赶紧从副驾驶座上回头："贺小姐那儿呢。"二美给初次见面的伴娘伴郎介绍："你们认识了吧？这是贺佳期，我从幼儿园到高中的同学，这是小蒯，我老公他们同事。"

佳期讪笑："刚才就认识了。"

二美问："还有条项链呢？待会儿换晚礼服的时候我要戴的那个？"

"在呢，都我这儿呢。"佳期想：不能再出乱子了，再也不能打自己这儿出了。她把手揣进兜里，使劲地把婚戒和项链攥了攥。

新郎的手机骤响："喂？是我……啊……什——么——？你再说一遍？你敢再说一遍？……你这叫放屁！……你说怎么办啊？"新郎把电话

摔了，一副全世界对他不起的样子。

“怎么了怎么了？”二美预感到自己今天的婚礼将很是坎坷，她弯下腰在地上摸索：“喂？谁呀？怎么了？……啊？您父亲病啦？您父亲病啦关我什么事啊？……啊？你爸是司仪？你谁呀你？”

像二美这么稳健的新娘子还真少有，她在紧急时刻灵光突现，想起了佳期的妹妹：“……我说她行她肯定行！”她坚毅地对俩眼已经散了光的新郎说：“她妹跟我们一学校的，打小儿就上台表演节目，真的，唱歌跳舞主持节目无所不能，特棒，好多男孩追她，从校门口追到她们班教室……这会儿没别人了，一时半会儿你让我找谁去呀？求你了佳期，你妹主持不好我也不怨她，这结婚总得有个司仪呀！你见过新娘自己张罗的吗？”

“我看你就行。”新郎突然插了一句嘴，看二美要急，连忙笑笑，倒像鬼脸。

佳期很是为难，五官扭在一起：“她真不行，再给你弄砸了……”

可是小混子贺佳音不怵，砸了就砸了，出了门谁认识她呀，笑话也笑话结婚那二位。她正在家闷得挠墙呢，撂了电话就往外跑，比二美他们还早到了一步。

“没问题，放心吧姐。”她嚼着口香糖心不在焉地跟二美说，一边儿腿还抖着，一双笑眼时不时冲着摄像机后的廖宇放电。

新郎看见年轻活泼的佳音，态度大好，与对待佳期有天壤之别。二美这会儿懒得跟他计较，使劲拉着佳音的手：“妹，你真是我亲妹。”

佳音对着镜头后的廖宇扬眉一乐，廖宇腾出左手，冲她竖了竖大拇指，转身再找素材。

万征出现在撅着屁股鬼鬼祟祟鼓捣东西的佳期身后，冷不丁地问：“干嘛呢？”

佳期见是他，连忙收起手里摆弄的东西。她并没发觉廖宇在她身后拍她背在后面的手的特写。

“没事，帮他们俩拿戒指嘛。”佳期一看见万征，脸上就自然地堆出了职业性微笑。但万征的目光并没落在她身上，而是穿过她，直视她身后，她跟着回头看了一眼，顿时把脸摔下来："别拍我呀，拍新人去。"

等到廖宇面无表情地走开，四下确实无人，万征才问："你第几回当伴娘了？"

佳期当然知道自己是第几回当伴娘，可是她并没有马上回答，她不想让万征觉得她很在乎这个事。她作思考状歪头想了想，才慢慢地谨慎地答："第三次。"

谁知万征也懂这个："人说要是当过三次以上的伴娘，这辈子就嫁不出去了。"

佳期试图在万征脸上找出一点受到喜庆气氛感染的痕迹，她瞪大眼睛作出一副无知的天真表情："真的？那包括第三次吗？还是从第四次开始嫁不出去？"她一边问，一边还用手比划着"四"。

"包括吧。"万征想都不想。

佳期很失望，可怜巴巴地笑了一下："我不信。"

万征并没把这些扯淡话往心里去，问："那待会儿我给你留位子吗？"

"不用了吧？伴娘得跟着新娘，哪儿有功夫坐着啊？！"佳期故意撅着嘴说话，想用自己的辛苦换得万征的同情，但没用，万征就跟什么都没听见似的。

伴郎过来招呼："贺小姐，准备好了吗？"

"啊好了。万征，这是伴郎小蒯，这是我男朋友万征。"佳期显然觉得万征很拿得出手，语气充满自豪。万征跟伴郎淡淡点了个头，冲佳期说："那我先进去了。"

佳期甜美地陪着笑，直到万征消失，那笑容一下子掉了下来，急赤白脸地抓住伴郎："怎么办？我把那戒指和项链放兜里，绞一块儿了，现在拿不下来了。"话里已经有哭音了。

基本上，贺佳期达到了万征对异性的基本要求，但另一方面，他觉得能达到这个基本要求的人很多，所以他能从众多备选中随便拣中她，是她的造化，是他的恩典。他觉得自己不能让贺佳期有种"落了听"的放松感，她得时刻保持危机意识，看到自己方方面面的不足，勇于改进，勇于创新。为了帮助她更配得上自己，万征总是横挑鼻子竖挑眼，其态度的粗暴可以保证贺佳期每个月哭上那么一回。他抖的攒儿很像那种在旅游景点支个射击摊子骗钱的人常用的——枪我是给你了，但你休想准星儿是对的。所以贺佳期要是能把万征哄高兴，完全是歪打正着。

按说心理占优势的万征用不着真的对佳期大动肝火，但偏偏佳期擅长关键时刻掉链子，比如现在，大庭广众之下，她竟然撅着屁股和伴郎亲热地凑成一堆儿不知道唧唧歪歪地在干些什么。万征骨子里是个老派人，很讨厌有主儿的女的跟别的男的走得太近，何况这女的的主子是他——这是要把他置于何地呀？可这个贺佳期仗着他培养出来的逆来顺受的性格，异性缘还真不错呢。

万征看见摄影机一直对着这俩人，而贺佳期的表现完全像个好不容易逮着露脸机会、表现欲极强的轻浮女子，屁股冲着宾客，时而拿左腿当重心撅会儿，时而又换到右腿。

台上的佳音眉飞色舞状态大勇："接下来，让我们来认识一下新娘这边的亲友——"她事事地伸出典型的王小丫"请听题"手势，右手小手一翻："新娘的舅舅，从呼和浩特专程赶来的吴涛先生——"她的目光在座席里找，找到后给一个鼓励的微笑："欢迎您——"。

舅舅局促地笑，向佳音谄媚地欠欠身，再向摄影机欠欠身，四下欠欠身。

一个戒指被拆下来了，佳期轻叫："哎，这个下来了。"

伴郎老成："别急，都能拆下来。"

佳期性格比较鲁，耐心并不足够："下来一个就没事了，大不了让新娘连着项链都戴手上，人还以为故意设计的呢。"说完自己觉着怪聪明地笑。

"可挂着项链那个是新郎的。"伴郎说。

佳期脸上的表情瞬息万变，两人的头靠得更近。这一幕看在宾客眼里，无外就是伴娘伴郎在调情。

为了给自己找乐子，廖宇喜欢拍婚礼上有特点有意思的人，此时他把摄像机对准了脸色越来越难看的万征。万征对佳音的主持充耳不闻，只死盯着台侧的佳期和伴郎，他甚至把烟头掐在了自己的茶杯里。

伴郎终于把另一个戒指从项链上拆了下来，贺佳期高兴坏了，离得老远都能看见她眉飞色舞的样子。她小心地把戒指放在左兜里，项链放在右兜里，满意地拍拍，又高兴地拍了拍伴郎的肩膀。

台上的贺佳音拙劣地模仿着粗浅记忆中的主持人形象，但下面没见过世面的客人都觉得她很有范儿："那么接下来，我们要为一对幸福的新人见证这最庄严最隆重的时刻——交换婚戒——"

佳期和伴郎凑上前去，分别把戒指交到新郎新娘手里。大家好像都忘了这一上午所发生的不愉快。经过刚才的险情，佳期放宽了心，与伴郎交换了一个心照不宣的微笑。

而万征已经看出了恨意。他长期以来对佳期的不满，在此时到达了顶端。

开吃以后，二美换上了大红的晚礼服，颈上无惊无险地戴着白金项链。佳期手端托盘，上面是新郎新娘要敬的喜烟和喜糖，跟拎着酒瓶的伴郎有说有笑。

佳音被舅舅握着小手，看得出远道而来的舅舅十分崇拜光彩照人的她："贺小姐，您是哪个电视台的呀？"佳音乐成了一朵花，笑而不答。舅妈在旁边站着，憨厚地冲佳音陪笑，但眼睛一剜一剜地瞟着自己男人。

廖宇看上去是这一天最发自肺腑高兴的人，他用摄像机代替自己的眼睛，正和佳音眉目传情。

这一幕又被佳期看见了，她大踏步走过去，不客气地问："你拍什么呢？新郎新娘那儿敬酒你不拍，你在这儿瞎拍什么呀？！"

廖宇的摄像机对准了她的脸。

"你拍我干嘛呀？"她的声音变得尖利，伸手捂住镜头。

廖宇把摄像机关了，慢慢从肩膀上放下，脸色很不友善。他不说话，只是看着她。

佳音连忙圆场："就是就是，拍他们去。"

伴郎也劝："哥们儿，咱们得跟着新人，他们说不定就结一次婚……"

伴娘的地位当然比一摄像的高，佳期不依不饶："我就说她们图便宜，找一婚庆公司不连司仪带摄像什么都有了？就非找摄像公司，能便宜几块钱呀？"

隔着一桌的万征没有表情地看着，心不在焉地与身边递过酒来的陌生人碰杯。那人问："您是哪边儿的亲友？"

万征没搭理他，自己干了。

天下没有不散的婚礼。纸屑和气球的碎片尽摊在红地毯上，新人在宴会厅门口与来宾一一话别，既亲热又不舍。佳期一脸疲惫地坐在签到桌后发着呆，伴郎招呼她："贺小姐，留个电话吧。"

佳期如梦方醒，跳起来："啊？噢，好啊。你多少？"

"你告诉我你的，我再给你打过来。"

万征就在旁边手插在裤兜里看着，他不大理解自己当初为什么要勾搭贺佳期，是不是她主动追自己来着呢？当然，以他的老派性格，不可能接受女性的主动追求。有时候他想着想着也掉进一个死疙瘩——为什么自己这么不在乎贺佳期呢？最后他就会得出一个结论：就算是我主动追她了，她肯定连半推半就的姿态都没有，在我话音未落的功夫就投怀送抱了。于是他释然了，这么好追的女的，能没憋着坏吗？

舅舅晃晃悠悠地走到正和廖宇套瓷的佳音身边："贺小姐，咱们也合个影？"

佳音一把抓过旁边的廖宇："哎帅哥你帮我们照吧。"

那边厢伴郎离去，万征才慢慢踱到佳期面前，随口问："你吃东西了吗？"佳期还想撒娇，一撅嘴："哪儿有功夫呀？你呢？你吃好了吗？"

"我没吃。"

佳期听出口风不对，顿时紧张起来，巴结之情溢于言表，也顾不得自己累了："是吗？那咱们找个地儿吃饭去吧。"

万征正不置可否，佳音凑过来："姐，你们还去哪儿呀？"佳期还没说话，万征说："我和你姐还有点事。"

佳音看了她姐一眼，佳期的表情不是很肯定：她拿不准万征要干嘛？如果又是要找她茬儿，是不是让佳音留下会安全一点。

佳音又试探了一句："那我先走了？"

"行。"万征看着她，意思是你倒是走啊。佳音明白万征还真没留她的意思，不走也不太合适了。

佳期在签到桌后坐立不安。万征面无表情地玩味着她的坐立不安，半天才问："你怎么了？"

佳期小心翼翼地说："没事啊？不是你找我有事吗？"

万征四处看了看，确信没什么闲杂人等注意，才垂眼看着佳期："咱俩……分手吧。"

佳期站也不是坐也不是，呆呆的表情凝固在脸上。她也四处看看，不知道有什么可看的，再看万征的时候，说话已经没了底气："你怎么了？"她脸上有隐约想要堆起来的笑，但又确实组织不起来了，笑意四处散着，成了惊恐。

"没怎么……你没听懂吗？"万征不耐烦。

佳期想了想，觉得字面上的意思自己是懂了，可这话真是字面上的意思吗？她又问："我怎么了？"

"你挺好。"

佳期给弄懵了："不带这样的万征……"她终于还是挤出了笑，意图把万征的意思曲解到开玩笑那儿。

但万征可没有开玩笑的意思，他直视着佳期的眼睛。佳期在这种注视里意识到事情的真实性，她慢慢站了起来："你怎么了？"

万征对这种车轱辘话有点烦："我没怎么。"

"那我怎么了？"

万征很讨厌坐在临街的玻璃窗前，一举一动都好像会被经过的人看见，尤其现在对面这个人又在哭天抢地："你不能这么说我……什么叫一贯性投靠有权有势男同志啊？"

万征就知道这话让她一重复，不出所料地荒诞不经。他提醒着佳期："你跟我怎么好的你还记得吧？"

佳期抬起泪眼："你不会说我跟你好就是因为一贯性投靠有权有势男同志吧？"

万征没辙，他耐下性子，掰开了揉碎了给她讲道理："当时你刚到公司，没人理你，我觉得你新来乍到挺可怜的，所以挺关心你的，你难道不承认你因为这个喜欢我的？"

"这有错吗？"

"你那不是爱，是依赖。你习惯性依赖！"万征说着说着觉得找到新词了，他加重了"习惯性依赖"的语气，"……哎，习惯性依赖……我发现你就这样，走到哪儿都这样，不自觉地就在一新环境里依赖上说话管用的男同事。这你承认吗？"

佳期一觉得委屈说话声就大："我没有！"

万征赶紧四下看了看，又瞪她一眼，压低了嗓子："你有。你自己意识不到罢了。"

佳期依旧很大声："我没有！"

咖啡厅里很多人往这儿看。万征要面子，说话虽然还很小声，但颇严厉："嚷嚷什么你？会不会好好说话？！"

佳期的声儿小了下来，可她委屈死了，眼泪哗哗地流："你冤枉我……我没有。"

"不承认没有用，"万征一副得理不让人的样子："小贺，不承认没有用。你就是这么干的。你瞧你今天，众目睽睽之下跟那伴郎唧唧歪歪的……"

佳期突然发现了万征说话的漏洞，她疑惑地问："万征，你不是吃醋了吧？"

"我？"万征觉得贺佳期的脑子肯定因为受刺激而短路了。

佳期解释："那项链和戒指缠一块儿了，人家那儿帮我拆呢……"

万征粗暴地打断她："得了，你要不承认我也没辙。但是我告诉你，我烦你这毛病不是一天两天了，你犯这毛病也不是一次两次了。"

佳期想了想，停止了抽抽答答，摆出一副破罐破摔反正已然这样那就豁出去的架势："万征，你明白说得了，你从头儿就是瞧不起我。"

万征翻了一下眼睛，这个女人从来都是这样不可理喻，真不该跟她废话。

"以前在一个公司，你是美术总监，我是一秘书；现在不在一个公司了，你还是美术总监，我是一文案——你要觉得我配不上你可以直接说，犯不着指摘我作风有问题！"

万征觉得这才真叫鸡同鸭讲，他气得靠在椅背上，紧紧地闭上了嘴。

台湾人彭守礼今年四十多岁，阅人无数，尤其是到了大陆以后，更是如鱼得水生活愉快。他的公司里60%的员工都是女的，基本上，只要他看上谁，不出一个月就可以搞定。他喜欢这些姿色颇为姣好的女孩为他争风吃醋，这也会刺激她们的业务表现，多给他卖房子——这是公司里多么亮丽的一道风景线啊。现在，轮到企划部贺佳期。

守礼拿出他一贯赏识的表情，和蔼地说："佳期，从明天开始，你升作我的助理。"说完，他往大班椅上满意地一靠，等着面前的贺佳期感激涕零。

按一贯的流程，接下来，换作别的女孩，应该立刻乐疯，站起身来，身体前倾，小腹顶在大班台上，胸口一起一伏激动地问："真的吗彭总？真的吗？"

但贺佳期与众不同，她瞪大了眼睛，不可置信地盯着大班台后面坐得稳稳的守礼："升——我——？"一边问还一边指着自己的鼻子。

守礼让她给问愣了，连忙坐正，仔细想想：没说错呀，我是要升她呀。他问："对呀，你有什么问题吗？"

佳期瞪着的眼睛小不下来，莫名其妙地保持着向前探身的姿势，不过把指向鼻子的食指指向了胸口："为什么升我？"

守礼身后贴着一幅龙飞凤舞的字：岂能尽如人意，但求无愧于心。他呆了，呆坐在这幅字下，半天才缓过劲儿来："因为……如果想做一个好的房地产文案，不能单一地只在企划部工作……那就像是井底之蛙，光凭想象是拿不出好的IDEA的，你明白吗？……你还应该深入了解到业务销售的范围，只有把房地产销售所有的环节搞清楚，才会懂得在文案创意上怎样下手。"

佳期听了彭守礼越到后来越冠冕堂皇的话，倒也没地儿反驳，但这个职位显然不是她有心理准备的。守礼恢复常态后，她也跟着正常了，甚至端起了职业妇女范儿，觉得这样才是与老板在场面上对话的正确态度，她下意识地模仿起守礼的台湾腔："我还是觉得太意外了彭总。"她露出喜悦得体的笑容，甚至还耸耸肩，表示谦虚："我完全不知道做总裁助理都要有哪些具体工作。"

守礼目不转睛地看着她："呃……基本上……你要时刻在我身边。"

佳期按捺不住对这话有更多意思的怀疑，守礼连忙补充："我会一点一点带你，这个你放心……做总裁助理非常辛苦，基本上你不能够像原来在企划部那样早九晚五，经常会有一些场合需要你陪我出席……下班的时间有可能会延长，希望你不会介意。"

贺佳期介意，虽然换别人肯定会说"我不介意"，但她没吭声。这让守礼不得不快速抛出杀手锏："还有，关于你的工资，当然比做文案时要高很多……"

佳期眉毛一挑。

"……不是说做文案就不辛苦，但做总裁助理，确实又有特别的辛苦，所以工资暂定是原来的两倍……"说到这里，守礼适时停顿一下，观察佳期的反应。

她果不出所料地眉开眼笑不能自已。

彭守礼满意了，态度自然下来："希望你还能接受。"他有点搂不住地看着面前这个迟早到手的囊中之物。

佳期心里都乐飞了，又觉得不能显得太庸俗，正色："我会珍惜跟彭总学习的机会。"

守礼也严肃起来："还有……，"佳期想还有什么"还有"我都接受，"……在总裁室这边，你的着装不能像在企划部那样随便。"

佳期低下头看着自己肥肥的背带裤，扮天真露齿假笑。

"这也是给你加薪的一个理由——你从此必须在上班时间穿有品味的职业装……不过没关系，哪天我有时间可以陪你去买衣服。"守礼的目光一直停在佳期脸上不曾离开。

佳期突然想起万征的言之凿凿，"……我发现你就这样，走到哪儿都这样，不自觉地就在一新环境里依赖上说话管用的男同事……你有，你自己意识不到罢了。”

她的思维有片刻的游离。

这会儿的守礼已经很自然了，在大班椅上左摇右转：“品味这个东西，其实都是经验来的。比如，如果我没记错，你好像从来不用香水……”

佳期笑笑：“对，不习惯。”

守礼起身，拍拍她的肩膀：“对你们女孩子来讲，这是一个缺憾，其实所谓女人味，很多时候是由香水味道来体现的。从一个女孩子选择什么味道的香水，就可以了解她的品味。”

佳期心里的防线在建筑。她一直就不喜欢守礼，对他在公司里的风流行径早有耳闻，本来是乐得待在企划部天高皇帝远，要不是为了钱……她假装笑得花枝乱颤，其实是想把守礼放在她肩膀上的巨掌给颠下来。

守礼的另一支手不知何时拿了一瓶香水，在佳期还来不及反应的当儿，迅速喷在她衣服上。佳期想躲，又觉得不方便躲，僵在那里，十分尴尬。守礼把香水瓶递给她看，是一瓶 HUGO BOSS，他说：“这是我自己非常喜欢的牌子。”

佳期歪头看看：“啊，我知道这个，‘胡搞 BOSS （老板）’嘛。”

这种没心没肺的回答听在守礼耳朵里无异于勾引，他没想到佳期这么上路，又惊又喜，居然冲她做了个鬼脸。佳期被吓了一跳，本来活泼的表情当场变成痴呆。

业务员们的办公桌背对着总裁室。有的在电话上扯淡，有的在与身旁的人扯淡。但当穿着球鞋所以走道没声的佳期经过身后，他们突然都安静了，有人指挥似地迅速埋首面前的资料，打电话的也正经起来：“我就知道你丫不是什么好东西……那好，我会再给您电话的唐先生，打扰了，再见。”

佳期不知道这帮人中了什么邪，转到他们面前仔细端详：“怎么突然都老实了？”

业务员们抬头看见是她，都松了一口气，有人忍不住笑骂：“我靠，是你呀？你有病啊？抹的什么香水？怎么跟老彭那个一样啊？我们以为是丫的偷偷摸摸出来了呢。”

佳期左右闻闻自己身上，一脸委屈：“他非给我喷。”

业务员们交换会心眼神，有一个还拿着笔点着佳期，一字一顿地叫着她的名字：“贺——佳——期——！”

“啊？”

“你完了。”

“啊？”佳期一脸莫名其妙。

几个女业务员脸色不大自然，可男业务员们却跟故意气谁似的嚷嚷：“别装傻！老彭为什么要从企划部给自己找助理啊？！”

“他说……”

“甭‘他说’，你这样冰雪聪明企划一枝花——真不知道？”

“啊？”佳期继续“啊”着。

男业务员笑了：“装傻的痕迹太重了！行了，大家别担心了，她心里明白着呢。工作工作工作，人多嘴杂，不可不防，大家私下议论议论得了。”

佳期一进企划部，杨主任就充满深情地凑了上来：“此去任重道远，吉凶难料，您多保重。”

佳期诧异：“有那么严重吗？”

“嘿，还真别不当回事。”杨主任磕磕烟灰。企划部离总裁室远，气氛比业务大厅轻松多了。

小甲说：“佳期，好好想想，业务部哪个女的没给他当过助理？哪个没被他下过黑手？哪个还有好名声？”小乙作出一个“杀”的手势：“一网打尽！”

杨主任同意：“终于把黑手伸向企划部了——佳期，从此我保护不了你了，你要自己保护自己呀。”

佳期骇笑：“我是去做助理，又不是送死。”

“差别何在呀？不出半个月，就得让你接他上班，陪他晚饭，然后……哎呀太可怕了，不敢想象，不能想象。”几个人表情沉痛，致哀似的。

唯一的女同事老白三十多岁，已婚，她听不下去："你们也太夸张了，说不准是老彭开始关注咱们企划部了。他不是说让佳期做一阵子，对业务熟悉以后再回来吗？"

小甲说："对，她回来，你去。美死你呢。"

杨主任是资深员工："佳期，打这公司创建我就在，老彭这人，业务没问题，不过这个道德水准，基本上是负数，人渣级的。一定要把跟他的距离保持在两米以外。当然，如果你愿意傍一台湾大款就另说了。"

"不过要傍不上就完了，如果被他玩弄之后再抛弃，以后在这房地产界您还怎么混呀？"小乙说。

小丙不服："怎么不能混呀？业务部那帮女的不都还混得好好的吗？"

"好好的？你看她们在公司内部找得着对象吗？"

"人为什么要在公司内部找啊？"

"她们倒想找！"

"谁答应跟你分手了？……谁不讲理呀？……好，不是我一人儿想好就能好的，分，也不是你一人儿想分就能分的！……怎么无聊了？你才无聊呢！你知道我最讨厌什么吗？……我最讨厌别人冤枉我！……"

佳期在走廊里踱来踱去，声音很小但悲愤，"……不怎么着……分手没问题，但是麻烦你想点别的理由出来，你想找我茬儿，也得找一个让我心服口服的杀人不过头点地……我不同意……你这是莫须有……"

有同事从边儿上过，奇怪地看着她，她眯眼笑笑，点头示意，一点儿不碍嘴上的事："我得让你知道我不是那种人……通过实际行动来证明……在没扳倒你这个偏见前，我们不能分手……"

贺佳期不像昨天在万征面前那样痛哭流涕，她的小面孔变得坚毅起来，像是要干什么大事业了："……当然有正事了，今天晚上我要请你吃饭，因为我升职了。"

佳期若无其事地坐在万征对面大口吃肉大碗喝酒，小脸红扑扑的。比起昨天，像是一个知道日子不多的绝症病人，反而抡开了一样。万征觉得她这个变化还挺新鲜，哭笑不得地看着她耍："您是文案，为什么升您呀？”

“不知道。可能……公司已经到了最危险的时刻吧。”

万征眯着眼睛，不可思议地看着大言不惭还镇定自若的她，从鼻子里“哼”了一声。

“早在多年前，我们小学老师就夸过我是粪堆里的宝石，狗食里的大肥肉。”

“这要是说我，我就不觉得是夸。”

佳期抬头看了万征一眼，严肃地想了想：“我觉得是。”低下头接着吃。

万征对她突然强硬起来的态度，一时没找到钳制的办法，只好冷嘲热讽：“我看你们老板挺不靠谱的。你又不是特漂亮，又不会来事，不出一个月，怎么来的就得怎么回企划部。”

佳期不服气：“我又不是没当过秘书。”

“你也好意思说。你除了擦桌子、扫地、端茶、沏水、打字、复印，还会什么？”

佳期很不爽：“你们那小破公司，哪识得出我这金镶玉？论资排辈，勾心斗角，全都是势力眼！所以我才把你们炒了呢。”

“我也没看你在这大公司做出什么成绩啊，来了也一年多了吧？大公司也有大公司的弊病，不起眼的人反而好混，在我们小公司里，生存压力过大所以一早卷铺盖走人了吧？”

佳期不吃这套，慢条斯理地说：“就是这样不起眼的我，现在当上了总裁助理。”

“真是让人大跌眼镜，大跌眼镜。”

两人正在斗着无聊的嘴，守礼突然和一个艳妇走进餐馆，正与佳期互相看见。佳期很紧张，嘴里低声叫着“糟了糟了糟了”，万征纳闷地顺她的眼神看过去的时候，她已经“噌”地站了起来，瞬间恢复到办公室里毕恭毕敬的谄媚面孔，直直地站着，甜甜地笑着。

万征对她的做作样子很不以为然。他比守礼年轻不了多少，也是业内资深的美术设计。可佳期不管，台湾口音又冒出来了：“彭总这么巧，您也到这边吃饭呀？”

她一脸不谙世故的天真，一点没注意万征的脸收得紧紧的。她觉得自己已经是总裁助理了，必须显得特会来事儿，她的脚在桌子底下用力踢着万征，小声示意他也跟她一块儿站起来。

万征气坏了，动作很大地低头往桌子底下看。佳期怕被守礼看见，更甜蜜地笑：“这是我们彭总。彭总，这是我男朋友，他叫万征。”

她用眼神再次示意万征站起来，但万征好像什么都没看见，只对守礼轻轻点个头，轻得肉眼难辨。

守礼倒不以为意，伸出手去与万征握：“你好”。

佳期觉得很挂不住，嘴咧得很大地夸张地笑。守礼说：“你们坐吧，我们过去那边。”

“彭总再见。”佳期目送守礼与女伴背影半分钟才坐下，脸已经笑僵了。

万征的脸色让她有点害怕，她慢慢拿起筷子察言观色。万征只顾吃菜，根本就不看她。她心里含糊，只好假装特瞧不上守礼似的没话找话：“那就是老彭。”

万征冷冷地看了她一眼，不吭气。

“那女的不知道是谁，没见过……”

万征还是不吭气。

“……估计是他女朋友。”

万征突然断喝：“你傻不傻呀？……你就是这么升的职？！”

佳期一晚上的虚张声势就这样坍塌了。

往常万征会开他那辆“银富”送佳期到家门口的电线杆子底下，但今天，佳期一个人沮丧地从出租车上下来了。她看见姥爷正叼着烟在楼门口遛达，连忙叫了一声。她们家不允许在屋里抽烟。

姥爷回过头看她，“啊”了一声。

佳期四下看看，没找着贺胜利，奇怪：“我爸呢？没跟你一块儿出来？”

姥爷又“啊”一声，似乎有点傻似的，但其实佳期平时装傻充愣的样子与她姥爷极像。

佳期停住脚步："你又躲事呢吧？"

"啊？"姥爷"啊"了第三声。

佳期明白姥爷这是懒得说话，只好自己往家走。看她快进楼道了，姥爷突然嚷了一声："都在一楼呢。"

姥姥姥爷岁数大了，所以和大女儿建英一家住在一楼，在中学当老师的二女儿建华一家住在三楼，可每天还是雷打不动地到一楼来吃饭。建英老实，以前老被前夫郭勇家庭暴力，前年才跟廖荣杰再婚。廖荣杰是外地人，也是二婚，孩子跟着前妻过，他觉得自己这条件能娶上北京人挺不错，一大家子人面儿上过得倒也融洽。

大姨家本身并不小，但因为被姥姥堆满了舍不得扔的破盒子纸箱子以及种种旧家具所以显得又乱又小，装修风格横跨两个世纪N个时代。但姥姥喜欢，觉得这才叫接上了地气。

佳期进来一看，一屋子女的，只有她爸一个男的，而且除了佳音之外，全都阴沉着脸。她把包扔在沙发上，看这一屋子人的脸色没一个像好惹的，不知道说点什么好："都怎么了？"

建华教语文，说话节奏很快，职业病似地绷着脸："没事。你吃了吗？"

佳期"嗯"了一声，不大相信地又仔细看了一圈："真没事？那我说事了。"虽然刚跟万征吵完架，但一场架不足以熥灭她升职加薪的愉快心情，"……我升职啦——"

姥姥和佳音都是容易大喜大悲的人，听了这话顿时高兴起来："真的？升什么啦？"佳期装出一副无所谓的样子，可刚才说升职的时候可没这么轻描淡写："总裁助理。"

佳音"噌"地窜到她身边，趴着她肩膀："行啊姐，涨钱吗？"

佳期只从嘴角露出一点淡淡的笑，伸出两个指头摆成"V"型："两倍。"

建英的女儿郭才智从佳期说事儿开始就面无表情，她极不喜欢佳期那个自鸣得意的劲头。才智是这个家里最不起眼的人，她也习惯了自己的不被人注意，平时总捧着一个大杯子遮着脸，所有的话都被杯子挡着说出来，只留一双眼睛表表情。

贺胜利本来就苦着脸，听了佳期的话以后更苦了。佳音抢着说："那什么，借这热乎劲儿，我也要说事。"

建华看不上二女儿的不稳重："你有什么事啊？你找着工作啦？"

"那倒还没有。不过，我决定要报名参加电视台那个'明星脸儿'"。

建英问："那是什么呀？"

姥姥熟悉一切电视节目："'明星脸儿'你都不知道？就是模仿那些名人唱歌跳舞演小品。你甭说，那个像哎，长得都特像。就那谁主持的。"

才智问佳音："可你长得像谁呀？"

胜利自以为幽默地插话："像我。"

建华狠狠瞪了胜利一眼，胜利连忙低下头。

佳音得意洋洋地说："不对，我长得像王菲。"

"哪国的王妃呀？"

"什么哪国的？你怎么什么都不知道啊？唱——歌——的！"姥姥什么都知道。

佳期的风头迅速被抢，很不甘心，打击妹妹："我怎么没看出来呀？"

佳音突然把脸凑到她姐面前，瞪大了眼睛，摆出一副冷酷的表情："你仔细看。"

佳期吓了一跳："边儿去，想起一出是一出。"

佳音笑起来："你昨天没听见人都问我是哪电视台的吗？都说我有明星相，能出大名。你不是升官发财了吗？为了给你一个将来我能感谢你的机会，你帮我出报名费？一百元儿，还不够你半支鞋钱。"

"我倒宁可留着买半支鞋。"

胜利连忙说："你姐不给，我给。我支持你。"

建华对胜利这种妄图表现好蒙混过关的态度很气愤："得了你贺胜

利，你都快没鞋穿了你还给别人买鞋呢。”

佳期对自己错过的前半段会议很好奇：“我爸怎么了？”

建华“哼”了一声，哼得极冷，冷到胜利心尖儿里头去：“你爸？你爸快下岗了。你爸从明天开始，就去食堂工作了。”

姥姥阴阳怪气地说：“咱们家呀，也不知道是怎么回事，就这么阴盛阳衰。女的个顶个儿都拿得出手，男的呢，就一个不如一个。”

正说着，外边的门突然先后两声巨响，佳音问：“姥爷回来了吧？”姥姥连头都不带抬的：“又出去了。”

姥姥对姥爷“躲事”这个毛病早就看不惯了，看见面前窝囊的女婿更是勾起了新仇旧恨：“这是不是有传统啊，这不争气？你姥爷，解放前他们村团支部书记！后来到北京也是坐办公室啊！在山西那十年，就说是下放，可也是工会主席呀？我辛辛苦苦四处求人把他弄回北京，本来指着他给咱家谋幸福呢，结果呢？临了临了，从看大门的岗位上光荣退休！寒碜不寒碜呀？！”

佳期问：“在食堂干嘛呀爸？”

胜利解嘲地笑：“咳，就是管管呗，学校那食堂事儿也挺多的。”

“对，好几百个学生天天排队买饭，光‘夹塞儿’这么大问题就够你爸管的。”建华在一旁敲边鼓。

佳音不识相地问：“那好啊妈，那你以后买饭就能随便夹塞儿了吧？”

应聘的年轻人都在业务大厅的墙边坐着，有的因为紧张而并不跟人搭话，有的却因为紧张拼命跟人搭话，甚至拉住“隆业”的业务员滔滔不绝。只有一个长相极好看的男孩坐在之中表情平静。

佳期的办公桌在总裁室门外，比起别人的又大又体面。她拿了一迭简历走到应聘者面前叫名。一个油头滑脑的男孩站起来答应：“姐姐你门口喊一声我就过去了，瞧还走这么远，别累着你。”

佳期的穿着打扮和言行举止已与高级白领无异，冷冷地说：“麻烦你们都小点声儿。”

众人噤声，看出这是公司里的凤姐式人物。漂亮男孩认出佳期，低头想躲。可佳期回身前，眼睛又在应聘者们身上严厉地扫了一遍，到廖宇那儿，停住了。

廖宇看没躲过去，索性大大方方看着她，他时刻准备着她跟他蹿儿了。

谁知佳期突然咧嘴乐了：“你——失业失得够快的啊？！人结婚那带子还没剪完呢吧？！”

廖宇并不示弱，话赶话跟得很干脆，并不把她放在眼里：“你要着急看，就先安排我面试，我好赶紧回去接着剪。”

佳期被噎住了，她生气地站在那儿想词，可什么也想不出来。

守礼给全公司订制了工服，除了他自己和佳期。他体贴地对佳期说，由于她要经常陪他出席各种晚宴，打扮得太素会失他的身份。但他对业务员就没那么体贴了，虽然员工穿统一工服是为了给他的公司添体面，但他觉得他们应该深深地喜爱这套由他亲自设计的工服，他教会了他们什么叫品味，这可不能白教，工服的钱要分三次从工资里扣。这让员工们开始看不惯佳期了，有人问：“这工服有那么好吗佳期？”

佳期事不关己高高挂起：“我也不知道。还行吧？”

廖宇的位子正挨着佳期，但他桌旁总围着好几个莺莺燕燕，这让佳期觉得被人侵入到安全范围。

那人不服气：“说是名牌？！我受累问一句，是‘杰尼亚’吗？是‘NAUTICA’吗？退一万步，是‘七匹狼’吗？”

佳期心不在焉地说：“靠谱了。”

“靠——”，那人绝望地骂。

佳期没功夫理他们，她在给万征打电话，但万征就是不接。佳期着急上火，但仍然不厌其烦地按着 REDIAL。

企划杨说：“你们就甭叫苦了。这算什么啊？你们替人家新来的业务员想想，刚来就赶上这飞来横祸……是不是兄弟？”廖宇看杨主任是对自己招呼，连忙礼貌而拘谨地回点个头。

“……试用期三个月，每月……没到四位数吧？……扣五百着装费，刨二百饭钱，每天还得坐车上下班，找地儿租房……”，他好像盯准了廖

宇，“是吧？你不是北京的吧？”

“不是。”

“你们算算，不但挣不着钱，就差倒找公司钱了。”

业务员们长叹：“太黑了。”

“嫌黑？嫌黑辞职走人啊？！马路上要饭穿什么都行……你们别老围着人家再吓着人家。”企划杨指着廖宇身边那几个女的，那几个女业务员只笑不理：“管着吗？吃醋也轮不上你。”

企划杨精明地说：“报复别人也别用糟蹋自个儿的方式啊。”

守礼双目圆睁，声嘶力竭：“我们的信条，一个字——卖。”

显然他很得意于自己想出来的这个字，抡着一个手指头在大太阳下走来走去，几乎要杵进员工们的眼睛里：“卖！对！就是卖！卖——才是硬道理。作为一个房地产销售公司，还有什么比我们卖——更重要呢？”

新来的业务员是可以看出来的，他们比别人更踌躇满志，胸脯挺得更高，以为前边是一片艳阳天。

守礼用极具煽动性的口气要求大家和他一起喊，那样子很像疯狂英语：“跟我喊——卖！”

“卖！”

“我们卖！”

“我们卖！”

廖宇喊得很敷衍，他讨厌这套虚张声势，他不想卖，他年轻，心存理想，而那理想和钱无关。他有点走神，看见不远处讨厌的贺佳期竟然也是一脸尴尬，有气无力地喊着——“卖”。

“我们到街头去，到商场去，到所有人头攒涌的地方去，街道就是我们的卖场……”，守礼的大手挥着，对员工们满头的汗视而不见。

大家解散，佳期气馁地看了廖宇一眼，太不幸了，居然和这人结成一组。

虽然两人不愿意相互理睬，但漫无目的地走下去也不是办法。终于佳期放下一直打不通的电话问：“发小广告不会给逮起来吧？”

廖宇显得倒有经验：“别太乍眼了就行。”

现在佳期和他同一战线，愿意妥协，有商有量："要不咱把这些破玩艺都扔垃圾桶，再在外边耗会儿就回去吧。"

廖宇很吃惊："你是总裁助理吗？怎么说出这种没觉悟的话？"

佳期指指自己的脚说："你看我穿的鞋。"她不像其他女业务员那样穿着坡跟鞋，她的高跟鞋夸张地高。

廖宇只好拿过她手中的海报："得了，你在这儿等着吧。"

佳期高兴了，问："你去扔？"

"这儿不红灯了吗？我就在这儿发。"

佳期不但不感谢，还说风凉话："哟，你以前就是发小广告的吧？很有经验的嘛。"

廖宇不搭理她，走入等红灯的车流中。他把小海报塞进开着的车窗里，很有一些人一看他过来马上把车窗摇起。他也不以为意，熟手地把海报塞在雨刷器下面。车里人的口型显然是在骂他。

佳期在树阴里事不关己地专注地拨着电话，对廖宇的辛苦视而不见。只要不是她干这个，谁干这个真是无所谓。

乌泱乌泱花里胡哨的少男少女扎堆在电视台门口排着乱七八糟的队，出租车开不过去了，贺佳音只好叫司机靠边停。她戴了一个莫名其妙的大爆炸假发，出租车司机一边开走一边回头看她及那一帮子怪人，差点跟迎面来的白色"捷达"别上。

那辆"捷达"妄图挤进人堆，进入有线台，徒劳地按了几次喇叭后，小李美刀没辙，只能停在佳音身边的一块儿空地上。

下了车，美刀哆哆嗦嗦点着了烟，欣赏着美女如云的壮观景象，掩不住满脸兴奋，紧嘬两口，看见身边这个姿色颇佳，忍不住搭个："你也是参加那'明星脸儿'的？"

不认生的佳音"啊"了一声，看着他："你也是呀？不会吧？"

美刀逗她："怎么不会呀？我是呀。"

"你像谁呀？"

"我？你仔细看看。"他把脸凑上去。

佳音可不适应把脸凑那么近地看一个陌生人，她往后半仰着："看不出来。”

“不像布拉德·皮特吗？”

佳音咧了咧嘴：“我觉得你像块砖头。”

美刀一点都不生气，叼着烟欣赏她七扭八歪、已进入模仿状态的背影。

“你就不能学别人吗？干嘛非得学王菲呀？一大早儿到这会儿，已经四百来个王菲了。”

“对呀，你得学点冷门的，容易进决赛呀。”

小李美刀推门进来了，“嘿嘿嘿”笑着跟评委们一通儿狂点头，有人问：“你怎么今儿就来了？”

“咳，按捺不住喜悦的心情呗，就把时间给记错了，他们刚告诉我说决赛是下个月哈？”

“你怎么也得按着点啊，这也忒急了。你是决赛评委，你得矜持。”评委们跟美刀热乎，把佳音搁在了一边。佳音不知道这是个什么人，看来还有点小权势，她有点后悔刚才没给这人好脸。

美刀倒是不计前嫌：“哟瞧你，刚才走那么快，跟我要怎么着你似的。”

评委问：“认识啊？”

“是啊。她还不错吧。”

“不错不错，要是你的熟人就更不错了。”

美刀就坡下驴：“那就直接进决赛得了。行吗？”他不问评委，问佳音。佳音很不见外：“行啊，我没意见。”

评委们也没意见，反正不是他们家的事：“那行，那就回去吧，半决赛也甭参加了，下月10号决赛，7、8号的时候等电话通知。”

佳音想自己是遇见贵人了，一边笑眯眯地往外走，一边跟每个人点头哈腰。美刀连忙跟上：“那我先送她回去了，再见啊。”

“你丫把时间记住喽！别决赛的时候又不来了。”

“那不能够，她不是也来吗？我们俩一块儿来。”美刀一指佳音，佳音显得跟他特熟地笑了，美刀顺势勾住她的肩膀。

出了门，佳音假装快乐地转了个圈，从美刀怀里转了出去。美刀当然看出来了："瞧你，还挺端着。哎你怎么谢我呀？"

佳音眼珠乱转："你说。"

美刀涎着脸说："跟我回家？"

贺佳音在本质上还是个不谙世事的小姑娘，听见臭流氓口气，觉得还挺来劲。

她没像一般姑娘似的扭头就走，还跟美刀攀谈上了："那多没劲呀？！"

"那你说点来劲的。"

佳音一斜愣眼睛："你跟我回家？"

美刀一愣，摸不清这孩子的路数。不过，他真挺喜欢她笑嘻嘻的样子，舍不得放她走："我要是你，我就巴结我。我是评委啊。"

佳音直皱眉头："你干嘛的呀？他们干嘛找你当评委呀？"

美刀不能接受年轻异性不知道他是谁："你真不知道我是谁？"

"真不知道，对不起啊。"

美刀很遗憾地打开车的后备箱，里面堆着好几摞同一本书，他拿了一本递给佳音："回家好好补补课！生在21世纪网络时代，不知道我，你怎么混的？"

佳音念着书名："晕——头——胀——脑？小——李——美——刀？这都是什么名儿啊？你叫小李美刀啊？"

"什么什么名儿啊？你平时上网吗？"

佳音摇摇头。

"那我就没法跟你说了。你先回家看吧，看完给我打电话，汇报一下心得。"

佳音愁眉苦脸地说："我一看见字儿就头疼，你有漫画版吗？"

美刀假装生气："无知！你气死我算了。先上车吧，去哪儿我送你。"

"不用了，我自己打车走，小便宜我是不占的。"

"那是，你一占就占一大的。"他看出来佳音只是嘴花花，不是一猛子就来真格的那种猛女，对待这种单纯的女孩，还是得用说学逗唱的传统方式，他问："那你让我占你点小便宜？"

佳音猛地往后退了一大步："干嘛？"

美刀笑了："我是说，给我留个电话？"看贺佳音犹豫的样子，美刀觉得再强努就有点臭不要脸了："那你给我发 E-MAIL 吧，书上有我邮箱……你不会连电脑都不会使吧？"

佳音脸有点红，鼓起嘴笑："我学！我打你这儿开始学还不行吗？谁让我今儿遇见名人了呢。说真的，我还真是头一回跟一名人离这么近虽然不知道这名人是干嘛的，不过自己煽得还挺邪乎。得了，今儿谢谢你，你忙你的吧，白白。"

"哎你回来。"美刀招招手："我给你签个名。"

佳音苦笑着咧嘴，没遇见过上赶着给人签名的。美刀一边掏笔一边问："你叫什么啊？"

"贺佳音。祝贺的贺，佳音就是那个佳音。"她胡乱比划着。

"还挺好听的。"美刀签完，佳音捧到眼前仔细看，放声大笑起来。

美刀让她给笑毛了："有什么可笑的？"拿过来一看，扉页上写着：贺佳音收，底下是他自己的电话号码。

他慌里慌张地抢过来改，心明眼亮的佳音已经放宽了心："原来也是个口儿贩子——紧张什么呀？"

佳期看看表，说："我有点事，你自个儿吃午饭吧，一点见。"

廖宇连忙问："喂，你去哪儿？"

佳期觉得奇怪："你管呢？就是在公司，中午还有一小时休息呢。"

廖宇兜里没钱，对于午饭的问题已经琢磨一上午了。但让他管佳期借钱，又实在张不了这个嘴，他想了想，要不干脆饿着吧："得得，你走吧。"

佳期有点明白，冷冷一笑："你没钱吧？"话音里有压根儿也没想掩盖的鄙夷："我可以借给你呀……"

但她并不痛痛快快地借，她等着廖宇张嘴求她，可惜廖宇坚持不吭声。

佳期没时间跟他磨叽，不耐烦地说："你倒是张嘴借呀。"

廖宇扭身走了。

万征觉得办公室里突然安静了，他抬起头，看见晒出了一脸油的贺佳期正诚惶诚恐地站在门口和旧同事点头招呼，他犹豫了一下，"啪"地一声把报纸不耐烦地扔到桌子上，也不说话，起来就往外走，佳期乖乖跟着，不但不敢动怒，还陪着笑。

"不是跟你说别上这儿来吗？"

佳期不理，所答非所问："你手机没开声儿吧？"不待万征回答，又抢着自问自答："我就知道……你不接，我着急……接不着我电话没关系，要是有什么正事给耽误了就糟了。"

"你有事吗？"万征问。

"就是没事。反正也没事，就遛达过来了。"她的笑意更浓更假了，做出嗲嗲的样子："……有事……不生气了啊，"她伸手去抓他的手，他手疾眼快把手一缩，她没有抓到。但贺佳期不怕困难，也不在乎寒碜，她嘻嘻笑着坚持去抓，终于抓到了，她轻轻地摇晃着他的胳膊："不生气了啊……"

万征撤了几下没撤回来，使劲咂吧一下嘴，示意她放开，但她"嗯"了一声，摇摇身子，万征只好由她拉着："哎呀得了……撒开……您这岁数弄这表情，大热天儿让人不寒而栗。"

佳期坚持不要自尊："你说不生气我才撒手呢。"

万征不自然地左右看看，呵斥："撒开！像什么样子……让人看见……行了行了，不生气了。"

佳期还不撒手，不放心地看看万征的眼睛，万征躲着："干嘛？还不撒？"

她怀疑地问："真的？"

"真的真的。"

佳期正犹豫要不要放手，电话响起来了，她只好放开。

又是那个讨厌而且无处不在的廖宇。佳期接起电话的片刻，脸上的表情已经迅速转换到不耐烦，声音也变得粗粗咧咧："喂？"她看了看腕上的表："管着吗？"

再看回万征的时候，又是满目柔情："我得走了……真不生气了？"

"怎么那么罗嗦啊？"

佳期涎着脸说："那……晚上一块儿吃饭？"

万征想了想，勉强答应："晚点儿吧。"

"多晚？"

"七点半吧。"

"我还来这儿找你？"

"别，我们家吧，你七点半在我们家楼下等我。"

看万征头也不回地回了写字楼，贺佳期才长出一口气，经过这么大幅度的表演，她快饿死了。

从刚才上车的地方下来，佳期急匆匆左右张望了一下，准备进街边儿的"永和豆浆"随便买点什么，然后就看见明亮的窗户里，廖宇正跟几个女业务员笑得前仰后合，有个女业务员还趁机趴在了他的臂弯里，那孩子也不以为忤，一副很受用的样子。

有人看见了她，说了几句什么，又捅捅廖宇。大家看着她，互相也不打招呼，对峙着。

佳期臊眉搭眼地推门进去，嘴里不服不忿地念叨："还真是凭本事吃饭。"

2

第N+1次分手未遂

刚进楼道，贺胜利就听见一阵熟悉的脚步声和寒暄声。他想往楼下撤，一犹豫的功夫，建华已经跟人拐过来了。学生认识贺胜利，连忙叫人："贺老师好。"

贺胜利马上端了起来："哎，来啦。"

建华也不理他，只管跟学生家长说话："你放心，他聪明，没问题。"

贺胜利站在建华下面两层台阶，目送人家走了，回头仰望着建华的冷若冰霜。建华问："你今儿上哪儿了？"

贺胜利老好人似地哄她："回家说回家说。"走过原地不动的建华身边，他替她掸胳膊肘上不小心蹭到的楼道墙上的灰，建华看都不看他，拍打掉他的手。

进了屋，建华直接坐到长沙发上，指指对面的单人沙发，示意贺胜利坐下，这让胜利很不自在。

"去电视台干嘛？"

"找郭勇去了。"

"郭勇什么时候去电视台了？"

"他也不算电视台的人，就是给一栏目当制片。"

建华等着他的下文。

胜利嗫嚅："他……那什么，干得还行……还劝我也辞职得了，嗨嗨嗨还真逗。"说完敏锐地观察建华的反应。

建华紧抿着嘴一言不发，胜利等了半晌，只好硬着头皮说下去："说能介绍我去电视台，挣得多，活……虽然也多，但是一阵儿一阵儿的，忙一阵儿歇一阵儿。"

建华还绷着。胜利心里没底，请示："你觉得呢？"

建华反问："你觉得呢？"

"我觉得……我怎么觉得还不是得看你怎么觉得？！"他贱笑着摸摸后脑勺，如同摸到了头脑。

几乎所有的女的临走前都去跟廖宇说再见，这真让佳期看不顺眼。她不明白，人长得好看是娘胎里带的，又不是后天努力长成的，有什么可巴结的？她从来就瞧不上拿脸蛋混饭吃的，尤其又是个男的。

守礼从总裁室出来，她连忙站起来，挺胸抬头："彭总您走啦？"

守礼"嗯"了一声："你怎么还不走啊？！"

"啊……我……在看'京东豪庭'的资料。"

守礼有点满意："你饿不饿？要不要一起去吃东西？"

佳期眉开眼笑地拒绝："啊不用了，谢谢您。"

守礼也觉得刚这么两天就约她吃饭还不够成熟，这事不急在一时。他转身看见业务大厅里只有廖宇还在，问："你叫廖宇是吧？怎么还不走啊？"

廖宇也站起来："彭总，我在看'京东豪庭'的资料。"

守礼一出门，贺佳期冷冷地说："看资料？看得懂吗你？你刚来就能看资料？我们都白混了。"

廖宇也就不糊弄她了，把手上现抓的一堆资料放下。

佳期不大习惯说话不被人搭理，对方越不说话她就越要跟对方说话，直到对方说话："喂，你怎么还不走啊？"

"我问你了吗？"

"你问得着我吗？"

"你问得着我吗？"

佳期真是很讨厌这个人，她低头继续在网上看《晕头胀脑》。

过了一会儿，《新闻联播》的片头曲响起来了，她看看大厅里的钟，发现廖宇在看业务大厅里的电视。她觉得奇怪：“喂，你不是要住这儿吧？”问完突然明白了他恐怕就是要住这儿。

廖宇的眼睛没有离开电视屏幕：“我又没住你们家。”

佳期冷笑一声：“你倒想。”她拎起包走过廖宇身边，提醒他：“你就是想省钱住这儿，也得跟公司打个招呼，要不然真丢点什么东西，谁又都不知道你哪村儿的，哪儿逮你去呀？”

她站在门边，一手拎包，另一支手“啪啪”按下业务大厅的电源，只剩廖宇脑袋上的那支灯还亮着。

佳期每天都在琢磨如何把万征骗得跟她结婚。两年来，这个人一直若即若离，一副有她没她无所谓的样子。她说分手，他帮她开门，她要回来，他也帮她开门。直到有一天她从时尚杂志上看到一个说法叫“三不男人”，才知道万征这是走的什么路线。所谓“三不男人”，就是“不主动不拒绝不负责”，佳期把杂志往旁边一摔，脑子里蹦出两个大字：不服。她不去想她到底是不是真喜欢万征，她就是较上这个劲了，她要豁出青春年华在这块冰冷的大石头上磕散黄儿——万征一天不跟她求婚，她一天不跟他分手。

佳期倚在门框上看万征炒菜，假装无意地问：“哎，你快过生日了吧？……三十七，”她自顾自念叨着：“三十七，三十七……”

万征听得烦：“瞎得吧什么呢？”

佳期就等着他问呢：“你三十七，我二十六，哎，加一块儿都快七张儿了。”

万征知道她要说什么了：“那怎么了？”

“我听说，男女双方加一块儿，够五十就可以结婚……七张儿了，不能再这么老不正经下去了……我真替你们家人着急。”

“你着哪门子急呀？”

佳期做出着急的表情：“还不着急？你们家就你一个男孩要是你还算男‘孩’的话。等这么多年就为了找一好的这我理解，可你现在好不容易

找着了，磨磨蹭蹭又不结婚，非把好的放坏了。”

“谁……谁是好的？”

佳期一拍胸口：“我呀。著名的我，不管工作还是模样都这么体面，这么给人长脸……”

“我还真没看出来。我怎么觉得你就是一普通人啊。”

“那不叫普通，那叫低调。”佳期跟个甩手掌柜似的笑着说。

“端菜”，万征不接她的话，“别眼里没活儿。”

佳期不肯轻易放弃这个话题：“你以前，就从来没动过结婚的心思？”

万征答得非常干脆：“忘了。”

“这种事怎么可能忘呢？”

“这种事怎么不能忘呢？”

“我觉得你老这么反问没意思啊……你跟那谁？苏丽娟，没谈婚论嫁吗？”

万征听到这个名字，突然就粗暴了：“无聊！吃饭！”

佳期吓了一跳，又不甘心就这么着不说了，小声嘟囔着：“哼，真是同人不同命。我，一路顺风顺水落在你手里了，你，一路磕磕绊绊受尽感情创伤……”

屋里的电话响了。万征对她有严格的规定，不许接他及他家里的电话，只能往外打。她不高兴地看着万征摘下围裙，小跑进客厅里：“喂？哎怎么着？……行啊，哪儿呀？……”，他看看手机上的时间，“行，半小时。”

万征返回来迅速夹了点菜，佳期觉出势头不对，问：“什么情况啊？”

“有事儿。”

佳期不高兴了：“什么事什么人啊招之即来挥之即去？”

“别废话。”

佳期急了：“你走了我去哪儿？”

万征觉得她问得奇怪：“回家呗。”

佳期一摔筷子："你不能对我这样，招之即来挥之即去。"

万征急着出门，没功夫理她："我没招你，你自己来的。"

他强势的态度让佳期感到很不被尊重，但目前看来没有办法，房主要出门，自己也待不下去，她只能撒赖："喂！我等你俩多小时才进这家门，现在屁股还没坐热一顿饭都没吃完你又要走！你这不是成心晃点我吗？"

"我没让你现在回家啊，你吃完再回呗。"

佳期开始拱火："啊对，吃完把碗给你刷了再回。"

"你不是听见了吗？我有正事。"

"我怎么没听出是正事啊？什么事啊？你告诉我什么事？！我帮你分析分析值得去吗？"

万征烦了："我这么大人，我用你分析吗？你算干嘛地呀？"

佳期一愣："怎么说话呢？我容易吗我？人家也谈恋爱，我也谈恋爱，怎么我这恋爱就谈得这么名不正言不顺啊？"

万征没事人似地里外屋走着，出来时候已经换了一件衣服，还真是不把她放在眼里，她悲愤了："想理我就打个电话，我巴巴儿地狗似的就来了。不想理我，一个礼拜都见不着人……不让我见你的朋友，见你们家人，连电话都不让我接——你憋什么坏呢？你丫是不是早结婚了在乡下有一傻媳妇和俩傻儿子隔三差五还等你送钱回去接济啊？"

话越来越难听，万征终于听不下去了："你有病啊？你这不是泼妇吗？"

"谁你也不能对人这样！"有一大颗眼泪"叭"地落在了佳期的衣襟上。

万征呆了一呆，他是个对女人的眼泪毫无办法的人，他只好粗暴地哄她："我有正事，现在没法儿跟你说，过两天再告诉你。"走到门口，他回头看着原地不动的佳期："你去哪儿？我捎你一段？"

"我哪儿也不去，我就在这儿呆着。"佳期较上劲了。

"那你走的时候把门撞上。"万征撞上门就走了。

佳期听听楼道里由近及远的脚步声，确认万征真的走了，刚才辛辛苦

苦铺垫的话又白费了，她悲从中来，对着门哇哇大哭："你到现在也不给我配你们家钥匙——"

万征刚走出楼道，听见有人家窗户被打开，还没来得及仰头看，一个杯子从窗户里飞了出来，"唏哩哗啦"碎在他脚边。他连忙往旁边一跳，皱着眉头往上看，自家窗户正被一只手关上，不见人影。

他气坏了，刚想骂两句，看见有邻居探头，只好假装不知道谁家，上上下下斜楞一番，才上车走人。

廖宇拎着一个巨大的旅行包走进设备落后的机房，有两三个人正在里面慢悠悠地剪片子。屋里很乱，到处是用剩下的一次性水杯，有的水杯还被当成烟灰缸，塞着不少烟屁，屋角有张堆满了带子的床。

几个人抬头看了他一眼，点个头："今儿估计得后半夜了。"

大勇问："你新找那公司没宿舍啊？"

廖宇有点抱歉，一边手脚麻利地帮人家收拾桌子上的垃圾："没有……我就以为是一大公司，能有宿舍才去的……结果不知道为什么就没有……本来想在那儿打地铺，可他们说得老板同意……我明天就去说。"

"我这儿你随便住，没事，还帮我看机器了呢，我就怕你休息不好。哎——"，大勇从剪接台上拿起一张VCD，扔给廖宇，"结婚那个剪完了。"

"噢是吗？能看吗？"

大勇笑："还他妈挺逗的。"

廖宇到另一个机器上放碟，怕打扰别人，调成静音。画面上出现了佳期，隔着防盗门跟新郎对峙，他按了"快进"，动作迅速的佳期脸上表情变得飞快，由凶恶变得意再变颓废。

然后是佳期与万征在宴会厅外说话，佳期背在身后的手里绞在项链上的两只婚戒，活泼可爱的佳音对镜头打招呼，佳期把打火机递给乐不可支的新娘，佳期瞪着镜头……

廖宇使劲按下"暂停"，佳期狰狞的样子被定格。廖宇瞪了她半天，伸手扇了面前的空气两个大嘴巴。

佳音一看见她姐的模样就会心一笑："又挨撅啦？"

“我？不能够。”佳期嘴上一贯是不服输的。

“怎么不能够啊？脸上写着呢……他有什么好啊？那么老，还齁倔齁倔的，一点不知道让着人。”

佳期也咂摸嘴，妹妹说的都是明眼人一眼能看出来的。

“我觉得吧，找男朋友，得找那种特上赶着哈着你的——呵护型。您找这个满拧，整个一‘呵斥型’。”

佳期让她给逗乐了：“你懂什么呀？！……你今天报名了吗？”

“我都进决赛了。”

“凭——什么呀？”佳期听见别人都比自己顺利，鼻子都气歪了。

佳音大言不惭地说：“这就是实力，明星相，一往那站，不用张嘴，全给震了。”

“不吹牛会死啊你。”

佳音对自己的吹牛技术很满意，把美刀的书亮给佳期炫耀：“就是写这书这人，评委！觉得我特好。你知道吗还哭着喊着非给我签名……嗨，不信？我给你叫来。虽然有点不靠谱……可横竖比那万征强多了。我准备从明天开始，每天夜里一点半到‘钱柜’练歌去，争取一炮而红。”

“那么晚？”

“一点半以后特便宜，还白吃白喝，姥姥说陪我。”

佳期不同意：“别逗了，你在‘钱柜’见过姥姥那么大岁数的吗？再因为陪你折腾出病来。”

“姥姥说她把生物钟改成白天睡觉。”

“不行不行不行她又不是猫头鹰。”佳期突然来了兴致：“今儿我陪你吧，现在就去。”

佳音很意外：“啊？这刚几点啊？你知道现在多贵吗？”

佳期心一横：“要的就是贵的时候去，大娘有的是钱，今儿还就要消费消费。”

佳音不能相信自己的耳朵：“真的？……你今天这撅挨得够厉害的呀？！”

佳期装没听见：“趁我高兴，以后我每天给你报销一小时的包间费。”

佳音的脸因为幸福降临得太快而扭曲了，情不自禁地夸：“要说万征这人，其实也还不错。”

佳音愁眉苦脸地坐在一边喝饮料，干看着已经喝大了的佳期手拿麦克唱得声情并茂哀哀凄凄，小李美刀一脸困惑地坐在她身边。

屏幕上出现王菲，佳音连忙说：“我的我的我的。”

佳期不干：“咱俩一块儿唱。”

“你声儿那么大……”

“一人一句？”

佳音不满地拿起麦克，佳期谦让：“你先来。”

谁知佳音一句还没唱完，佳期迫不及待地跟上，脸上的表情痛苦得如同便秘：

“自尊丢到墙角，掏出所有的好，你还是不看，你还是不要——”，没拿麦克的胳膊还伸展着，舞动着。

然后她就不停了，一直与该唱下一句的佳音抢。佳音腾不出嘴来跟她理论，一直嗷嗷，妄图用声儿大压倒对方。

小李美刀觉得这俩人路数很怪，很直率地问佳音：“你姐失恋了吧？脸都唱歪了。”

佳音在外人面前很护着她姐：“你姐才失恋了呢。”

佳期认真地盯着屏幕，置若罔闻：“我痛得想哭，却傻傻地笑……”

她狼吞虎咽的时候，佳音才终于有机会不受干扰地唱歌了。美刀试图跟冷若冰霜的佳期搭话：“慢点吃，还有呢。”

佳期不理他。

美刀耐心地问：“这是多久没吃着像样的饭了？”

佳期擦擦嘴说：“我一点都不饿。”

“我就是看出来你不饿才劝你呢。你现在就已经没人要了，再吃得膀大腰圆的不就更没人要了吗？”

佳期很生气，大喝：“这人谁呀？”

美刀伸出了右手：“我叫小李美刀，很高兴认识你。”

佳期就任他的手伸着。

佳音亲热地招呼："哎美刀，你也送我姐本书呀。"

"行行行没问题，我这就上车里拿去。"他站起来一阵风似的就出去了，佳期冲着他的背影说："讨厌。"

佳音不在乎："多逗呀！热心人儿。"

廖宇从电梯上来直奔自助餐厅，大勇冲他喊着"206"，廖宇点点头，他没注意到自己又阴魂不散地走到了阴魂不散的贺佳期身边。

佳期倒完饮料，一转头正对着廖宇的脸，双眉蹙了起来。廖宇也很意外，一时间反应不过来。

"行——啊！"廖宇听出来她又要开始，全身都处于戒备状态，"您消费吗就这儿吃？怎么混进来的？"

廖宇绕开她往前走。佳期心里有火，总得有个人撒气，她不依不饶地追着廖宇："怎么哪儿有便宜占哪儿就有你的身影啊？！没女大款给你买单了，上这不用掏钱的地儿来了？"

廖宇大步流星，穿着高跟鞋的佳期为了跟上，踮着脚尖小碎步"哒哒哒"的响着，因为喝多了而重心不稳，一路摇摇晃晃，很是滑稽。她没看见万征正从包间里出来，脸色异常难看地注视着大庭广众之下追逐异性的她。

"哎我告诉你，这好吃，那边儿那个叫红果茶，助消化。你多吃点。"

旁边有人侧目。廖宇受不了了，无可奈何地问："咱俩很熟吗？"

佳期指着廖宇，哈哈大笑："很熟很熟啊？！你啊，天天见。"完全是一个女混子的无赖面孔。

廖宇不理她，接着盛吃的东西，佳期在一旁敲锣边儿："哟，够会吃的呀？这个很补，非常补。"

万征不知是替她脸红还是气得血往上涌，他刚扭身想悄悄地回去，他的朋友也出来了，招呼："哎万征，干嘛呢？"

佳期听见了。她怔怔看过去，与万征的眼光接轨，那鄙视的眼神让她知道这回又歇菜了，自己都不禁鄙视自己的无聊。可是，她转眼看见万征身边有个女的，大受刺激。她的声音突然变得很尖利，朝着万征一路打晃地走过去："这儿什么情况啊？这儿谁负责啊？"

小李美刀斜刺里窜了出来，一脸自作聪明得意洋洋："我忘了你包间号了，不过我就知道在这不要钱的地儿肯定能找着你，嘿嘿嘿果不其然，又在这儿调戏青少年哪？"

万征转身狂走，旁边那女的一看，连忙也跟着走。佳期尾随着，高喊："别走啊！上哪儿啊？人都在这儿呢，乱起来乱起来呀！"

万征身边的女性友人对疯疯癫癫的佳期十分看不过眼，她和万征是十几年的朋友，万征又是那种在朋友面前一贯得体、只对最亲近的人最粗暴的男人。她不客气地问："万征，这女的谁呀？"

万征不知道该怎么回答，实话实说真是不情愿，他正想着，佳期走了上来，用醉鬼自认为控制得很好的落落大方亲切地与这女的握手："我是他女朋友啊，我叫贺佳期。"酒精没有让她脑子大乱，只是放大了她的那些小心眼儿，她装出一脸抱歉，故作诚恳："一直没机会见，对不起啊，我平时也挺忙的。"

女性友人慌慌张张甩掉她的手，一边用求证的目光地看着万征。万征没想到在他面前从来唯唯诺诺的贺佳期居然还隐藏着这么阴险的一面，一种难以言状的红从发根一直延伸到了他的脖子。

"真的吗万征？她是你女朋友？"那女的露出一脸嘲弄，不知道的人肯定会觉得这是争风吃醋。佳期大张着嘴巴露出殷切的笑容等待着万征肯定的回答，连看热闹的廖宇都露出了惨不忍睹的表情。

美刀不甘人后地搅和进来："噢是吗？你男朋友？吹呢吧？你男朋友怎么不跟你一块儿啊？"

佳期很不高兴地打断美刀的挑衅："真的！我们俩仨小时前还一块儿吃饭呢，他做的饭，我洗的碗……"，她对着万征的女性友人耐心地解释，"……做得挺好的……后来你给他打的电话吧？他跟我说了……没事，都都都玩得高兴点……"她拍拍人家的手，又凑到万征身边，试图挽上万征的胳膊。万征一把甩掉，她没防备，一个趔趄摔倒在廖宇的身上，廖宇条件反射地扶住她，又觉醒般地迅速撤开。他可不想裹乱，往后退了一大步，迅速地说：“不关我事。”

唯恐天下不乱的美刀要笑死了，他是个作家，他要追求人生的戏剧性，他的人生戏剧不起来的话，也要过眼瘾看别人戏剧，所以他从不放过挑动群众斗群众的机会：“仨小时前跟你一块儿说明什么问题呀？他现在很明显没跟你一块儿啊，而且好像一点儿也不想跟你一块儿。”

身边的人越来越多，万征身边的女子也嫌寒碜了，扯扯他衣角，说：“咱们走吧。”

“谁这儿起哄呢？我们家事儿关你屁事呀？”这声音既干脆又动听，但话可真不是什么好话。佳音怒不可遏地从人堆儿里冲了出来。佳期看到妹妹挺身而出，也有了还击的精神：“是啊，我们两口子的事，你在里边瞎掺和什么？你算干嘛地呀？”

这话明显是冲美刀来的，可美刀不愿意开罪佳音，他左右顾盼，要把这两句骂转嫁出去，目光最终落到那女的身上，作出莫名其妙的样子：“是说我吗？好像不是吧？”

廖宇对美刀的表现十分惊愕，他到北京来以后，还没亲历过这种纯粹的吵架场面。那女的被美刀这么一挑，果然急了：“你们说谁呢？”

万征一字一顿地叫着佳期的名字：“贺——佳——期！你怎么那么不嫌寒碜呀？”

这话使佳期顿时目光涣散，低头死死地盯着鞋。但佳音不怕他，勇猛地顶了上来：“你说谁呢？”

美刀不想没热闹看，摆出一副主持公道的样子对万征说：“哎哥们，她是不是你女朋友啊？要真是，你别就这么把她搁这儿啊。”

万征并不搭理不相干的人，只对佳期激动地挥着手：“你看你像什么样子啊？你要丢人现眼，别拉上我，我跟你一点关系没有！”

贺佳音毫不示弱，问出有明显答案的问题：“你是男的吗？你是吗？”

几个人的大叫大嚷惊动了保安：“怎么了怎么了？”站在一旁的廖宇解围：“没事没事，喝多了。这就走。”

佳音一时想不起他是谁，一边指着他一边想。廖宇很不好意思地迅速做出一个扛机器摄影的动作，佳音想起来了，高兴地笑："你呀。"

美刀有点着慌："谁呀？"

佳音对他刚才的表现耿耿于怀，板起脸说："管着吗？我朋友。"

美刀不信："别逗了，刚才你姐追你朋友半天了，这儿好几百人都看见了——你朋友？"

廖宇连忙摇手，结巴起来："没没没没没有，你姐……是是我同事。"

万征克制地说："贺佳期你喝多了，回去吧。"他还要好言安抚身边的女伴："对不起呀，她喝多了，真不是冲你来的。"

那女的一看万征还真是跟佳期有关系的，啧啧连声："万征，你怎么有这种素质的朋友啊？真让我意外。"

佳音又不干了："我就听不得有人动不动提素质。阿姨！您这岁数赶上素质教育了吗？"

那女的气得半死，对这种仗着年轻犯混的小孩一点儿辙没有。万征知道跟佳音耍嘴皮子只会自取其辱，他拉着女伴走，佳音不干："万征，你得送我姐回去。"

佳期连忙说："不急，都再玩会儿，"她还帮保安疏散呢，指着周围的人说："散了吧散了吧。"

万征停住了疾走的脚步，慢慢地转回身，那种慢里酝酿着爆发，美刀看出不妙，连忙打圆场："我送我送。"

佳音看不出事，她也懒得费那脑子看出事来："没你事。"

万征太阳穴和脖子上的青筋突突直爆，声音突然提高数倍："我不——送！怎么着啊？！能怎么着啊？爱怎么着怎么着！"

廖宇觉得气急败坏的万征有种滑稽相，他大概把这件事看明白了，他想起一句话，叫恶人自有恶人磨，觉得很解气。可是转脸，他看见贺佳期因为醉酒而略显浮肿的脸，心里突然"咯噔"一下——那张脸让他突然想起了自己的母亲。廖宇的母亲患有严重的酒依赖综合症。他的意识在瞬间恍惚了一下。

佳期努力恢复正常人的平静，默默地扭身准备回包间，但她没把握是往哪边走，走了两步，又茫然地站在原地左右顾盼。然后，她听见有人叫她的名字。

守礼是从廖宇身边挤过去的，他顾不上搭理尊敬称呼他的廖宇，直接走到佳期身边，搂住她的肩膀，大脸几乎粘在她脸上：“怎么样佳期？怎么样？”

佳期十分意外，她不能相信事情真的是乱成一锅粥了，谁说没有最坏，不是给她遇见了，她哈哈地笑了起来。

美刀兴奋得浑身一激灵，没想到贺佳期这么能混，身边儿男的还挺多。廖宇在此时也忘了自己所鄙夷的贺佳期的奴颜婢膝，下意识地马仔般紧跟在守礼身后。而万征是见过守礼的，看见守礼这么亲切呵护，自己的女朋友贺佳期居然站在那里笑嘻嘻，顿时占了理，他低声冲佳期说：“贺佳期，你牛。”

“怎么都这么没创意啊？”佳期突然吼了一嗓子。

守礼不知道她在问谁：“什么？”

佳期冲着旁边的人大声嚷嚷，愤怒地挥舞着细瘦的胳膊：“你们就没别地儿可去吗？占便宜没够吃亏难受的东西！”

彭守礼死拉活拽把贺佳期塞进他车里，任她怎么努力也挣巴不出去。廖宇尴尬地替佳期拿着包在车门旁边站着，守礼一把抢过包，一本正经地轰他：“你先回去吧，明天不要迟到。”

廖宇巴不得如此，可贺佳音不干了，她怕这台湾人把她们姐儿俩给怎么着了，她一边坐到后座，一边招呼廖宇：“哎你别走啊，相跟着啊。”

廖宇不知道该听谁的，正犹豫，佳音一把把他拉了个趔趄，廖宇跌坐在她柔软的身上，慌忙坐直，眼观鼻鼻观心，佳音却感激地在黑暗中攥紧他的手。

美刀连忙喊佳音：“哎哎哎我呢？”

佳音已经烦他了：“你？你把帐结了吧。”

美刀很不甘心这一车热闹就这么从眼前溜走了，他捏着自己的书站在路边很有点失落。不过只失落了一会儿，他又高兴起来，他想，今天回家又可以写他们丫一千字儿了。

逆来顺受的人分两种，一种是真的逆来顺受，任谁跟他叫板都逆来顺受，还有一种就是势利眼，只拣后果可以承受的发火。贺佳期很吃过势利眼的亏，一方面打心底痛恨势利眼，另一方面潜移默化学会了不与所有人为善。她素以得体著称，这倒不一定是因为她没欺负过谁，很可能是因为她所欺负的是过于弱小以至到今天还没翻身的人。

不过她也有算计不到、控制不好的时候，比如这回，她第一次在彭守礼面前露出本来面目，对守礼万分不待见地说："我哪儿也不去，我要回家。"

守礼不生气，哄小孩似地："我怎么放心啊，你还很醉呀，我们去喝功夫茶解酒好不好？"

不待佳期回答，他板起脸对着后望镜里的廖宇追问："你们一起？"

廖宇不想趟这浑水，连忙择清："没有，碰上的。"

守礼观察他半天，才放心地问佳期："或者我们去宵夜？"

佳期一字一顿地说："彭总，我哪儿都不去，麻烦你送我们回家。"

守礼不肯轻易放弃："哎呀你不要管了。"

"我自己的事，得管。"她看守礼装听不见，急了："我真没劲儿敷衍你，你丫烦不烦呀？"

一片死寂里，廖宇发现佳音的手已经出汗了。

守礼一点好处没得到，又不能在员工面前太没风度，强撑着善待蓬头垢面的佳期，他探出头来对她说："明天你晚一点到，没有关系啦。"

佳音趁势小声问车里的廖宇："哎你电话多少？"

廖宇转回头来坐正，才发现守礼一双铜铃似的眼睛正冷冷地打量着他，大声问："老板你去哪里呀？"

他非常尴尬，明白在守礼这儿，男性与女性的待遇是不同的。他飞快地打开车门，连滚带爬地下来，一边还说着"谢谢彭总再见。"

关门声惊动了刚到楼门口的佳音，她回头看见廖宇孤零零地站在街边，赶紧走了过来，佳期站在一旁冲路灯下的飞蛾打酒嗝。

"这什么人啊？怎么把你轰下来了？"佳音忿忿不平地说："这么晚了，不好打车吧？"

其实廖宇兜里连打车的钱都没有，但他不愿意张嘴管人借钱，何况他跟她们又不熟，他笑了笑："走会儿就有了，你们赶紧回去吧。"

刚转过身，佳期突然蹲在地上呕了起来，看佳音束手无策的样子，廖宇迟疑了一下，蹲下去轻轻拍打佳期的背。

佳期一边吐一边呻吟，蹲不稳，前后摇晃着。她顺手扶住廖宇的胳膊，廖宇突然觉得浑身阵阵发麻，他心里涌起一种微妙的异样感受。

贺佳期苍白修长的手死死地攥着他，那是一种攥到他疼痛的依赖和信任，他知道她可能根本意识不到她抓住的是谁，他不知道的是，是不是所有酗酒的女人都长着这样美丽得绝望的手？

廖宇费力地用另一只手从兜里掏出一包纸巾，抽出来递给佳期。佳期看也不看就接过来擦嘴，佳音很难过，她不知道她姐姐这是谈的哪门子恋爱。

佳期没什么可吐的了，踉踉跄跄地起来，把用剩的纸巾塞回给廖宇，也不言谢，径直往楼道里走。佳音断后，连连说："谢谢你啊……"，一边不放心地回头看佳期。

"快走吧，"廖宇说，"……你给她喝点蜂蜜，喝茶没用……你们家有吗？"

"有。"

廖宇没什么话可说了，他冲佳音挥了挥手。路灯从他的头上打下来，仅仅那个修长挺拔的轮廓已经令佳音非常着迷，她想：和长成这样的男孩谈恋爱，哪怕是一天也好啊。

佳音浅睡了一会儿，听佳期没动静，睁眼一看，她姐正喝着蜂蜜水发呆，她问："还不回你屋睡觉？"

佳期慢吞吞地说："我想我是不是渗两天再给他打电话，省得挨他撅？过两天等他气差不多消了再打？"

佳音气得坐了起来："打什么呀？那种人，找人打他一顿还差不多！姐，你能不能在他面前有点尊严？"

佳期作出一副懂行的样子："你知道'一动不如一静'是什么意思吗？就是说谈恋爱的时候啊，这静的，就有尊严，可这俩人谁先动了结婚的心思……他动了……他就没尊严了。”

廖宇在早晨的雾气里孤独地走着，街上已经出现了零零星星晨练的人。

立交桥下有人支起了早点摊，他有点苦恼地看着，脚步慢了下来，但终于还是没有停。他翻翻兜，除了佳期用剩的纸巾，已经什么都没有了。

姥爷跟人说正经话的时候，就跟不会说话似的，发音方式十分奇怪，拖着长声，像打官腔：“大廖——什么时候回来的呀？”

旁边的姥姥马上扇着面前的空气，一边掩着鼻子：“哎呀好臭！刚才又在外边抽烟了吧？你看人家大廖就不抽烟。”

建英把饭轮流递到大家面前，一边回头看着墙上的钟：“三点多落的地，四点半到家的吧？”

“山西好啊，我那年也坐飞机去的……”姥爷咂摸着嘴说。

“就坐过那么有数的几趟飞机，天天挂嘴边上……是不是吓得半死所以忘不了啊？”姥姥很不服气。

姥爷得意了：“你羡慕忌妒恨吧？就在游乐场里坐过过山车……”

“哼，你还不敢坐呢。佳期才智，你们什么时候也带姥姥出去旅游旅游长长脸。”

大廖自觉把自己当作家里最没地位的人，巴结姥姥说：“我带您去，年底咱们去泰国玩吧。”

建华不爱建英家抢风头，她一直觉得姐姐是不如自己的：“妈您身体行吗？长时间坐飞机特难受，除非大廖你给我妈买的是头等舱，能把腿伸直了。”

姥姥不在乎这个：“没事，就让我难受难受，我也不愿意听有些人吹牛，那我更难受。”

建英把饭递到低头发呆的佳期面前，佳期一看见白花花的米饭——这米，怎么这么白，这饭，怎么这么香呀？她突然就感动了，鼻子一酸，热泪盈眶。姥姥慌了：“佳期怎么了？”

佳期忍着眼泪：“没事……不舒服。”她躲开建华要摸她脑门的手，反正待下去也是给别人添堵，索性站起来：“我回去躺会儿。”

胜利问佳音："你姐怎么了？"

"太累了吧？她不是升官了吗？每天特忙。"佳音替她姐遮乎。

才智不相信地撇嘴："我怎么瞧这路子，像是感情受挫呀？"

这话让建华忧心："佳音，你姐跟那叫万征的怎么样了你知道吗？"

佳音装傻充愣："我哪儿知道啊？"

才智阴阴地一笑："真有这么一人吗？怎么从来听说过没见过啊？"

建英踹了才智一脚，姥姥着急了："有还是有吧？谁没事儿凭空编派个人出来啊？……不过也是啊，怎么也不来咱家见见啊？"

建华努力给闺女撑面子："还不到时候吧，年轻人……不到决定结婚，不愿意见长辈……"

姥姥纳闷："迟早不都要见的吗？难道谈恋爱不是为了直奔结婚去的吗？谈恋爱就只为了谈恋爱吗？那不是要流氓吗？"

这问题蛮深刻的，大家默默思索半天，才智突然冒出一句："分人。"

廖宇发现贺佳期是个表演型人才。那天晚上之后，守礼臊了她两天，可不知道她用了什么法子，三下两下又把守礼哄高兴了。这次来昌平集训，比贺佳期漂亮的女业务员都是和廖宇他们坐"中巴"来的，下了车灰头土脸，一点儿本来模样都看不出来了。只有贺佳期坐着守礼的"奥迪"，浑身上下光鲜亮丽。头天早晨沿着十三陵大堤跑步，一开始队伍还整齐，跑到后来就按岁数和性别分成了几个梯队，但没有人愿意跟贺佳期一起，累得像狗一样的她只得远远地跟着。谁知等到做操的时候，守礼开车过来视察，从车上下来的还有刚才看上去要吐血而亡的贺佳期，狗一样的神色荡然无存，她像只灵巧的小鸟欢乐地跳进了队伍。每天下午听守礼讲课，所有人累得东倒西歪，只有她端坐着，时不时在小本上记上一笔。甚至有一次廖宇发现她根本就没带笔，愣是作拿笔状在纸上比比划划。他横竖觉着贺佳期是个伪君子，只要一对着彭守礼，肯定满脸堆笑，深情款款，守礼还一副避嫌的样子假装看不见。

谁知中午刚从房间出来，他就看见走廊里原形毕露披头散发的贺佳期，她正一脸丧气地打电话："我想给他打个电话……不行真坚持不住了……三天了……什么尊严啊什么是尊严啊……可是我不能骗自己，我就是想打电话……我一定要打……”声音渐渐小了下去，变成了呜咽。

廖宇正想退回屋，门却猛地被风撞上了，他手忙脚乱地摸索钥匙，佳期已经转过身，她看见他也是一惊，手忙脚乱地抹着脸上的泪，俩人就这么手忙脚乱地在楼道里互相注视。

廖宇对贺佳期原来长得很憔悴暗暗心惊，楼道里光不强，他眯上眼仔细打量她一番，实在忍不住地说：“你还不抓紧时间多睡会儿？”

佳期瞪着他。

“瞪我干什么！魔鬼训练不是把人训练成魔鬼的样子，您照照镜子。”

佳期很动气：“我怎么觉着你上赶着巴结我呀？”

“你今年多大？24还是25？现在看着有三十岁。你至于吗？”廖宇不知道怎么回事，明明是想安慰安慰她，话一出口就是横着的。

除了对万征，贺佳期在任何人面前都是不服输的：“我今年五张儿多了，你看出来了吗？”

两人前后脚进了水房，她站到窗边，平静身心，严肃地按下几个号码：“你好请问万征在吗？……辞——职——了？”

廖宇大感意外，回头看她。

佳期呆呆地挂上电话，想了想又开始打万征的手机。

“您拨打的用户已关机……”机器的回答在安静的水房里异常清晰地回荡，佳期的背影僵得像块石头。

廖宇“哗”地打开了水龙头，佳期的呆滞被水声打断，她机械地回头，莫名其妙地看着廖宇。

廖宇也看着她，没发现水已经溢出了脸盆。他为这个自己无心窥得其秘密的女人手足无措的样子着了慌。

“去找他呀。”他说。

贺佳音坐在“哈根达斯“的窗边自顾自狂吃，美刀欣赏地看着，问：“哎你就从来没上过班吗？那你以后想干嘛呀？”

佳音得意地抬起头，作出一副踌躇满志的表情：“当明星，挣大钱，傍大款。”

美刀笑了：“你长得跟一小土豆似的，我看一样都干不成。”

佳音瞪了他一眼说：“你这样的砖头都敢自称是美男作家，我这样的土豆怎么不能当明星啊？”

美刀对自己的长相还是很自信的：“我是文坛第一帅哥。”

“我不太了解你们文坛啊，可你要真是第一帅哥，那你们这文坛不就是丑人多作怪吗？你那书里还把自个儿写成一万人迷——你们写东西的是不是都这样啊缺哪儿补哪儿？要是书里再不能平衡就该心理变态危害社会了？”

“你别逗了，你知道我天天收到多少读者来信吗？好几十封！一个月下来就是上千封！这搁上个世纪，是王心刚的业绩。”

“都是让你捐钱的吧？”

美刀对侮辱从来充耳不闻：“我就给她们回信——少废话！发照片！艺术照不行，必须是生活照。”

“然后就再也没人回信了吧？”

美刀情不自禁地敲敲桌子，得意地说：“你——错——了。我发现这人啊，还真没有觉得自己难看的——更踊跃了。”

佳音“哼”了一声，美刀连忙找补：“不过还真没有比你漂亮的。”

佳音可不像一般骨头轻的女孩，她严肃地问：“你找我有事没事啊？要是专程来夸我就不必了。”

“那……”，美刀想了想，“你姐怎么样了？”

“我姐？挺好的。”

美刀话里有话：“不是我说你姐，找的那是什么男朋友啊差点没给当场撅背过气去？我以后绝不会那么对你。”

佳音不吃这套：“你甭操心，追我姐的人多了。”

美刀突然想起了廖宇，有点不放心，试探道：“你姐也挺不自重的，那天众目睽睽之下追那小男孩……”

“胡说。”佳音断然制止了美刀的胡言乱语。

“吃醋了吧？你是不是也喜欢那小男孩啊？”

佳音一斜眼："怎么着啊？"

"你要是喜欢那小男孩，真是太让我失望了，太没品味了。那孩子有二十吗？还是一幼男呢，长全了吗？肯定没钱，要不然不会大半夜上那儿吃蹭去……也没我有名吧？"

佳音不觉得那是问题："人长得好看。"

"长得好看有屁用啊？能当饭吃吗？你要跟他来这儿，还得你请他。"

"我乐意。"

美刀深深叹息："这女的现在怎么也都这么好色啊？"

"这才证明女的真正有了地位。哎，别废话，咱俩去昌平玩吧。"

"昌平有什么可玩的呀？"

"好玩，走吧。"

廖宇换好泳裤出来，顿时傻了眼。所有的女孩子除了企划部老白，全部穿着比基尼，如同选美比赛，围绕着笑得见牙不见眼的守礼争宠。挤不进去的那些姿色稍逊的正生闷气呢，一看见他，连忙招呼："嘿，小帅哥，过来呀。"

因为守礼在场，廖宇对这帮女人的关切有点不自在，一抬头，看见一身便装的佳期正坐在二楼的宿舍窗台上，冷冷地往下看着。老白叫："佳期，下来啊？"

佳期倏地不见了。姿色稍逊那堆里有个长相尤其尖酸的女孩出言讽刺："不是不想来吧？身上有疤吧？"

企划杨暗示大家看廖宇和他周围的中等美女："咱公司又来了个小老彭。"

晚饭后，隆业的员工来到招待所简陋的歌厅，守礼不多会儿就醉了，高兴地唱起来自家乡的歌曲，没人和他争"麦克"，不但不争，他旁边那些莺莺燕燕的身体都随着节奏左摇右摆地打拍子，如痴如醉。

廖宇觉得无聊，悄悄站起来，想到外面去透透气。守礼突然想起了什么似的，问四下的女孩："佳期哩？"

歌厅的门开了一条小缝，贺佳音向里面探头探脑，她看见了正往外走的廖宇，马上笑成了一朵花。美刀这才如梦方醒，在后面不情愿地跟廖宇点头招呼。

佳音问："我姐呢？"话音未落，就听见麦克风里传来了带着混响的台湾国语："佳期哩？佳期哩？佳期哩……"

月华如水，三个人沿着大堤散步，佳音假装抱怨："真是的，还想跟她个惊喜呢。"

美刀连忙说："你姐都回去了，咱们也回去吧。"

"干嘛？来都来了。"

廖宇也说："你们回去看看吧，她明天早上要是还不回来，这边没法交代。"

佳音笑着说了句让廖宇的美刀都别扭的话："不着急，你对我们真好。"

三人走到森林公园前，公园的铁栅栏门已经锁上了，里面黑乎乎的。佳音突然来了兴致："咱们翻进去吧。"

美刀急着走："这里边能有什么啊？"

可佳音已经把鞋扔了进去，身手利落地爬上了铁栅栏，廖宇只好跟上，很快超过佳音先落地，在佳音往下跳的时候伸手搭了她一把。美刀看着他们两小无猜的样子，心里很不是滋味，慌慌张张地爬上去，鞋也忘了脱，跨在栅栏顶端的时候，皮鞋被卡住了，他听见两个小孩向黑暗的台阶上笑嘻嘻地跑去，连忙大喊："等会儿我啊。"

黑暗中传来佳音不耐烦的声音："快点儿大叔。"

因为是山顶的缘故，天很清，星星很多。佳音看了廖宇一眼，那种眼神是很少女情怀的："你累吗？"

"还可以。"

美刀搭讪："这儿星星真他妈多……你想什么呢小可爱？"

佳音觉得这个人实在是煞风景："您是作家吗？您就不能用点真善美的书面语吗？"

"我怕你听不懂。"

虽然美刀不识相地守在旁边，佳音还是想抓紧时间表达一下好感，她

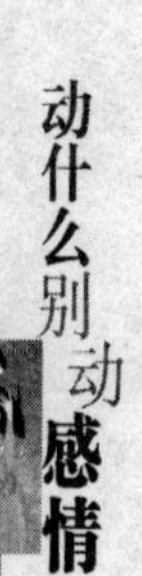

的眼睛很亮，努力捕捉着廖宇躲闪的眼神，狡猾但纯情地说："我想……这么美的时候，还是应该跟真喜欢的人在一起啊。"

话说到后来，倒也不像开玩笑了。

美刀慌了，结结巴巴地问："真喜欢的人是谁呀？"

佳音想了想："真喜欢谁我不知道，但是真不喜欢谁我现在就能告诉你。"

万征刚要拔车钥匙，突然觉得哪儿有点不对劲，一抬头，发现车灯光里，一脸彷徨的贺佳期正从单元门口的一辆自行车后座上站起来，把一根烟扔在地上，拿脚踩踩，露出他所熟悉的巴结表情。

他停了片刻，关灯下车，目不斜视地经过她。她不敢叫他，可怜巴巴地跟在后面进了单元。

刚一坐定，佳期马上说："对不起。"

她咬住了嘴唇，说出这样的话是很需要没有自尊的，但万征已经见惯这一套了，没反应。

"我那天心情不好……喝多了才那样……我本来第二天就想给你打电话，又怕你还生气……我以后准备戒酒了，所以……万征，咱们结婚吧。"

万征的烟头差点掉地上，他惊异地看着她："你酒醒了吗？"

佳期很努力地说："我觉得……我这样情绪不稳定，是因为没有安全感……要是结婚了，稳定了，就不会这样了。"她暗地里一直在给自己鼓劲：好歹赌一把，话已经说到这份儿上了，就算结不成婚，和好总归没问题吧，"我觉得你其实人很好……"

"我当然很好……不是，小贺，我觉得我们之间不是结不结婚的问题，而是还要不要交往下去的问题。"

佳期马上跟上："那就是说还有的商量？"

万征醒悟又落入了她的圈套。他可没想跟她商量，他就是不想跟她好了。

佳期不管："有商量就好。我们在一起这么长时间了，我一想起你，就觉得很骄傲，有这么好的男朋友……"，她的眼圈红了，不知道是因为真的觉得万征好，还是为自己要昧着良心说话："可是，再一想你从来都不愿意承认我是你的女朋友，心里特别堵……真的，特别堵……"

她使劲掰着手指头："我当然还有很多毛病，可是，跟我在一起很丢人吗？我很早就跟家里交代了和你的关系，可你家里人根本不知道世界上还有我这个人吧！不知道还有一个人也和他们一样关心你吧！还有，我从来也没见过你一个朋友……那天那女的不算……"

她进入角色了，眼泪汪汪："我觉得换成任何一个人是我的位置，都不会有安全感。如果说我们不是男女朋友，那又是什么呢？你能告诉我我们这样到底算什么吗？"

"我提出结婚，因为我想证明我是很有诚意地在跟你交往，你更不用怀疑我道歉的诚意……佳音问我知不知道什么叫尊严，可是我觉得只要能和你在一起，我可以没有尊严！"

佳期的眼泪流下来了，把话停留在自认为掷地有声的地方，勇敢地直视着万征。

万征对自己说：不能心软不能心软不能心软……。他把刚要冒头的恻隐之心一嘴巴扇了回去，冷冷地问："你把自个儿都给说感动了吧？"

佳期好像听见哪儿"咯噔"一声，一下就把自己撂那儿了。

"小贺，如果真像你说的这样，你图什么呀？"

"我不图什么，我姥姥说过，找对象，对这男的什么都可以没要求，但只一样，就是人品好。我觉得你人品好。"

"我哪地方让你觉得我人品好了？"

"我就知道。你是个老派人，老派人只会用粗暴的方式表达自己，对感情羞于启齿，可我能感觉到。"

"可是小贺，你说的也对，我不愿意让你见我父母，见我的朋友，因为我到现在都没看出来你到底是个什么样的人，是不是适合我的人。"

佳期铁了心要扳回万征的心，没有任何话语可以打击得了她，她说："你能这样说，说明你以前肯定受过挺大的伤害。你三十七岁还没结婚，肯定是有什么难过的过去，你越对我不好，我越觉得心疼，越觉得要对你好，让你知道有人对自己好是多好……"

万征绝望了，他知道自己是顶上雷了。他站起来，佳期不知道他要干嘛，陪着一脸小心也跟着站了起来。万征看了她一眼，转身进了洗手间，可出来的时候，一头撞见她正乖乖地在门口等着。他转身又进了厨房，她也小心翼翼地跟进来。万征给自己倒了杯水，回头看见她手上的杯子，粗暴地拿过来，替她也倒了一杯。

这熟悉的粗暴让佳期暗喜：有缓儿！她冲万征谄媚地一笑，巴结地问："为什么要自己开公司呀？多辛苦。"

"这么大岁数，不想再给别人打工了。"

"那得有活儿呀，得有几个固定的客户才行。"

"本来有一个……"，万征怨气冲天地说。

佳期天真地等待下文，谁知下文是："就是你在钱柜碰见那个……"。

她的脸迅速收紧。

"人家说好把杂志的设计包给我，不过现在……"，万征皱皱眉头。

佳期开始走神了。她四下打量这间好久没来的屋子，突然看见餐桌角放着的一个纸袋子露出了玩具熊的头。她走过去掏，掏出了毛巾、牙刷、洗面奶，显然这是万征已经收拾好她的东西，准备还给她的。

万征没注意，还在说自己的："……没事儿，反正我这些年也挣了点，够赔一阵儿的……"

他听见她没动静，回头一看，贺佳期已经把袋子里的东西摆了一桌，脸正一点一点咧开——太难看了。

万征的心又软了。他把水杯放在一旁，拿过那些鸡零狗碎："得得我放回去放回去。"

贺佳期的奸计再一次得逞，但又后怕又疲惫，放声大哭。

3

你们这些老年人

守礼把很多台湾房地产业的常用词带到了北京。房子卖不动的时候，他就会把亲信召拢一起“脑力激荡”，他还爱夹英文单词，比如他总对佳期说：“来，我们PUSH一下。”

佳期对他的PUSH很头疼，她只是想挣钱，并不真心热爱公司。如果她对公司有对万征一半的热爱，也就能看惯那些疯狂的促销活动了。

守礼最新的促销活动是免费洗车，他们在一个康乐宫门口支了个摊，找了些人工便宜的大学生来做PART-TIME，业务员趁机介绍楼盘，弄得挺有人气。

轮到廖宇的车主是一个四十岁左右的中年男子，他身旁的女伴很不耐烦听廖宇嗑嗑巴巴的介绍，廖宇连忙给她倒水：“刘太太，耽误不了你们太多时间。”

那女人一听“刘太太”，微微一愣，面色稍霁。

佳期跟在守礼身后巡视，目光刚一落在刘太太身上，第一个念头是掉头就走，那个女的正是那晚在钱柜被她和佳音好生侮辱过的万征的朋友。

转身的片刻她又犹豫了，她以前从来没见过万征的朋友，这是一个机会，她要想打入万征的社交圈，就应该主动向人家示好。她马上抖擞精神，迅速调整成卑躬屈膝的状态，满面春风地跟刘太太打招呼：“你好呀——”

刘太太见是她，脸色顿时变得难看，把脸扭向一边。

佳期并不气馁，什么都没察觉到似地继续拉家常："这么巧，今天有时间过来玩？"

刘总稍有点不自在，问女伴："认识啊？"

那女的还没怎的，佳期抢着说："认识啊？！……您贵姓？"

廖宇也突然想起来了，连忙帮佳期圆场："刘先生、刘太太。"

"啊对刘太太……刘太太是我男朋友的朋友。"佳期向刘先生解释着："我们这次推出的楼盘非常不错……这位业务员也很棒……"

廖宇嫌她多事，礼貌地赶她走："我介绍就可以了。"

佳期不以为忤："你说你的。"她转到刘太太别转的面孔前，不屈不挠地说："上次真不好意思……"

刘太太打断她："算了。"

佳期不管不顾，说不完肯定是不走的："……因为喝多了，现在都想不起来干什么了，真的……后来万征也说我来着……我已经戒酒了……到现在……"，她掰着手指头算算，"已经戒了八天了，哈哈哈八戒。"

刘太太冷若冰霜地问："他还跟你在一起哪？"

佳期不敢回嘴，装出想不通的样子："对呀……真是的。"

"第三者！"佳期大喝一声，腰板顿时直了。

万征马上就后悔跟她透露这个秘密："什么叫第三者呀这么难听。"

"那叫什么？"

"反正有几年了，那男的一直没离婚……"万征支吾着。

佳期得了意也得了理："一个第三者……还敢跟我这儿一脸正气的样子？！"

"怎么说话呢？这是一刀切的事儿吗？"

佳期倒怕万征生气："不是那意思。我是说……她那理直气壮的劲儿，我还真没看出来……那男的他老婆知道吗？"

"谁知道知道不知道。"

"这男的为什么不离婚呀？"佳期兴灾乐祸地打听。

万征轻描淡写："有孩子吧。"

“怪不得一副非常容易受伤害的样子。”

“你少废话，人家也挺可怜的。”

佳期觉得自己比人家光明正大：“再可怜的第三者，也还是应该被谴责的。万征你不能这样，如果人人都像你一样不分好坏只分亲疏，这社会不就乱了吗？”

“你少装得大义凛然，别人不知道我还不知道你？你这是泄私愤……感情是很复杂的事，事儿怕翻个儿，如果真是你在那种情况下……”

“我不能够——！我谁呀？我是那不学好的人吗？我知道感情很复杂，所以像我这样纯真的人，就更显得弥足珍贵。”

“你怎么有事没事就往自个儿身上扯呀？”

佳期摇头晃脑地说：“我从不忽视自己的优点，就像我也从来不夸大自己的缺点一样。”

万征觉得这个女的吧，就不能给她好脸。

贺佳音没想到这么容易就把廖宇约出来了，她乐孜孜地贪婪地看着他。她觉得能和这么漂亮的男孩坐在一块儿，说明自己也漂亮。

廖宇愁眉苦脸地说：“真不想干了，天天在写字楼里遭人呵斥。你见过那些公司门口都贴着‘谢绝推销’吗？就是防我们的……噢，对，你这种没上过班的人也没进过写字楼。”

“那你为什么不辞职啊？舍不得谁呀？”

廖宇指指身上：“舍不得买这衣服的冤枉钱。一千五，你看看。”

佳音看了看，假装看不明白，从对面坐到他旁边，头快扎到他怀里似的仔细捏着料子看，一边同情地咋舌，半天才抬起头，脸离廖宇很近，一本正经地说：“是不大好，亏了。”

廖宇很明戏：“你近视啊？”

“没有啊。”

“那你不觉得俩人吃饭都坐一边儿有点别扭吗？”

佳音装傻充愣：“不觉得啊。”

廖宇站起来坐到对面。佳音并不嫌寒碜，傻笑：“我请你吃饭，你给点面子好不好？”

“我能来就很给你面子了。”

佳音也是头回主动追男的，不大服气：“都是让女的给惯的。”

“你不是也让男的给惯的吗？你知足吧，我轻易不吃谁的饭。每周一到日，我这儿都有人排队等着请饭呢。要不是看你怪不容易的，让你夹个塞儿……真的，你姐那样的，求我吃我都不吃。”

廖宇和佳音同年，又因为有心理优势，说话无拘无束，甚至露出了常在女人堆儿里打滚养成的油嘴滑舌的一面。

佳音问：“为什么呀？你们俩好像特别不对付？”

“你姐是那种……怎么说……就是对别人好别人也烦她的人。”

“为什么呢？”

廖宇想了想：“她干件对别人好的事吧，就生怕别人给忘了，天天提醒着，就是……为了得到表扬信而做好事，你懂吗？不知道是虚伪还是不自信。”

听说做样板间的公司被FIRE了，佳期开始魂不守舍。她觉得让万征对她刮目相看的机会来到了。

她给守礼沏了杯新茶，然后也没有退出去的意思，就在守礼面前晃来晃去。

守礼问：“有事？”

“是这样的”，佳期说：“彭总，我倒认识一家公司，做样板间很有经验。”

“是吗？做过哪些？”

“具体做过哪些我也不记得了，不过很有实力。”

守礼不大相信地看看她，她脸皮很厚，死等，守礼拗不过，只好说：“好吧，叫来谈谈。”

佳期刚要满意地退出去，守礼突然说：“今天销售算是正式开始，所以从今天起，你要做一个表，记录每天的客户来访，业务员业绩，广告投放回馈，每天下班后到我房间来汇报。”

佳期弄不清这是不是交换条件，故意咬字清晰地重复：“下——班——后——？”她想提醒守礼，这话里有不合理的东西。

但守礼毫无表情。

“你还想去哪儿呀？”廖宇不耐烦地问佳音。

佳音很有兴致：“看电影？”

“你不累啊？我都累了。”

“你要累了就算了。”佳音表现得很体贴。

她这么一说，廖宇倒觉得不好意思了：“上次你当司仪的那个婚礼的录像看了没有？”

“没有啊，你有吗？”

“我当然有了，要不去我们公司看吧，反正现在也没人了。”

佳音叫着“好啊好啊”，假装无心地拉住了廖宇的手，廖宇假装若无其事地甩掉，佳音又若无其事地拉上，廖宇只好任她拉着。

大厅里已经没有人了，佳期把制好的表交到守礼手里。守礼果然有意无意地碰到她的手，她警惕地缩回来。

守礼毫无察觉地看表，半天，抬头示意佳期：“坐。”

佳期以一个随时要被发射出去的姿势坐下。

守礼边看边改，然后说：“你来看。”

佳期探头，守礼问：“那样能看到吗？过来呀。”

佳期只好站到他身边。她一站好，守礼也站起来了。他和佳期差不多高，刚把手搭在佳期肩膀上，就听见外面大门响。他连忙收手，佳期趁机溜到门口去张望，惊讶地看见妹妹与廖宇拉着手进来：“你们俩怎么在一块儿？”

佳音也意外：“你怎么还不走？”看见佳期身后的守礼，佳音一呆，她有点吃不准这俩人什么关系：“您好。”

廖宇这才有机会甩开佳音的手，但是这一幕已经落在佳期眼里。

守礼对佳音很客气：“来接你姐姐？”

“对呀。”

“那我……送你们回去吧。佳期，那个表明天你再来改嘛。”

佳期连忙抽身而退：“不用麻烦您了，我们还有别的事。”

上了出租车，佳期突然没头没脑地说：“你——想干嘛呀？”

“没想干嘛呀？”

“你——不是看上那孩子了吧？”

“行吗？”

“不行！那孩子多不靠谱呀？”

“你眼里谁靠谱呀？”

“他比你小，又是一外地的，也没正经工作。你知道他一个月才挣几个钱吗？说话也特别不招人待见，你不爱听什么他说什么。”

“我没觉得，他说的我都挺爱听的。”

“反正我跟你说不行啊。”

佳音顶嘴：“我又不想跟他结婚，玩会儿不行啊。”

“玩？怎么玩呀？拿哪儿玩呀？谁谈恋爱为了玩儿、不是为了结婚啊？你怎么说话跟一女流氓似的呀？”

佳音烦了：“你怎么跟姥姥一腔调？你多大岁数啊？”

“甭管多大岁数，传统价值观懂吗？不能变。”

“你甭管我，管好你自个儿就得了。我心眼比你够使。”

“当局者迷，咱俩得互相管。”

家里来亲戚了。只见姥姥像挟持人质一样勒住一个老太太的脖子，脸上虽然是热情的表情，但手上显然是发着力呢。

老太太快被勒死了，脸涨得通红，可这一屋子人居然就没谁管管。姥爷坐在一旁一副事不关己的样子。老太太边上那个和佳音差不多大的女孩，拉也不是不拉也不是。

姥姥招呼，但手上是不松的：“佳期佳音，快叫柳奶奶。”

柳奶奶歪着脖子努力想冲她们点头，喉咙里发出“唉唉”的声音，她示意小柳与佳期姐妹招呼。小柳落落大方地站起来：“是佳期和佳音姐姐吧，早听说过的，今日才得见，你们叫我小柳就行了。”

佳期佳音猛听这种说话方式，跟让人抽了嘴巴似的，极不适应。

建华笑：“不记得柳奶奶了？你们小时候柳奶奶来看过你们。”

“我记得。”佳期举手。

柳奶奶刚一笑，姥姥又猛一使劲："你这回可显老了啊，怎么弄的呀？"

柳奶奶歪倒过去，就这么挣扎着说话："可不老了嘛，多大岁数了，孙女都站了一地，还能不老吗？"

姥爷在旁边直视着电视，对这种暴行视若无睹。

建英问："小柳你十几？十九？"

"正是。"

姥姥用批评自己家孩子的方式夸别人家孩子："佳音！小柳比你小好几岁呢，人这回到北京来上大学，你再瞧瞧你。"

"瞧哪儿啊？"佳音一听这话就来气。

"你就不念书。"

小柳连忙说："什么念书？不过识几个字罢了。不比姐姐们，还有别的本事，除了念书，别的本事我是没有的。"

才智听不下去了："哎哟，这还不是本事哪？"

佳音难得和才智同一战线，起哄说："就是。"

柳奶奶打听："老大能干哈？"

"大姐是做什么工作呀？"小柳好奇。

姥姥逮着吹嘘的机会不能放过："咳，就在一个台湾的房地产公司当个副总裁。"

佳期脸红了："您有病吧？"

这是他们家惯用的对话方式，果然姥姥飞快地回嘴："你才有病呢。"

小柳掩口而笑："是吗？"

才智说："什么呀姥姥？那叫总裁助理。"

小柳这才放心地撇撇嘴，丧失了对佳期的兴趣。

柳奶奶又问："才智是幼儿园的老师哈？那脾气准好。"

才智"哼"了一声："天底下我最讨厌的就是小孩……你要是盯着那些孩子时间长了，就能发现他们其实只是侏儒，心眼儿多得跟大人一样，装成个小孩，扮猪吃虎……"大家都被她说得直冒冷汗，她却若无其事地

看着小柳，小柳有点不自在。

柳奶奶看向佳音，佳音很主动："我是歌星。"

"真的？"柳奶奶歪着脖子诧异。

姥姥啐佳音："她想——疯疯癫癫的。"又对柳奶奶不依不饶地说："瞧你还谁都惦着。你怎么就不问陈倚生啊？咯咯咯咯咯。"

那是一种聋子都能听出来的套路化的假笑，姥爷再装聋作哑有点不合适了："啊——？"

柳奶奶红了脸："胡说啥呢你？"

姥姥才不管这套呢："嗨，可不是吗？老皮老脸的还害臊啊你？咯咯咯咯咯……以后到了礼拜六，小柳就上家住来，别客气。"

小柳虚与委蛇地应着："少不了给各位添麻烦了。"

姥姥狠逮逮地说："不麻烦，麻烦也算到陈倚生脑袋上！"

姥爷茫然地问："啊——？"

"你这回可别急着走啊，不住烦了不能走，走了就是烦我们家了。你敢烦我们家！"姥姥的眼神虎虎的。

柳奶奶推脱："哎哟，家里还有事呢。"

"什么事啊？你还回去生孩子呀？咯咯咯……我带你爬山去，锻炼身体。"

"我可爬不动。"

"爬不动？我都爬得噌噌的。"

姥爷插话了："谁能跟你比呀？猴儿似的。"

姥姥马上找着姥爷偏袒柳奶奶的茬儿了："哟呵，可是你们老乡哈，这么护着。"

佳期听不下去了，到厨房去晃悠，佳音尾随而至："这什么情况啊？看着像仇人相见分外眼红，听着又比谁都亲。"

佳期嘻嘻一笑："那柳奶奶，是姥爷的初恋女友。"

"太姥爷为什么不同意啊？"才智问。

姥姥认真地分析着："第一，你柳奶奶家成分不好，富农，你太姥爷是老村长，这不是敌我矛盾吗？解放前你姥爷他们家五个孩子就一条裤子，只能一个人出门，解放以后你姥爷是团支部书记，能娶富农家的吗？这不拖后腿吗？第二，你柳奶奶比你姥爷大好几岁……”

佳音不爱听了：“大怎么了，大的疼人。”

“别扯了，女的老得快，不般配。”

佳音就是不识相：“我不信，我看您和柳奶奶差不多大似的。”

佳期踹了佳音一脚：“住嘴。姥姥，那柳奶奶后来嫁给谁了？”

“也是他们村的，一二婚。不过早就不在了。你柳奶奶当初那个不甘心哟……”

佳音问：“你自己瞎猜的吧？”

姥姥不高兴了：“我闲的？”

佳期替柳奶奶说话：“姥姥你对人柳奶奶好点，人也挺不容易的，老伴都没到老，再瞧瞧您，日子过得这么滋润，人这么水灵这么漂亮，你们仨加一块儿都二百岁了吧？还争风吃醋，成什么了？”

姥姥撅撅嘴：“我看不一定，到这岁数，姿色不重要，脸上多一道摺少一道摺也看不出来了。你姥爷呀，一直觉得对不起你柳奶奶，什么时候一提她，就一副心虚的鬼样子。”

才智哈哈大笑：“得啦，我姥爷这人，你跟他提什么他都心虚，生怕别人给他添麻烦。”

佳音对八卦比较感兴趣：“那他们那会儿到什么程度了？拉手？那什么？”她撅起嘴冲着空气亲了两口。

姥姥一脸小姑娘似的惆怅：“就是没问出来啊。你姥爷这辈子，就这事藏得严，梦话都不说。”

“那你没问柳奶奶？”

姥姥愠怒地看着佳音：“我也没疯成那样啊。”

一大早，柳奶奶就歪在沙发上哼哼唧唧地倒气儿，姥姥却一脸健康的红润，嘲笑说：“你这身体不行呀？！跟不上我！”

小柳气得够呛：“我奶奶岁数比您大，又老不活动，哪儿有您稳健呀？”

姥爷鸵鸟般坐在一边，脑袋快扎进捧着的武侠小说里了，不理会妇女们唇枪舌剑的生活。建英招呼大家吃饭，姥姥欢快地起身，起到半道，突然又慢慢坐回去了，脸上一闪而过痛苦之色。“您怎么了？”才智问。

“没事，起猛了，腿疼。”

佳期走过去搀姥姥：“起猛了怎么会腿疼啊？”

姥爷一贯选择性耳背，这会儿却突然冒出一句：“逞能呗。”

姥姥顿时觉得在柳奶奶面前跌份了，骂道：“陈倚生你夹枪带棒的说什么呢？”

姥爷低头接茬儿看书，气人的是，还煞有介事地蘸唾沫翻页呢。

廖宇在电话上说：“您好，我是隆业房地产公司的，刘总在我们这儿看过房……啊，那我改天再……刘太太在啊？那也行，好啊，谢谢。”

佳期往总裁室里张望，万征正在和守礼谈样板间的事。

廖宇非常热情：“刘太太您好，还记得我吗？我是隆业公司的廖宇……就是前两天在康乐宫门口洗车的那个活动，您和刘总一起嘛……对，我给你们介绍过我们新推出的‘京东豪庭’……想起来了，对啊……我就是想回访一下，看你们考虑得怎么样了？因为我们这个房子很热销，如果你们有意下订的话，我就替您先留一个号……再商量一下？好呀……嗯，好，那再见，打扰了。”

佳期突然觉得有点不对劲，正要仔细听，万征出来了，她连忙跟着出去。

直到坐进车里，万征才硬梆梆地说了一句：“我不希望你给我介绍任何活儿，我不是靠女人的男人。”

这让佳期既莫名其妙又委屈：“这跟‘靠’有关系吗？我就是看有这么一事，顺手问一声。”

“我不想跟你们公司扯上关系。”

“可你之前也没说呀。”

“我现在告诉你，以后你不用这样。”

佳期奇怪：“可你来了呀？”

“我那是为了你，不是为了我自己。”

佳期没想到自己好心没好报，也有点气：“可你明着告我呀，你可以不来的呀。”

万征不再跟她废话：“我走了，你下去吧。”他启动了车。

佳期弄不明白肯定不走：“到底怎么了？他认出你来了？”

万征不耐烦地说：“他没说什么。但我心里不舒服你明白吗？和你一块儿蒙人，我觉得丢人，不就是挣点钱吗？”

万征看她不下去，索性直说了：“我告诉你吧，他说他考虑你们公司自己做。”

“别逗了，我们公司谁能做呀？”

“小贺，我不是怪你，我是怪我自己，为了点蝇头小利……你下去吧，我还有事呢。”

佳期兴致索然地回了公司，一进门就听见廖宇说：“你好京东豪庭。”

电话那头是个气愤的男声：“是京东豪庭不是啊？你们这儿有没有一个叫他妈廖宇的？”

廖宇一惊，机灵地答：“廖宇今天休息，请问先生贵姓？”

业务大厅里立刻鸦雀无声，大家同时支起了耳朵，只听刘总在电话那头儿已经抓狂了：“哎我说，这人也太他妈损了，谁说跟我看房的就得是我太太呀？”

廖宇被骂懵了，问：“先生贵姓？”

“我姓刘！我告诉你们，这事儿我跟你们没完。这不是成心让我妻离子散吗？”

“我替他跟您说对不起了，我会转告他的。”

廖宇刚慌慌张张挂上电话，佳期问：“姓刘？”

佳期手里拿的不像电话，倒像烙铁，离自己耳朵很远，已经快放到廖宇耳朵上了。廖宇在一旁诚惶诚恐，不知道她是无心的，还是故意让自己听她替他顶多大雷。

佳期隔一会儿把话筒凑到耳边听听骂到什么程度了。

“你们公司都什么人啊？怎么全跟你一样‘二’啊？物以类聚是不是啊……我不是跟你说了吗那人有老婆？！”

佳期低三下四地说："谁知道他会打电话去问呀？"

"……我要是没跟你说也就算了，我不就怕你们出这乱子吗？人多少年都没事怎么一遇见你们这些人就全给搁这儿了？"

"是，可是……"佳期还妄图解释一下。

"可是什么呀可是？现在人打电话骂我，哭得上气不接下气要死的过儿了，你知道不知道人刚答应把杂志的设计给我做？"

佳期一听到这儿就颓了，她没想到万征跟她急还是为了他所说的蝇头小利。她嚼了两口盒饭，一抹嘴儿，声音凛然起来："对不起，我替他跟你说对不起，他真的不是故意的。"

廖宇局促地看着佳期，想搭茬儿又搭不上，干着急。佳期冲他摆摆手。

万征还在骂："现在事儿闹大了，谁也好不了。"

佳期忍耐地说："万征，我觉得吧，既然铁了心当第三者，就应该从头儿有这露馅儿的心理准备，现在怪别人没有意义。"

万征听她话里有话，倒愣了，停了半晌说："她是我的朋友。"

"我知道她是你的朋友，她要是我的朋友，我就劝她认了。反正事情也这样了，反正迟早他们这事也得抖出来……"

"可关我什么事啊？为什么要从我这儿抖出来呀？"

佳期毫不示弱："你怎么这样啊？你真把她当朋友吗？你从哪儿学的明哲保身这一套？你就想你的蝇头小利呢吧？"

万征大怒："轮不着你教训我，你算老几呀？"

佳期的眼泪霎时涌上眼眶，又把听筒拿得离自己远远的，廖宇听见里面传来万征歇斯底里的叫嚷。过了一会儿，佳期把它凑到嘴边，也不管万征的上下文："就这样吧，白白。"她摔上电话，趴在桌子上。

"对不起，佳期。"

佳期抬起头看着廖宇，脸上的表情不阴不阳，正要说话，桌上的内线突然响了，佳期问："什么事彭总？"

"你和廖宇进来。"

两个人又互相看了一眼，忐忑不安地进了总裁室。守礼一派兴高采烈，把一摞资料扔过来，问："廖宇啊，你敢不敢做样板间啊？！"

廖宇不大相信自己的耳朵："可——以啊。"

"做过没有？"

"做过，以前在学校的时候就做过。"廖宇激动得有点儿结巴了。

守礼轻描淡写地说："我记得嘛，你的简历有写过你是美术专科学校……啊肄业的……那你就做吧……我看你也不是做 SALES 的材料，慢慢还是要转到企划去。你从今天就开始做，一个礼拜可不可以？"

廖宇一会儿功夫经历一惊一喜，激动不已："可以。"

"佳期以前在企划部，她可以帮你。"

出了总裁室，廖宇热情地对佳期说："对不起。我非常郑重地跟你说，对不起。"

可贺佳期连看都没看他一眼，指着面前的空气："你最好离我远点，我发现我一挨着你就倒霉。"

4

文学女青年

小柳是个彻头彻尾的底层文学女青年。她自知长相差强人意，只能在气质上跟美女拼了。知识改变命运，机遇只落在敢想敢干的人脑袋上。所以她在大量阅读作家们的文字的同时，也给他们大量地发着充满肉麻谄媚之词的信。她想总会有一两个爱听好话的会理她吧。

她万万没想到，文盲贺佳音居然认识当红的网络写手小李美刀。小柳但凡一着急，满嘴文言文荡然无存："我特——喜欢他的东西，你能介绍我认识他吗？"

佳音一副很牛的样子说："我都不爱理他。"

"姐姐，求你了，我也想让他给我签个名。"小柳一脸迫切。

佳音愿意显得自己有道，认识个把名人，她略一思索，说："没问题。"

小柳紧张了："那，我化化妆吧。"

"啊不——用，还给他脸了？！"佳音不见外地说。

佳期推开总裁室的门，略一犹豫，特意把大门洞开。

她前脚进去，廖宇后脚到了销售大厅。他瞄见了佳期的裙角，就坐在大厅里守着。

守礼觉得是下手的时候了，他心不在焉地接过佳期递上的表，轻轻一笑："不好意思啊，没把样板间交给你的男朋友。"

佳期脸红了："您搞错了，他不是。"

"我的记忆力还没那么差，何况，你的事我很放在心上的。"

佳期也不争辩了："没关系，培养公司自己的人最重要。"

守礼站起来，往长沙发那儿走，佳期却只把椅子转向沙发。守礼坐下，看她没有跟过来，一拍身旁的位置："过来啊？"

佳期没有办法，只得挨挨蹭蹭地走过来。守礼马上扬起一条手臂，搭在佳期背后的沙发上，佳期灵敏地往前一探身。长沙发正对着门，守礼一眼看到廖宇坐在大厅正对着沙发的位置上往里看，他站起来想要关门，又觉得这动作实在太明显了，只好问："你怎么还不回去啊廖宇？"

"我住在公司啊彭总。"廖宇一脸无辜。

守礼毫无办法，坐回沙发上想了想："我送你回家吧佳期？"

佳期腿脚灵便地站起来："不用，我自己回去。"

守礼无奈："佳期啊，我怎么觉得你跟彭总很有距离感啊？"

"不会吧？没有啊。"

守礼心一横，把佳期扳到门后，两支胳膊死死搭在她肩头，令她动弹不得。他的声音小下来，显得很动感情："彭总很欣赏你呀你知道吧，所以才会调你过我这里。"

佳期告诉自己不能慌，她冷静地说："我知道啊。"

"我看你是可造之材……"，守礼还想要继续表白，可贺佳期一脸不接招，他想到大厅里还有个无所事事的廖宇不长眼地待在那里，今天的气场已经被破坏了。

贺佳音并不喜欢小李美刀，可一看居然有人在自己面前狂巴结他，倒激起了好勇斗狠的心理，她破例与美刀亲热起来："你晚上陪不陪我练歌去呀？"

"陪啊，陪你干什么都行。"

"我给你发过E-MAIL。"小柳没头没脑地插嘴。

美刀不大上心："啊真的？发过照片吗？不发照片的我一般都不回，没什么姿色的我一般也不回。"

小柳不气馁：“我今天见你，总觉得是见过的。你现在也见了我，你会回吗？”

美刀对小柳的大胆直接有点不适应，唯唯诺诺地说：“啊……咳，不都认识了吗？就一块儿玩呗，都都都都是朋友，实在没人，想要性交也可以。”

佳音张口结舌地问：“你怎么那么流氓啊？”

小柳倒是不以为意，小脸绯红。美刀冲她挤眼：“她农民，不了解网络社会。”

小柳倒像与美刀一头儿的，嘻嘻地笑。

佳音不服：“谁说网络社会就得乱得跟网似的？告诉你啊，你这样的搁上个世纪早就给枪毙了，还作家呢，写得明明是黄色手抄本，活在当下你算是抄上了。”

“佳音姐姐，看不出来你倒是守旧得很。”小柳明着给美刀递话。

佳音大惊：“什么意思？你怎么跟他一拍即合的？”

小柳做了一个“嗯哼”的表情：“他的书受欢迎，不是没来由的。”

“我觉得他是吹牛。”

“贺佳音，我吹牛？我还从来没跟一女的斗这么长时间呢，要不是你那个倔驴似的样子我觉得怪逗的。”

佳音的脸色有点不好看了：“你今天有点人来疯呀。”

美刀决定刺激刺激她，问小柳：“你是她表妹？”

“不是，算远房亲戚吧。”

“寄人篱下，可怜哪。”

佳音看不得自己的裙下之臣当着面儿谄媚别人，她豁地起身：“我走了，你们俩反正也认识了，接下来该干嘛干嘛吧。”

美刀伸手拉住她：“不要让我太得意呀，你吃醋了？”

佳期正百爪挠心地在屋里走来走去，突然听见楼下传来一声清亮的口哨。

她愣了片刻，嘴边现出一抹笑容。她想起上中学的时候，喜欢的男生就每每在门前的路灯下吹这个调子的口哨，那时候她就会不动声色地跑下楼，然后在黑暗中握住那个翩翩少年因为紧张微微有点汗湿的手……

贺佳期觉得恍惚间回到了十年前，她下意识地跳到窗口——路灯下真的站着一个人。

她大惊失色，趴在窗台上仔细分辨，而那个人竟然向她招了招手……

她从楼道里刚一出来，就看清楚了前面的廖宇。再转身回去也掩盖不了自己的轻浮态度了，她走到他面前，非常不耐烦地问："干嘛？你是找我吗？"

"我找你有点事"。

"什么事不能明天说啊？"

"你不接受我的道歉，我心里觉得不踏实。"

"算了，今天跟你那么说话也不太好。"

佳期痛快地与他扯平，倒让抱着被侮辱的坚定信念而来的廖宇有一拳打空的感觉，他还想费劲罗嗦两句："我知道你本来想样板间给你男朋友做的……"

佳期飞快地打断他："没有……这都不关你的事。"

"我明天就跟彭总说我其实没有经验。"

佳期很冷淡："不用了。"

"对不起。"

两个人面对面站着，臊眉搭眼的样子倒像一对在冷战的情人。佳期突然想起另外一件事："……不过，我不希望你和我妹妹有什么瓜葛，"黑暗中，她看不到廖宇反感地皱起了眉头，"她这人疯疯癫癫的……我不觉得你们俩合适，所以如果她再找你，你别理她就行了。"

廖宇冷漠地问："你从头儿就瞧不起我吧？"

佳期很烦，谁又瞧得起她了呢，她看着别处。

年轻的廖宇掩饰不住愤怒："你是伴娘，我是一摄像；你是总裁助理，我是一个SALES；你们是北京人，我是外地的——你要觉得我配不上你妹妹可以直接说，犯不着说她疯疯癫癫的。"

佳期觉得这人不可理喻："跟我比什么呀？有什么可比性呀？"

廖宇冷笑一声："哼，还不是这么回事吗？我就不信，北京人，宁有种乎？”

佳期气笑了：“随你怎么说。”

“我从来也没打你妹妹的主意，她比你强多了，我要真憋着坏，也打你的主意，因为你太自以为是，应该在感情上受挫折当作惩罚。”

佳期气得冲他的背影直嚷嚷：“你来你来，我还不信了。”

贺佳期和所有女孩一样，对神秘主义有选择性地认同。所谓选择性，是指愿意信的时候就说宁信其有不信其无，不愿意信的时候大叫什么年代了还搞唯心主义这一套。但回顾她二十六年的人生经验，她归纳认为梦境对她的生活有相当准确的预测。她曾经有过两三次不成熟的恋爱，每次都会在失恋前梦到对方给她看分手信。其实这并不玄妙，很有可能是因为两人平日里的相处已经出了问题而导致日有所思夜有所梦，但她却在这一点上相当宿命，她想分手有很多种方式，为什么一定是看信呢？如果心理学家来分析，就会发现那是因为她认为信函是商务往来里非常正式的一种形式。但她不是心理学家，她就觉得这种梦一前来拜访，说明不久的将来她又要被人“炒”了。她曾经梦见过几次万征给她分手信，她在梦里就跟自己说别看别看，要看了，醒了就真分手了。在梦里，她嘻皮笑脸或者可怜巴巴地把这回事糊弄过去，醒来后到今天她仍然和万征在一起，她就越发佩服自己在梦境里的处理方式。

这天她又一次在梦里拒绝了分手信，但与以往稍有不同的是，这次递信的不是万征，竟然是那个讨厌的廖宇。梦里的贺佳期懵了，她想问问廖宇你是给万征来送信的吗？可廖宇只一味忧郁地看着她。那种彻骨的忧郁让佳期动容，她马上惊醒了。

然后她就看见姥姥正坐在床沿忧郁地盯着她，她吓坏了，脱口而出：“您有病啊？”

“你才有病呢。”忧郁的姥姥说：“佳期，你知不知道有句话叫‘眼眉毛都给人拔光了’……就是说被人找上门来给欺负了。”

佳期的困劲还没过，想不通：“从哪儿学的呀这话？”

“香港电视剧，”姥姥把脸贴近，指着自己的眉眼：“你看我，我的眼眉毛就快给人拔光了。”

佳期看了半天，看不出问题："还在啊。"

"在吗？在——我为什么被人欺负了？"

"谁欺负您了？"

"你真看不出来吗？柳凤香。"

佳期要想一会儿才知道说的是谁："柳奶奶？别逗了！我看柳奶奶是找上门来让您欺负，都快让您给勒死了，知道的您搂人家是跟人亲热，不知道的以为您挟持人质呢。"

"哼，看问题不要只看表象，要看本质。你没发现吗？"姥姥神秘地说："自打柳凤香来，你姥爷每天魂不守舍鬼鬼祟祟……"

"咳，我姥爷见天儿也鬼鬼祟祟的。"

姥姥不这样认为："你听我说。以前他多不爱跟我体育锻炼啊，老睡懒觉，我一人儿去爬山从来没听说过什么叫不放心。现在？每天不用叫，到点儿就起，麻溜儿地就跟着我们爬山，这说明什么问题？一个老太太安全，俩老太太不就更安全了？他多这个事干什么？"

佳期还想要打断姥姥的话，被姥姥制止："你听我说。这我也就当看不见完了，今天你知道跟我说什么？说要回老家！好不当眼的回什么老家呀？跟谁回呀？回去干嘛呀？"

"人岁数大了，想回老家很正常。"

姥姥步步紧逼："为什么要现在回？"

"柳奶奶是他老乡，他看见柳奶奶就想起来了呗。"

"不对。"

佳期不耐烦："没什么不对的，您神经了。再说就算我姥爷心里有什么小酸想法，都这岁数了，这把身子骨了，能干什么呀？"

"你又错了。干不了什么我知道，可是动这心思，就是给我丢人。否定谁呢？否定我，就是否定他自己个儿的一辈子。"

佳期开始穷对付她姥姥："又不能动手动脚，动动心眼还不行吗？动动感情还不行吗？"

姥姥大叫："不行！不行！"

"姥姥，您也不想想，就我姥爷那样儿，马路上风吹雨打晾半个月，也不会有任何老太太会对他有想法，当然，恻隐之心说不定有，当老年痴呆给送公安局了，就您，还当个宝似的。”

姥姥瞪佳期半天：“你也不能否定我的一辈子呀。”

打发完姥姥，佳音又来诉苦，站在正刷牙的她身后看着。佳期有点发毛，因为嘴里有沫，口齿不清但音调清楚可闻地问：“看什么呀？”

佳音板着小脸说：“我刚从姥姥那学了一句话，眼眉毛都让人拔光了。我觉得这话很形象。”她凑到佳期脸旁边的镜子前：“我的眼眉毛也给人拔光了。”

佳期奇怪地看镜子里佳音的脸：“你那不是为了画着方便自己拔的吗？”

“你错了。我这都是让小柳给拔的。”

“人家都吃撑了？天天给咱家人拔眉毛。”

“可说呢。你知道吗？小柳昨天见着美刀，那个谄媚劲儿呀，就跟要舔他似的，一副瞧见名人搂不住火的样子，猛扑！我还在旁边呢，根本没把我放眼里。”

“你不是不喜欢美刀吗？”

“我是不喜欢。可我更不喜欢小柳。”

“俩你不喜欢的人搁一块儿不挺好？”

“我就烦别人跟我抢！她要跟我较这劲，我还就不撒手了。”

“犯得上吗？”

佳音当正事了：“犯得上！拣我剩儿可以，跟我抢没门。”

“他不就是你剩的吗？”

“我还没用呢。”

佳期突然想起自己那个梦，问：“唉，我怎么记得你喜欢我们公司那孩子呀？”

佳音一副想不起来的样子：“啊？是吗？”

“别装！那天你跟他手拉手在我们公司，当我没看见哪？”

“有吗？我怎么不记得呀？”

佳期不高兴了：“你这人怎么作风这么不好呀？”

“什么词呀这么难听？就跟你作风多好似的。你不是瞧他不顺眼吗？我听你的你还不乐意……你觉得他跟美刀谁靠谱？”

佳期想了想：“还真是两个虾兵蟹将。”

佳音索性也不藏着掖着了：“坦白地说，我确实挺喜欢那孩子的，长得多好看呀。但是不着急，他还年轻，想长难看了起码还得十年。让我先把美刀解决了再说。”

“您这是谈恋爱吗？”

佳音满不在乎地说：“其中一种吧。我得让小柳看看美刀对我多好，然后我再把他这么一甩……小柳再上赶着追美刀就显出我的档次了。你觉着呢？”

“我觉着你应该找一个正经工作了。”

佳音嘴上泄了火，关心起姐姐来：“哎对，你们老板怎么样啊？”

佳期对不爱答的问题习惯性打茬：“跟你？”

“跟你。”

“别往我脑袋上扣屎盆子啊。就那种台湾人，老觉得大陆女的特爱理他们，骨子里根本没把咱当人。”

佳音自作聪明地问：“是不是就跟你看廖宇似的？”

佳期断然否认：“没有。”

“可我觉得你在你们老板面前就一副特爱理他的样子。”

佳期苦笑：“是呀，谁说妇女有了地位？”

佳音没上过班，不能理解：“不整天冲着他笑就保不住饭碗吗？”

“不知道，没试过。”

“我觉得你应该试试。”

“可我觉得还是得吃饱了饭才有力气对人冷嘲热讽——你以为找一工作容易哪FESCO(外企)注册的白领好几万人呢跟你说你也不懂唱你的歌去吧。”

苏非非欢天喜地地打台侧跑出来，对着仰拍的一号机招手，同时台侧散出一团干冰，笼罩着她娇小的身影。

“停——！”台下混在场工里的贺胜利四处找，才发现声音是从楼上的导播间传出来的，“对不起，就是先走一遍。好，现在正式开始，等会儿……，把这烟儿赶紧给扇没了。”

几个人慢吞吞地拿纸板子扇，导演着急了：“快点啊。”一个头目状的年轻人冲在场的人大声嚷嚷：“场工呢？场工呢都？”

胜利就在他旁边发傻，头目一脚踹到他屁股上。为人师表的贺胜利成人三十年后再没遇见过这种事，要踹也是他踹学生呀。头目可不知道他是哪儿来的，呲他：“快点呀，发什么呆呀？”

胜利来不及细想，赶紧蹿上台搧烟。

不面对镜头的时候，苏非非是不浪费笑容的。她漠不相干地在旁边看着，目光偶然落在胜利身上，胜利正在台上愚蠢地追着干冰跑，那副笨拙的样子让她一阵儿犯恶心。胜利看见她的表情，心里很不是滋味，他停下了，默默低着头扇着。

郭勇从外边进来，腰里的对讲机间歇发出滋拉滋拉的声音，他也不知道在骂谁：“快点扇快点扇，怎么都这么慢呀？！”转脸看见苏非非，他换上嘻笑的面孔：“真漂——亮！自个儿化的吧。”

苏非非嫣然一笑，贺胜利顿时觉得面前好像亮起了一束光。他从来没这么近距离地面对真正的美女，直愣愣呆在原地。郭勇看见，喝骂：“干嘛呢？快点呀。”

胜利没想到郭勇也对自己也这么粗暴，心里很不是滋味，他想说点什么，又忍下了。

这一上午下来，胜利的自尊所剩无己。他觉得自己已经够没皮没脸了，对学生都是笑脸相迎，没想到仍然不能保全自己。所以领盒饭的时候他排在最后一个，他没胃口。

郭勇陪苏非非出来吃午饭，胜利一看见他，马上低下头去，郭勇却像忘了上午的事似的，热情招呼：“胜利，走外边吃去。”

胜利不敢：“不用不用，这儿挺好。”

郭勇的热情里带着说一不二的霸道：“别废话，走吧。”胜利犹豫地看了苏非非一眼，就不犹豫了。

“这是我亲戚，贺胜利，这是非姐。”

胜利斜肩谄笑点头不止，苏非非平易近人地笑笑，又假装不高兴地说："别这么叫我，都给我叫老了。"

胜利连忙表示自己听懂了："这'姐'说的不是岁数，是江湖地位。"

马屁拍得苏非非很舒坦，第二笑嫣然多了。光天化日的，贺胜利不敢直视，不知道有没有的就在那儿赶苍蝇。

非非问："您以前是做什么的呀？"

胜利听见是问自己，脸"腾"就红了，小声说："我在学校。"

"当老师多高尚啊？我就特想当老师，您干嘛上这儿来呀？"

胜利正想怎么答才能让苏非非印象深刻，该死的郭勇替他说了："得了非姐，您当了老师，全国人民一到礼拜六看谁去呀？"

苏非非的第三笑看得贺胜利惊心动魄，直到收工脑子还晕着呢，所以排队领钱的时候，又排在了最后一个。

苏非非从旁边过，觉得胜利跟别人抢钱似的豺狼样子大不相同，客气地说了声"辛苦"。胜利心头一暖，慌忙点头哈腰地回应，却半个字儿也蹦不出来。

晚上给廖荣杰过生日，本来说在家里吃算了，可柳奶奶还在呢，姥姥得让柳奶奶看看他们家生活水平高，下馆子是家常便饭。

但其实姥姥对下馆子吃饭没什么经验，所以在闹嚷嚷的环境里摆出严肃的面孔和身段，跟进人民大会堂吃国宴似的，步法相当庄严，后面鱼贯跟着看上去也不大随便的姥爷、柳奶奶，如同一排政治局常委。食客皆侧目。

服务员把菜单递给姥姥，姥姥并不会点菜，涨红了脸作势翻了两下，递给大廖："我什么都吃。"

大廖看了看说："那……先来份烤鸭。然后，水煮鱼……"

"我不吃辣的。"姥姥马上说。

姥爷听不过去："你不是什么都吃吗？"

"可我不吃辣的呀，你不知道吗？"她目光炯炯地瞪着姥爷，姥爷赶紧低头喝茶。

柳奶奶没眼力见儿："孩子们呢？喜欢吃什么？"

佳音才不管那套呢，嚷道："水煮鱼。"

姥姥不跟佳音犯轴："点吧点吧。"

才智突然问："柳奶奶，小柳呢？"

"她说找同学去了。"

"她在北京还有同学哪？"佳音斜愣着眼睛。

才智说："不是这么两天就交男朋友了吧。"

柳奶奶吓一跳，连连摆手："可不敢。"

彼时彼刻，小柳在美刀床上。

美刀点了根"事后烟"，满足地深吸一口。小柳侧过身来扒着他的肩膀，娇嗲地问："你冰箱里可有什么东西？"

"饿啦？"

"我不饿，我是想做点子什么给你吃。"

美刀吓坏了："别别别，我就怕这跟我玩居家过日子范儿的。"

小柳虽然失望，但并不气馁："那咱们就随便闲扯几句。你交过几个女朋友啊？"

美刀茫然地问："什么叫女朋友啊？跟我混过半年以上的，也就三四个吧。"

"那你成名之后，交过几个半年以上的？"

"一个都没有。本来想跟贺佳音混混，结果你看她倔驴似的。"

小柳极不高兴，坐直了："你怎么老提她啊？"

美刀不习惯这种需要领会领导意图的谈话方式："不是你问的吗？"

小柳拉下脸来："你书里写得当真不错，你是一个流氓。""流氓"二字说得极轻快，很像87版《红楼梦》里的人物。

美刀不觉得这是问题："我当然得跟我书里写的一样了，我的小说不撒谎。"

他对不同姿色的姑娘的态度是不同的：对于上赶着他的，直来直去有什么说什么，对于他上赶着的，他还是很讲求形象和技巧的。他叮嘱小柳："你别跟佳音说啊。你要是说了，咱就BYEBYE。"

小柳气不过："咱要不BYEBYE，又算什么关系呀？"

"性关系呀，多么纯粹的性关系呀。"

刚说完流氓话，他上赶着的人来电话飞行检查了，美刀有点紧张，拿着电话像拿着个烫手山芋，他颠来倒去地冲小柳一乐，索性放下了。

他从来也没不接过贺佳音的电话，这下佳音吃不下饭了。她改打美刀家里的电话。

美刀还是不敢接。铃声长时间地响着，他几乎能想象贺佳音气急败坏的样子。

小柳嘲笑地欣赏着他的抓耳挠腮，突然猛扑上来，把美刀一把摁住，严严实实地堵住了他的嘴，美刀挣扎了几下也就顺从了。

佳音气急败坏地把电话摔在桌子上，大怒："他居然敢不接我电话。"

才智虽然不知道她说谁，但很兴灾乐祸："谁呀？"

佳期劝："他没准没听见。"

"不可能。"佳音斩钉截铁地说，然后又凑到佳期耳朵旁："我告诉你吧，他肯定跟小柳在一块呢。他从来就不择食。"

佳期刚要说话，她的电话响了，是万征。她不动，任电话响。佳音马上忘了自己的事，兴奋地问："你都敢不接他电话了？真是出大事了。"

佳期把铃声摁没。

那边姥姥和柳奶奶互相已经灌得满脸通红，姥姥问在旁边闷头咂吧嘴的姥爷："陈倚生！你什么时候回老家呀？快走快走。"

建英拉着："妈您别喝了，您这腿不好，大夫不让喝酒。"

姥姥豁出去了："我还能活几天啊？不好就不好呗。"

这让过生日的大廖尴尬了："妈您说什么呢，多不吉利。"

柳奶奶也说："就是，瞎说啥呢，我岁数比你们都大，要不活也得赶你前边呀。"

"你什么事没赶我前边呀？"

姥爷正吃得摇头晃脑滋儿咂作响，一听这话，突然把一杯牛奶递到姥姥面前：

“喝奶——！别喝酒了。”

“为什么？”

“补钙！省得你爬爬山还长骨刺。”

姥姥勃然大怒拍案而起：“你活腻了吧陈倚生？”

建英和胜利连忙扑上来拉人，大廖叫服务员结帐，可服务员却说结过了。

大廖看胜利：“别呀，胜利，不合适。”

胜利莫名其妙：“不是我。”

“那谁结的呀？”

“有一位包间里的先生，刚才走的时候看见你们这桌，就给结了。”

姥姥觉得顶有面子：“谁呀？怎么这么懂事呀？”

佳期想起来不会是万征吧？她连忙打电话回去，可万征的口气并不算客气：

“你刚才怎么不接呀？”

佳期撒谎张嘴就来：“我们家人在外边吃饭呢，特吵，没听见。”

小家小气的万征马上说：“没事，不用特别强调跟你们家人在外边吃饭呢。”

佳期给气得，只好问：“你在哪儿呢？吃饭了吗？”

万征抬头看看钟：“哟，九点多了？都给忘了。我在公司加班呢……你们公司负责样板间那小孩儿给我打了一个电话，说施工可以给我做。”

佳期大感意外：“谁呀？不是说算了吗？”

“就那叫廖宇的，说设计不用我这边，但施工反正也得发包，就找我了。”

“那你接吗？”

“接呗，他说先把图和数据传过来，我报个价给他，然后再谈。”

佳期正琢磨今后的人际关系怎么处，电话里传来万征勉为其难的一句极罕见的话：“谢谢你啊。”

佳音要把美刀那儿的挫败感从廖宇身上平衡回来，出了饭馆，直奔隆业。谁知廖宇一见她，眉头马上皱了起来：“你没事吧？真跑来啦。”

佳音看不得这表情：“别不耐烦，男的不能对女的不耐烦。”

“我加班呢。”

“不急这一时半会儿，走吧，你陪我练歌去吧。”。”

廖宇正要拒绝，业务电话响了：“你好京东豪庭……”

电话那头硬梆梆的自报家门：“贺佳期。你找万征做施工，老彭知道吗？”

“知道啊。我跟他打过招呼了。”

“他就同意了？”

“对呀，要不然我能找他吗？”他突然转换了一种语气，魅力十足地压低声音：“你高兴吗？”

佳期猝不及防：“嗯？什么？”

廖宇摆出令佳音无法抗拒的POSE：“我问你高兴吗？我做这件事是为了你，想让你高兴。”

但他找错人了，贺佳期问：“为什么要让我高兴？”

“你觉得呢？”

“我觉不出来……要说你是想追我吧？也不能把活儿介绍给我男朋友，要么你还是想追我妹，以此来讨好我？我告诉你，没门儿，甭想。”

廖宇不放弃：“我要追的是你。昨天我回来想了一宿，为了教育你，我要追你。”

贺佳期没有恋童癖，浑不吝地说：“你尽管放马过来，不就是想遭灭吗？我成全你。”

廖宇“啪”一声挂上电话，旁边的佳音非常惊恐：“你有女朋友了？你要追谁呀？”

“你管呢？我问你——”，廖宇直视着她：“你是想追我吗？”

佳音没被人这么直接地问过，脸涨得通红：“有这么问的吗？”

“是不是啊？”

佳音想了一会儿，不太肯定地说：“不是。”

廖宇“噢”了一声，转身上厕所，佳音跟在后面小跑着问：“哎，你干嘛呀？受伤害了？”

廖宇头都不带回的："没有，你要是想跟我谈恋爱我就不去了，要不是呢，我就更没理由陪你。"

佳音完全疯了，张口结舌："我靠，我靠……现在男的怎么都这么牛呀？哎——我我我我是说，我不想追你，可我想你追我。"

廖宇站住了，回头打量她半天："我看你人不错，跟你交个底，我不喜欢幼女型的，咱俩就当一般朋友吧。以后别假装特严重似地找我，我最近挺忙的，你想填空就找别人吧。"

小柳在洗手间待了半天才出来，眼睛红红的："我回去了。"

"啊行。"正中美刀下怀，他连站都没站起来。

"你就不会送送我吗？"

美刀这才不情不愿地摸兜找车钥匙。刚走到门口，小柳突然回身猛地抱住他，可怜巴巴地仰望着他的脸："只这样吗？"

美刀慌了："什么呀？……咳，只要我没女朋友，你随时想混，没问题。"

小柳松开手，阴阴地问："你心里还梦想着贺佳音有朝一日会是你女朋友是吗？你就不怕我到你的网页上去说吗？"

"你说呗，反正佳音也不上网。"

小柳一跺脚，发狠道："你就不怕我今儿回去就告诉贺佳音吗？"

美刀又坐回沙发上了，他笑眯眯地看着小柳，慢条斯理地问："你以为我不敢打女的是吗？我眼里可不分男的女的，只分好的坏的。我要认定你是一个心眼坏的人，还真不会客气。"

小柳最终是给吓哭了，她哆哆嗦嗦地问："你怎么能说这种话呀？"

"你呢？你的话也不像好人说的呀？"

"你从来也没对一段关系认真过吗？"

"你还别这么问。早知道你这样来这套哭哭咧咧的，我就不让你来了。"他毫不退让地咕哝着："我就听不得威胁。"

佳期正全神贯注地打字，守礼在她面前停下，说："昨天吃得不错啊？"

佳期猛醒："是您啊？昨天是您买的单？"

守礼呵呵一笑，推门进了总裁室，佳期拿出钱包起身追进去：“这太不合适了，我们家人过生日，怎么能让您掏钱呢？”

“哎呀小意思啦……不用还我钱，陪我吃顿饭好不好，不过分吧？”

佳期刚要拒绝，可守礼并不给她思考的时间和拒绝的机会：“那就今天晚上吧，韩上楼，好吧？我再约上开发商那边李总。”

佳期揉着笑疼了的脸回到大厅，看见万征的车停在了门口，一脸稚气的廖宇严肃地从车上下来，两人握手道别。万征往公司里看了一眼，笑着说了句什么，就开走了。佳期犹豫了一下，抢在别的女同事前面给廖宇倒了杯茶，放在他桌上。

廖宇全都看见了，微笑着问：“讨好我？”

周围的男同事怪叫起哄，佳期又慌又不忿，二话不说，拿起茶倒在字纸篓里。

廖宇一点都不生气，问：“你知道为什么男的一见着你就烦吗？”

佳期陡然变色，女同事们开始酝酿笑容。

“他能看上你，还真算你运气好，好得让我对你刮目相看。用了多少阴谋诡计了？一哭二闹三上吊多少回了？让一男的犹犹豫豫盘算着少活五十年？”

佳期急不择言：“有人好像说要追我。”

“哟，上心了吧？像你这样感情上的弱势群体，稍听见风吹草动，心里美着呢吧，觉得终于有了活下去的理由了吧。”

为了赶赴贺佳音主动提出的约会，美刀一脸得色地刮着胡子。他正想着该怎么把昨天不接电话的事搪塞过去，余光瞥到坐便器旁的书里夹着一个白色的纸条，他纳闷地拿过来看，然后迅速把纸条揉了，扔进纸篓。

可开冰箱的时候，又一张白色纸条放在听装啤酒上，他二话不说又给揉了。

他懂这套小把戏，不就是抒情吗？一个作家再不知道这些雕虫小技，拿什么哄读者玩呢。

可出门前点根烟的功夫，他看见烟灰缸下露出最后半截白色纸条。这回看完，他发了会儿呆，想了会儿小柳，突然觉得她也没那么难看。当然，跟贺佳音还是没法比的。他把纸条揉成一团，瞄准废纸篓，竟然没扔进去。

他犹豫了一下，拣起来，把纸条抹平了夹在钱包里。

佳音没想到小李美刀竟然这样坦白地交代了昨天和小柳在一起的事实，她气急败坏地问：“你刚在电话里还说你在家喝醉了？”

美刀诚恳地说：“我现在不想骗你。”

他不骗她，她倒接受不了：“你们俩才见过一面，就把她带家去了？”

美刀想大事化小小事化了，轻描淡写地说：“咳，她非要去，我就带她认认门。”

“你还真好说话。然后呢？不会就是喝茶聊天吧？”

美刀的沉默跟他一贯的聒躁十分不符，佳音忍不住踢他：“你怎么不说话呀？”

美刀往旁边躲了躲：“说什么呀？”

佳音拿起面前的餐牌摔了过去：“你什么意思啊？那你现在来干嘛呀？”

美刀用奇怪的逻辑替自己解释：“我觉得她挺可怜的，她又确实挺喜欢我，我帮助帮助她……她对我真挺好的，特崇拜我，我就满足她一下呗，让她也能在有生之年走进偶像的家。”

佳音猛喝几口水，问：“你来就是跟我说这个吗？”

“不是你叫我来的吗？”

佳音站起来：“那没事了，我走了。”

美刀拉住她：“你怎么回事啊？你到底想说什么啊？你是不是吃醋了？你是不是喜欢我而不自知呀？”

佳音甩他的手，甩不掉，狂喊：“你有病吧？我吃醋？”

“贺佳音，你吃醋也不亏，我是真喜欢你。”

佳音冷笑：“一边儿喜欢着我，一边也不碍着你跟别人……那什么。”

美刀叹息：“哎呀，爱情和同情我分得清，我不是说了嘛我帮她忙呢，你急什么啊？”美刀站起来把她摁在椅子上，蹲在她面前认真地问：“咱俩谈恋爱了吗？”

“你倒想——”

“对呀，咱俩还没谈恋爱呢，我跟别人起起腻怎么了？”

“你你你不是追求我呢吗？你怎么追求啊？什么实际行动啊这是？”

美刀还委屈呢：“哎，哎，我倒想问问你，人家也追人，我也追人，我怎么就追得这么丢人啊？”

“你追我是丢人？”

“我是说，我追你追得还没实际行动哪？我都开着车拉你看奸夫去了还怎么着啊？你就差骑我脖子上拉屎了。你州官的火我都帮你放了，自己家没电点个灯不行啊？”

“你怎么点呢？你拿哪儿点呢？”佳音是真急了。

“贺佳音，咱俩没处在恋爱时态的时候，我是自由的。话说回来，咱俩就是处在恋爱时态上，也是各自自由的。”

佳音翻翻眼睛，她的小脑袋瓜听不懂这些：“那你恋什么爱呀你横竖都得自由？”

“恋爱是非理智的你懂吗？比如说咱俩恋爱的时候，咱俩自愿放弃自由，如果谁不爱谁了，就可以放弃放弃自由。”

“那你追求我而我没答应的时候你就不是爱我了吗？那你爱我的时候你不就应该放弃自由吗？”

“放不放弃自由没有一个特定的时段。”

“话都让你说了，得了我没功夫跟你废话，你谈恋爱也好，扶贫也好，随你的便，你点灯去吧你。”

佳音起身又要走，美刀冷冷地刺激她：“她长得虽然没你好看，可人感情比你炽热多了。”

佳音果然又不服了，停在原地。美刀悠悠地说：“今天我出门才发现，她还给我写了一首诗呢。”他从钱包拿出那三张白纸，得意地甩着：“看，‘这个世界真好，这个世界有你，真好。’人还说了，只要我跟她在一起一天，她就给我写一首诗。”

佳音顶恨这帮酸文假醋的人在自己的弱项上挥洒自如，骂道：“缺心眼对装腔作势，你们俩还真合适。”

美刀话锋一转：“可是她再要什么花招，我喜欢的还是你。你想清楚了，你到底喜不喜欢我？你不要违心地把我往别人怀里推。”

他撒开她：“我发誓，我百分之百就把她当成一书迷，这事就到这儿了，如果你现在答应跟我好，我愿意放弃自由。我数到三，你可以走，但你得想清楚，马路上走的全是一肚子瞎话的，你是愿意跟一整天跟你虚头巴脑的平头百姓混，还是跟一有缺点的诚实的名人混。”

刚才的谈话让他陡然有了自信，横了心赌一把，他闭上眼数：“一……二……三……”睁眼。

守礼把车窗摇下来，音乐声放得很大，摇头晃脑地跟着唱着。佳期笑眯眯地问：“彭总很开心啊？”

谁知守礼说：“是呀，你在我旁边嘛。”非常顺手的话，再顺手把右手搭在佳期大腿上。

佳期真恨自己嘴碎，她假装无意地把腿往右一摆，守礼没料到她有此一闪，外加手上发着力呢，一下搭空，右手直杵着地，很是狼狈，他愠怒地问：“佳期呀，可你为什么总躲着彭总哪？彭总有时候拍拍你啊，是因为喜欢你，你那么可爱——为什么要躲哪？”

“我没有啊。”佳期装无辜。

守礼摇摇头，遗憾地说：“这样子会让彭总很不开心啊——”

他的语调真的已经透出了不开心，佳期权衡了利弊，只好把腿又摆回来。守礼面色稍霁，把手又放在她腿上：“这样很好嘛。”

佳期转过头看着车窗外，假装什么都感觉不到。

贺佳期还真是不负重望，把自己喝得傻笑不止。她觉得酒是个好东西，本来不知道怎么跟人接触的她，喝了酒以后，脸皮自然就厚了，话多了，人随和了，对守礼的骚扰也没那么敏感了，她几乎是自己把自己灌醉了。这让守礼觉得很有面子：“……我就看她很能喝，就把她从企划部调过来了。她还很聪明啊，学东西很快，知错就改。”

他偷偷捏住佳期背后的BRA带，"啪"地弹了一下。佳期被这套夜总会习气给弹傻了，满脸通红地看着他。

钢琴师是台湾人，与守礼相熟：“彭哥唱什么？”

“LOVE ME TENDER。”

守礼唱到中途，他把麦克拿下来，深情款款地走到佳期身边，后来索性单腿跪在佳期面前。佳期手足无措，不知道是不是也要跪下来，抓耳挠腮。他唱完以后，握住她的手，轻轻一吻。佳期任怎么使劲也抽不出来，只好趁他回身放“麦克”的时候，玩命把手背在衣服上擦。

万征打电话来飞行检查时，佳期正在和李总道别，李总的话通过电话线传到了万征耳朵里：“佳期好玩，阿彭啊，下次还要带她来。”

李总使劲地跟佳期握完手，觉得不过瘾，又扔掉手直接熊抱，佳期只能任他抱着，还对电话说：“哎哎，好的。”

万征很不高兴：“几点了你还不过来？”

佳期也不知道在和谁说：“等会儿等会儿等会儿。”

守礼问：“是不是喝得有点多啊佳期？我送你吧？”

“你喝酒了贺佳期？……你甭来了。”万征一听佳期喝酒就急。

佳期这回是在跟守礼说：“啊……不用，我还有点事。”

“你听见没有贺佳期？你不用来了。”

守礼有点失望：“去找男朋友啊？在哪边，我送你。”

佳期客气：“不用，您也喝酒了，我自己打车吧。喂？喂？你还在吗？”

守礼假装扶她，一把搂住：“不要跟我客气嘛，今天你让李总这么高兴，我要谢你呀。”

佳期已经醉到不知道掩上话筒，她谦虚道：“咳，我也不会别的，我都不知道您干嘛要让我当助理。喂？喂？”

“小贺，今天是我生日。”

这熟悉的称谓让佳期清醒了。

她觉得大祸临头，又沮丧又害怕：“对不起，我忘了。”

“我知道你忘了……本来我也忘了。”

佳期埋怨：“那怎么又想起来了？”

万征有刹那的幽怨："有个在国外的朋友发E-MAIL祝我生日快乐……"话说到这儿，他转念一想，跟不着贺佳期含情脉脉，马上指责道："你算什么女朋友啊贺佳期？"

佳期垂下了头，如同万征就在面前："我错了。"

酒精令她的头脑很混乱，她只能对"生日"起直接反应，她突然大声对着电话唱起来："HAPPY BIRTHDAY TO YOU，HAPPY BIRTHDAY TO YOU……"

这下连已经坐进车里的守礼都惊着了，探出头来张大了嘴看着佳期。电话那头儿的万征气得骇笑。

佳期又唱了两句，停住了。"怎么不唱了？"守礼问。

因为万征已经挂了。

贺佳音没有走。美刀睁开眼，她还完好无损地在他面前站着。他笑了，站起来刚要过去，手机不合时宜地响了。佳音"噌"地蹿过来看，屏幕上显示是"柳"。

美刀挣扎着接了："喂？……明天？"他看了佳音一眼，佳音正扭脸往外走。"明天没事啊？"他要追出去，但服务员拉他结帐。美刀用脖子夹着电话，手在兜里一通狂掏："谈谈谈谈什么啊？……你贴网上干嘛呀？你你你什么意思呀？"

佳音一把抢过他的电话，严厉地问："明天决赛，你忘了？"

美刀抢回电话，着急地问："你干嘛呀？……丫说丫要把这事贴我网站上去，太——缺了。"

佳音的脸扭曲了："你到底跟她干什么了？"

"没没没没干什么呀？丫说要跟我谈明天。"

"明天是决赛。"

"我靠孰轻孰重啊？一破比赛参加它干嘛呀？你跟我一块儿去。"

"你明天要是不让我拿奖，咱俩就一点戏都没的唱。"

美刀冲着她的背影喊："哎别呀，你们家人怎么都这么急着出名呀？"

5 老情儿

“各位观众，电视机前的朋友，大家好——，欢迎收看超级明星脸儿——”，苏非非话音将落未落，胜利在观众席一角开始领掌。

建华看着曾经为人师表的丈夫一脸兴高采烈干着这事，脸上很挂不住。佳期趁别人鼓掌的当儿，冲刚进场的万征招手，万征正眯着眼睛在观众席上找她。他们约好假说万征也来现场看比赛，算作一次与陈家人的非正式会晤。

万征当然是不愿意来的。但样板间那件事过后，他对佳期重新认识了一下，觉得可能这孩子不像自己原来以为的那么没出息。要说在一个外企公司里做到总裁助理，怎么也不能算太寒碜，也许假以时日，经过他的改造，跟贺佳期也能将就着过。他现在倒觉得自己当时找贺佳期当女朋友还算明智，虽然和自己相比，她的年纪小了点，但青春就是本钱，前途还是不可限量的。当然，他不是羡慕佳期年轻，他是佩服自己有眼光。

他看见她了，跟周围的人说着“劳驾”就往那儿走。他听见身边有人领掌，不知道台上谁出来了，心不在焉地看了一眼，然后就像被钉在那儿了。

后边有观众示意他挡了视线，万征呆呆地就手坐在了旁边的位子上。佳期远远看着纳闷，刚要过来，苏非非介绍到她们：“这个方阵是我们今天参赛选手们的亲友团，欢迎你们——”佳期赶忙跟着大家作欢呼状，可万征连余光都没往这边看。

姥姥问："是那个吗？怎么俩眼发直啊？"

佳期假装很懂似地解释："来晚了就不能随便走了，待会儿再说吧。"

候场的佳音在台侧探头探脑，她看见胜利把评委席上"小李美刀"的牌子撤走了。

美刀着急忙慌地冲进快餐厅，扫视了一圈，在角落里看见了一个酷似贺佳音的人，他的目光停了一下，刚要挪开，又停了一下——那个人居然是小柳。

模仿贺佳音模仿王菲的样子的小柳冲他意味深长却又无比凄凉地一笑。

美刀被震撼了，他不知所措地走了过去，手心出汗，像一个晕场的演员，以至他不知道自己是微笑着的："我——靠，我——靠，干嘛呀你？"

小柳见他坐稳，才起身事儿事儿地走到点唱机前面，忸怩作态地翻了很久，给美刀一个孤独到极致的背影，投入硬币。

快餐厅里响起了王菲的《我愿意》，小柳深深沉醉在自己营造的伤感氛围里，坐回美刀对面的时候，已是泪眼婆娑。

美刀在"我愿意"的音乐里，非常不解风情："小柳，你这样让我怎么接茬儿呀？……可是你也得问问我愿不愿意呀？"

在文绉绉的小柳面前，他可真不像个作家："真真真用不着，你看你，你自个儿也挺好的，你弄成这样，这是何何何何何必呢？我要知道你是要这么表白，我我我我就不来了。"

小柳无比坚定地说："你不爱我没关系，我爱你就行了。"

对比小柳事先背好的词，美刀只会局促不安地慨叹："我——靠。"

小柳背后的墙上挂着钟，他看了一眼，那边是彻底赶不上了。"你爱我？谁爱谁的时候老要胁人家呀？你干嘛要往我那网页上贴这事儿呀我倒问问你？"

"为了忘却的纪念。"

这话听得美刀特顶，他试图去适应："我跟你这么说吧，硬的，软的，我觉得都无所谓，真心实意最重要。比如我对贺佳音，那就是真心实意。你懂吗？”

“真不真心实意，自己以为没用——你觉得贺佳音觉得你真心实意吗？她要领你情儿，我还没二话——你对她不跟我对你一样上赶着吗？你也好好想想，与其你上赶着她，不如我上赶着你。你还不明白？让我怎么教你啊？”

刚要适应书面语的美刀只好折回头来听人话，小柳把带着坤表的手腕伸到他面前：“已经来不及了。”

小柳是有备而来，软硬兼施不达目的不罢休，她把整个上身扑在桌子上，仰头看着美刀的眼睛：“我只要一年的时间，我们以一年为约，好不好？好不好？明年的这个时候，无论我们在做什么，在哪里，我都会自动停止，自动离开。”

美刀下了很大的决心，不知道是终于被小柳的诚恳打动了，还是想先把她给赶紧打发了，他张了张嘴，费劲地伸出两个指头，费劲地说出一句话：“俩……月。”

满眼憧憬的小柳没想到自己费了半天唇舌，美刀竟然与她讨价还价，她实在是不甘心，伸出一个巴掌：“半年。”

美刀扒拉开她的手：“这是五个月。”他十分坚持地再伸俩手指头：“俩月。”

小柳不肯轻易就范，手指头减到三个：“仨月。”

美刀是断然不会妥协的：“俩——月——！要么就俩月，要么就他妈拉倒。”说完往椅背上一靠，破罐破摔。

小柳想了想，往前探身，果断地一把握住美刀做出的“二”：“成交。”

远远看着，这俩人真像在划拳。

“接下来要参赛的这位选手叫贺佳音……”，苏非非还来不及往下说，陈家人就已经开始欢呼，非非一笑：“看来她的亲友团非常强大啊……贺佳音要模仿的是——王菲，又是王菲，我们再来看一下王菲的原音重现。”

大屏幕播放的时候，苏非非到台侧休息。佳音本来一直在最后时刻死死拉住胜利的手，希望获取点来自家庭的能量，但胜利一看苏非非站到旁边，马上甩开闺女的手，非常有眼力见儿地给苏非非递上水。苏非非接过来喝了一口，又递还给他。这一递一接十分自然，虽然远，却没逃出建华擅查作弊的眼睛。

播放结束，佳音腿抖着走了出来，非非问："你要唱王菲的哪一首歌呢？"

贺佳音结结巴巴地说："呃……扑扑扑火。"

苏非非用一种当事人肯定不觉得逗的方式说笑："扑扑扑火？这火肯定挺大的。"

音乐响，灯光暗，干冰起，全场鸦雀无声。前奏过去了。全场仍然鸦雀无声。该丫出声，丫却无声。

音乐停，灯光亮，导播问："怎么回事？"

佳音已经出了一脑门儿汗，她颤颤微微地问："对对对不起，再来一遍行吗？"

"时间有限啊，抓紧。"

音乐再响，灯光再暗，干冰再起。佳音的声音就像掉羊圈里一样，让人听了浑身发冷。苏非非实在忍不住，在旁边作状抱紧自己的双肩。

灯光又亮，导播室里传出了一个声音："这个选手是怎么进决赛的？"

全场大哗。

陈家人不见了刚才的气势，姥姥悄声也不知道问谁："怎么回事？"姥爷紧张得像白痴一样伸长了脖子东看看西看看，观众开始起哄，现场的工作人员也乱了起来。佳期焦急地咬咬嘴唇，看着台上的妹妹和一旁笑嘻嘻的苏非非，她下意识地把无助的目光投向万征，却看到万征正在那儿起哄，把双手围拢在嘴边嗷嗷乱叫，抽冷子还喊着"退票退票"。

陈家人低下了头。

台上的佳音虽然与亲人近在咫尺，却觉得这是世界上最远的距离。

贺佳期突然长身而起。

大家都诧异地看着她，万征也不方便哄了。

佳期穿过观众，走到台上，拉起佳音的手。

她镇定地说："对不起啊，我妹妹第一次参加这么正式的比赛……我能不能和她一起唱呀？"她向导播室的方向问。

现场安静极了。半天，苏非非突然反应过来："这不行吧……"但音乐恰在此时重新响起来了。

佳期紧紧地抓着佳音的手，两个人很努力，只想把这首歌完整地唱完。佳音突然想：幸亏那次在"钱柜"，姐喝多了和她抢着唱过一次《扑火》……想到这儿，她的眼泪哗哗地流下来，走音走得很厉害，妆也冲花了。

歌儿唱完了，太难听了，但姐妹两个相互扶持的样子感动了观众，掌声四起，几乎要持续26分钟了。

苏非非看到身边的贺胜利一副快哭了的样子大力鼓掌，觉得很不投机，她冷冷地扭脸看着大屏幕。摄影师正在拍观众席的反应，屏幕上迅速地闪过正在看着苏非非的万征，他与其他观众目光相左，因此显得十分突出。

苏非非愣住了。她扭头到观众席上去找，但茫茫一片。

她扭头继续看大屏幕，万征的脸再次一闪而过。

佳期急匆匆穿过往外走的人群，向万征走去。但走了一半，她不得不停下脚步——万征与苏非非一个在台上，一个在台下，正眼神非常暧昧地对视着。

万征慢慢地一步一步向台边走着，苏非非一脸似笑非笑地原地等待，每一秒似乎都沧海桑田。佳期在旁边不自觉地渺小下去。

"真是你？"万征柔声问。

苏非非但笑不语。

万征夸张地掐了自己一下，疼。两人就这样台上台下地对视着，世间万物仿佛不复存在，苏非非吃定他似地兀自散发着暧昧的魅力。

佳期竟先怯了下去，远远地虚弱地喊了一声："哎——"

没人听见，就是听见也没人理。万征看着苏非非，手插在裤兜里摆出自认为的风流倜傥往前慢慢地走。

苏非非声音软软的："收到我的E-MAIL了吗？"

万征的语气里有无限的委屈："你什么时候回来的？为什么不告诉我？"

正拆台子的胜利从佳期身边过，顺嘴问："佳期，你男朋友来了吗？"

苏非非听到了身边这俗物的问话，奇怪地看了佳期一眼。气场被打乱了，万征犹豫了一下是否要把佳期与苏非非相互介绍，但他马上打消了这个念头。他跟佳期说："噢……今儿算了吧？你先走吧。"

苏非非一眼明白了内情，连忙闪人："哎别呀，你忙你的，我给你留个电话，咱们哪天单约吧。"

万征着急："别别别，没正经事……"，他看了佳期一眼，目光里的责怪溢于言表："有什么正经事比见着你更正经？"他揉着胸口，就跟缓不过来了似的。

姥姥在门口大声叫："佳期，怎么着啊？"

佳期无助地看着自己家的人，又看看万征。万征看她还不走，很嫌她碍事："你先走吧，我还有事呢。"

佳期可怜巴巴地站在那儿，刚才拉起妹妹唱歌的勇敢和大气荡然无存。

"我真有事万征，先走了，你电话多少？"苏非非才不要趟老情儿的浑水。佳期呆呆地等在一边看两个人叽叽咕咕地交换电话号码。苏非非的美，苏非非与万征的眉来眼去尽落她的眼底，而她就是个局外人，她知道她生命中最重大的困难来临了。

佳期垂头丧气地给万征介绍："这是我姥姥，我姥爷，我母亲，我大姨，我大姨夫，我妹……"被介绍到的人除了建华和佳音，都特别拘谨而客气地冲万征点头哈腰，好像要巴结他似的。

万征只一一点个头。不会看眉眼高低的姥姥一边掩饰着紧张，一边还觉得应该挑理呢："哟，怎么才来见我们家人呀？"

万征就跟没听见似的，佳期连忙接话："他特忙。"

姥爷拿出大干部的派头，点着头说："理解，理解。"

姥姥还废话："能多忙啊？跟佳期在一块好长时间，我们就光听说过没见过，咯咯咯，一直就想看看我们佳期的眼光。"

万征脸会疼似地笑了一下。柳奶奶也不着四六地胡夸："小伙子不爱说话，忠厚人。"

佳音已经从刚刚的打击中顽强地走出来了，大大咧咧地问万征："你认识苏非非啊？"

万征一愣："啊？谁呀？"

"就那个讨厌的主持人啊？"

胜利从演播厅里出来了，佳期忙打茬："这是我父亲……咱们走吧，别在这儿站着了。"

万征问："上哪儿呀？"

"去我们家啊？不说好了吗？姥姥姥爷，你们坐万征的车吧。"

万征断然拒绝了："那什么，对不起啊，小贺，我临时还有点事，今天恐怕不行了，改天吧。"他转向陈家人，一点都不觉得抱歉地道歉："本来今天都来不了，抽空……"

建华自始至终都没有说话，一直冷眼看着万征。这会儿她实在忍无可忍，阻止妄图挣吧的姥姥："有事就算了，咱们走吧。"

万征乐得转身就走："回见啊。"

佳期非常难堪，想了想，紧走几步跟上万征问："你有什么事啊？"

万征草草地说："甭管了。"

"不是说好了吗？……你这样多不合适啊，我们一家子人，这么着也太怠慢了。"

万征的话完全是横着出来的："那你说怎么着？非逼着我哄你们家人玩？"

佳期顿时服软："我不是这意思。我是说你既然知道今天要见我们家人，为什么不能把别的事推了呢？"

"我能推不就推了吗？你怎么回事啊？怎么这么唧唧歪歪的呀？改天不行吗？不一定过了今儿谁就死了以后谁也见不着谁了——这么不懂事。"

这时苏非非的“宝马”从旁边开过，她摇下车窗与万征打招呼。根本没料想苏非非会开“宝马”的万征惊呆了，非非甜蜜地做出一个打电话的手势，万征惊愕地看着她扬长而去，惊愕地看见车过陈家人时，贺胜利忙不迭探身与苏非非招手。顿时，他一点胡说八道的心情都没了，他老实地说：“怎么回事啊……明着说吧，我现在心情特别不好，这种情况下见你们家人，效果也不会好。我是本着负责任的态度拒绝你的。”

“他也太不把咱们家人放眼里了，本来就迟到了，不但不说道个歉，还没事人似的扭脸就走。瞧不起谁呀这是？不会好好跟人相处是吗？可怎么对那主持人就斜肩谄笑啊？”建华怒不可遏地原地转腰子。

佳期苍白地解释：“那是他好多年没见的朋友。”

“什么朋友啊？八成是女朋友吧。我看他根本就没把你当回事。你会谈恋爱吗？这还要人教啊？这叫谈恋爱吗？姥姥姥爷这么大岁数了，也跟着我们挨这撅凭什么呀？”

“他不是故意的，真是临时有事。”

“你甭替他说话，我告诉你，趁早吹了，你一人儿以前丢人现眼就麻溜儿忘了，犯不着全家跟着你一块儿丢人现眼。”

胜利听不下去了，他觉得大女儿已经够可怜了：“哎你差不多得了。”

建华早就憋着训他了：“还有你！我就不同意你到电视台当这个碎催，让人吆喝得什么似的，咱家也是书香门第，你不嫌寒碜呀？瞧你给那主持人端茶递水嘘寒问暖的样子，伺候人伺候得还挺美！我怎么没瞧你在家这么伺候过我呀？怎么这一家子人从上到下就都这么不争气呀？”

“妈您得了，中学老师就算书香门第呀？”佳音说。

“有你说话的份吗？要不是你如此虚荣，非要抛头露脸参加这个破比赛，能有今天这倒霉事吗？就你那水平，你配参加吗？当明星？！那是好人家孩子想的事吗？你呀，该干嘛干嘛去，明儿就给我出去找工作，少呆在家里吃闲饭。”

佳期摔门回自己房间，佳音连忙跟着进去：“那苏非非什么路子？”

佳期肯定地说：“她就是万征以前那个出了国的女朋友，她以前叫苏丽娟，今天我看见那个场面，才想起来她姓苏……”

“万征不看电视吗？”

“看，就看球和新闻联播。”

“你跟他混特拧巴吧？今天瞧他们俩那酸样，俩小眼儿里都飞出小电流滋拉滋拉响了。你干嘛不上去说他呀？”

佳期苦笑：“人家那上演久别重逢百感交集呢，谁上去谁就是吃力不讨好的女配角。”

佳音宽慰她：“你甭担心，苏非非那刁样，她再看不上万征了。我劝你甭理他了，像他这种没心没肺的人，总会在感情的征途上遇见拦路虎把他也给灭了，一物降一物才叫生态平衡。我看他就得在苏非非的门槛上磕散黄儿了。”

佳期沉默不语。她好不容易才说服万征来见自己的家人，谁想到促成了旧情人相认的局面，又没自己事了。

“你接下来怎么办？就准备一棵树上吊死了？他不会对你好的。”

佳期一拍桌子：“我豁出去了，我这就出去约会去。有老情儿了不起呀？谁没老情儿呀？”

佳音害怕了：“姐你别破罐破摔呀。”

佳期这是第一次在这么高的地方看北京，她尖叫着围着观景台乱跑，给守礼指着：“看，这是长安街……这是阜石路……那里就是伟大的天安门广场……”

守礼满足地看着像个小孩子似的佳期，目光里充满怜爱。

佳期转累了，站在“东”的位置上找自己的家。守礼从背后把她拦腰抱住，那是一个只属于情侣的、很浪漫的姿势。佳期顿时浑身僵硬，石雕似地挺在那里。

守礼把头靠在她的颈上轻轻摩挲，佳期扛不住了，她轻轻叫了一声：“彭总。”

守礼歪过头温柔地看着她：“佳期，你有没有一点点喜欢我？”

佳期尴尬地笑：“没想过。”

“不要觉得彭总高不可攀。”

“噢那倒不是。”佳期想着怎么从这个熊抱里逃脱，可守礼对这种耳鬓厮磨极为受用，他露骨地问：“到我家坐坐好不好？”

“现在？太晚了吧。”

守礼放开她，不高兴地问：“你觉得彭总会怎么样你是不是？”

这倒把佳期说得不好意思了，吭吭唧唧地说：“您要这么说了，就不至于了吧。”

守礼把家门钥匙落在了公司，强拖着佳期回去取。可一进总裁室，一回身就把她拢在怀里。佳期连推带搡，一边恨着自己为什么要跟他回公司，就算翻脸也应该走人啊。

她的躲闪反而刺激了守礼，以为佳期在跟他玩激情性游戏。他扑得很专注，房间里没有人声，只有脚步腾挪与衣袂悉索。

眼看佳期渐落下风就要被生擒的当口，总裁室的大门突然洞开，穿着睡衣裤的廖宇如神兵天降，手电筒光直直照在二人身上。然后，他和衣衫不整的守礼，醉眼朦胧的佳期，被人点了穴似地傻在当场。

守礼第一个缓过神来，发出怒吼：“搞什么啊？”他一把推开佳期，走到门口，冲着廖宇指指戳戳：“搞什么？照什么照啊？”

“对不起彭总，外面都黑的，我看总裁室亮着灯……”

守礼恼羞成怒，丧失了理智：“你，现在开始，不可以再住在公司。我给你三分钟，马上离开！不要让我再看到你！”

廖宇沉下了脸，不服气地瞪着守礼，又轻蔑地看了贺佳期一眼。

姥爷经过胜利的时候，胜利会意地站起来跟进。正在洗脚的姥姥嚷嚷：“干嘛去呀？又上外头抽烟？”

柳奶奶说：“咳，你管得也真严，老爷们儿有几个不抽烟的，少抽就行。”

姥姥听不得柳奶奶跟她唱反调：“你还真善解人意，我比不上你，我告诉你，这男的像弹簧，你软他就强……”

姥爷不理，径直打开门。门外站着正要敲门的廖宇，姥爷一愣：“找谁呀？”

“我找廖荣杰。”

大廖正要给姥姥倒洗脚水，端着洗脚盆就跑了出来。他一看见是廖宇，非常错愕："你怎么来了？"

廖宇不情愿地把行李放下肩膀，不吭声，只在门口站着。

胜利问："这谁呀大廖？"

"我儿子。"

佳音蹿了出来，看见是廖宇，"啊……"地尖叫起来。

廖宇听到这熟悉的声音，崩溃了。

大廖不情愿地向陈家人一一介绍了他这个儿子，佳音兴奋地问："那你就是我弟？你得管我叫姐？这种亲戚关系法律承认吗？"她四下看着，可没人理她。

她不放弃："啊？啊？"目光最后落在大廖身上："我是说，这种情况下要是谈恋爱，结婚！……比如我！跟他！国家允许吗？"

所有人都被惊着了，姥姥说："当然不允许了，这是近亲。"

"可没有血缘关系呀？！"

廖宇冷冷地说："国家就是允许，我还不答应呢。"

佳音不高兴了："凭什么呀？"

大廖一看佳音不高兴，上来就搧廖宇后脑勺一下："你凭什么不答应啊？"

佳音没想到大廖对自己儿子这么粗暴："哎哎大姨夫，我不是说我要跟他谈恋爱结婚，我就是打听打听。"

建英面对现夫的儿子慌了手脚，漫无目的地跑进跑出，一会儿递水，一会儿剥糖，然后又赶紧削水果，就是说不出一句整话。全家人都被她搞得眼晕，廖宇不得不频频起身鞠躬点头说谢谢。

才智对这个横空出世的弟弟不抱好感，她警惕地问："那你以后就住我们家了是吗？"

敏感的廖宇当然听出了言语间的不友好，他说："我找着房子就搬出去。"

姥姥不干："那哪儿行啊?都是一家人，我一直就想家里有个男孩。现在这家里数你最小,既然你叫了我这声'奶奶'，有我住的，就有你住的。”

“怎么住啊？”才智问，“我已经跟柳奶奶和小柳挤了。”

胜利说：“咳，住我们家吧。让佳期和佳音住一块儿，不就腾出一间吗？廖宇住我们家就行。”说完又自觉没资格做主，连忙看看建华。

建华还没说什么，廖宇马上拒绝：“不。”

大廖又搧他：“不知好歹啊你，有你地儿住就不错了你还‘不’。”

建华再不说话就显得不合适了：“没事，你就住我们家吧，楼上楼下的，挺方便。”

佳音心里明白：“他是烦我姐。哎，我得赶紧给我姐打一电话。”她一个箭步冲到电话边上，一边拨号一边大乐：“这人他认识我姐，跟我姐一公司的，而且关系还特别不好……唉怎么关机了？……待会儿我姐回来，肯定疯。”

“这么巧？一个公司？你干什么呀？”姥姥来了兴致。

廖宇简单地答：“我就是业务员。”

建华对一个人的知识水平非常看重，问：“你学的是什么专业呀？”

大廖说起这个就气不打一处来：“屁专业！上个美术职高，还让人给开除了……打架，天天打，我就天天打他，没用……他就是小流氓。”

建英说大廖：“别胡说，哪儿有这么说自己孩子的？……以前不知道是亲戚，这回知道了，关系怎么会不好？”

姥姥点头：“是。咱们家佳期一向是以懂事闻名的。”正说着门就开了，贺佳期一脸潮红低着头进来，本来算计着谁也不理，胡乱打个招呼就上楼睡觉，谁知进了屋，抬眼看见的第一个人，就是正对着门的廖宇。她的反应跟佳音一样，垂死般尖叫了一声。廖宇厌倦地转过头。

佳音唯恐天下不乱，“噌”地跳起来，拉过佳期的手，意料之中般关切地问：“疯了吧？”然后期待地看着满屋子人：“看！看！”又赶紧跟她姐报料：“这是咱弟——！”

这个晚上发生的一切，对于贺佳期和廖宇来说都像是噩梦。佳期特别希望在这种时候有谁能冲出来喊一声：“咱这是做梦呢。”但没有，只有对面的廖宇小刀一样的眼神剟在她身上。

佳音劝："不能从你们俩中间过，得给扎伤了，啊哟，算了。"

"你当我爱来你们家哪？我走投无路出此下策还不是拜你所赐？怎么样啊？过了一个很难忘的夜晚吧？"

佳期冷冷一笑："我早看出来了，要不是单亲家庭出来的，性格能这么扭曲吗？"

廖宇刚要翻脸，佳期的手一挥，停滞在半空："甭！我没有挤兑你的意思，我现在脑子乱，把话都说出来，是为了自己能听明白……既然得出结论，我从此就对你宽容点，好歹你得叫我一声姐。"

"我可没叫。我不会认这种八杆子打不着凭空冒出来的姐。"

"在这家里我不跟你计较。但是麻烦你给我记住喽，你不能告诉公司的人你和我的关系。"

廖宇不屑地问："我和你有关系吗？"

佳期不理："我也不希望万征知道你和我的关系，还有……"

"还有你的秘密男友"，廖宇替她说了。

佳音一听有八卦，"忽"地看向佳期，佳期脸一红："爱说什么说什么。还有，在我们家人面前，麻烦你不要提公司里的事。我是不会和你一起上下班的，你以后也主动点，绕着我走。"

佳期怒气冲冲地去到洗手间，佳音乐不可支地跟着："我早就觉得他跟我有缘分。"

"你有病吧？这叫什么缘分啊？真是天下之大无奇不有，凭什么他要是咱们的亲戚啊？"佳期把头往门框上撞："你替我想想，我上班也看见他，下班也看见他，我还有隐私吗？活着还有什么劲啊？"

"多好啊，真羡慕你。"

佳期气呼呼地刷牙，很用力，佳音在旁边观察："使那么大劲干嘛呀？牙龈都出血了……跟不喜欢的人接吻了吧？"

佳期的脸又一红。

"你翻篇儿翻得也太快了吧？"

佳期喷着沫骂："我没有。"

"没有脸红什么？你当我没看出来，一进门脸上就是红的……"，她围着佳期耸着鼻子转了一圈："身上还有股不三不四的香水味儿，嗯，像是台胞的喜好。怎么着？把万征踹了？"

佳期擦擦嘴，一副牛气的样子："咳，闲着也是闲着，齐头并进呗。"

佳音一本正经地说："姐，你不能为了一个万征就此堕落，不值得。换也得换一好的，不能手边上放着什么就抄什么，这不明摆着让人玩弄呢吗？"

佳期嘴上是不服软的："我不服，我想试试。我就想试试这不正当男女关系能不能有朝一日被扶了正。"

佳音劝别人的时候十分明白："我觉得世界上最可怕的就是不服，就是觉得自己特别特别。大多数平凡女性都心存侥幸地认为那些谁都磕不下来的男性到自个儿这就算画句号了——千万别这么想，都是普通人，没比谁多长出什么来，人见山翻山见水趟水凭什么到你这阴沟里翻船呀？"

佳期被她给气笑了："现总结出来的心得吧？不就是小李美刀自此不搭理你了吗？"

一听这个名字，佳音捶胸顿足："姐，从今儿起，小，李，美，刀，这四个字，已经从我的字典里抠掉了。"

"既然来了，你就得表现好点，给我挣脸。别拿出以前那个吊儿郎当的德性。"

大廖半夜睡不着，摸上来给儿子打预防针。

廖宇冷淡地说："我不会呆多久。"

"那我求之不得。你来北京为什么不跟我说？想成事儿了再来找我？现在呢？混得连住的地儿都没有了，你还不如一早来找我。丢人。"

廖宇住的是佳音的卧室，一派鸟语花香，大廖也是第一次进来，他叮嘱儿子："记住，什么事，都先可着人家，你得站后一步，别跟人家争。别仗着自己岁数小，这儿不凭这个。得知道察言观色，会来事儿，哄老太太高兴……"

"您在这儿是当卧底吗？"

"说什么呢？你自己想想清楚，你跟人家一点关系都没有，人家肯收留你还不是为我的面子？你要是不给我挣面子，用不着人家人张嘴，我就先轰出你去。还有，听说你还和佳期关系还不好？我告诉你，老太太最宠她，你要惹她不高兴，就是惹老太太不高兴，惹老太太不高兴，就是惹我不高兴……"

廖宇"噌"地站起来："我现在就走。"

"你上哪儿呀？"

"哪儿都无所谓，我听不得这份唠叨，火车站到晚上也该安静了。"

"住嘴吧。你吃得了那份苦？"

廖宇气愤地问："有你这样的爸爸吗？我来了，你问都不问我吃没吃过苦，一上来就告诉我得小心这个伺候那个，这家人有你一个伺候还不够，再加上我，这不成了家生奴才？"

大廖一个大嘴巴掀在廖宇脸上："给你脸了？！"

这响动惊动了建华一家，前后脚地跑了进来。看架势廖宇是挨了打，佳音心疼："干嘛呀大姨夫？"

廖宇突然就往外冲，胜利和建华死死地抱着他。佳期横出来，慢吞吞地拦在门口："几点了？夜奔哪？"

大廖气不过："你让他走，他光着屁股走哪儿去呀？走也得拿着包呀。"

佳期说："大姨夫，他来这儿住又不是什么罪过。"

"是啊，这哪还像一家人啊。"胜利说："妈最讲究个有理有面儿，这让她知道肯定生气。回去睡吧，孩子明天一早还上班呢，睡吧睡吧。"

大廖忿忿地往外走，胜利嘱咐："明儿佳期你叫廖宇起床，一块上班去。"

佳期翻个白眼，一把扯过正伸手想摸廖宇脸的佳音："走吧，看什么呀。"她替廖宇带上了门。关门前，两人不经意地对视了一眼，佳期突然觉得这个男孩进了自己的家，就显得弱小多了。

第二天的早饭桌上，只有才智一人儿，佳期问："他们呢？"

才智冲窗户外边努努嘴："哼哼，那会来事儿的，正哄着团团转呢。"

佳期趴窗户一看，廖宇和姥姥在打羽毛球，球落在姥姥脚边，姥姥刚要去拣，廖宇跑过去："奶奶我来。"

姥姥乐坏了，柳奶奶在旁边点头："这比爬山好。"

廖宇打又高又飘的和平球，和平时专司扣杀姥姥的姥爷风格迥然不同，端的是很会来事。

才智生闷气："什么路子？腿脚勤，说话又甜，不知道来咱家憋什么坏呢。在你们公司干嘛的呀？"

佳期敷衍："不知道，不是一部门。"

才智撇撇嘴："我就瞧不上这机灵的。"

建英笑着端菜上桌："因为你们脑子不够使，忌妒吧。"

佳期看见满桌子菜，不平了："干嘛呀大姨？大早上就吃这么好，为谁呀？"

才智甩怪话："我妈生怕人家体会不到家庭温暖。您说您巴结他干嘛呀？"

"就是，来个小破孩子，给您添多少事呀？！用不着。咱们吃什么，挤出一口给他就行了，像他这样的，饥一顿饱一顿，早上估计是不吃饭的。"

建英替廖宇跟佳期说好话："他刚多大？还长身体呢。佳期，你以后在公司里可要照应着他点。"

"您放心吧，他生存能力强着呢，这外地来的孩子……"佳期还想说什么，到底忍住了。她擦擦嘴就往外走，正碰上老年羽毛球队回屋。姥姥问："怎么这么早就走啊？不等廖宇啊？！"

"我先办别的事才去公司呢。"佳期正眼都不看廖宇,匆匆擦身而过。

出了单元的门，她的举止突然变得警惕，东张西望了好一阵，确认四下无人，猛地用百米冲刺的速度横穿马路。

马路对面，彭守礼正微笑地替她把车门打开。

廖宇在厨房帮建英盛粥，意外地从窗户看见刚才的一幕，他简直不能相信自己的眼睛，用力揉了揉，探身到窗外接着看。

6

乱起来乱起来乱起来了

女人"三张儿"的好，在于浓烈。在万征眼里，苏非非就像桃子，他喜欢桃子熟到透、即将坏掉之前那种娇艳欲滴的烂劲儿，入口极舒爽，养舌，好味。那是一种微妙状态，有点奢靡，有点邪气，就是那种叫作"风情"的东西吧。如果硬往桃儿那努，贺佳期充其量就算个又苦又涩又硌牙的青皮儿核桃吧。

老情人见面，空气都是哀怨的。万征压低着声音，像是在教训非非。这个不解风情的人，连调情都是拙劣的、试图严厉的："为什么要祝我生日快乐？"

"因为……因为是你生日啊。"苏非非一副不知从何说起的样子。

在年貌相当的老情人面前，万征重拾撒娇的语气："那么多年也没祝。"

苏非非懒洋洋地问："是你把我忘了吧？"语气很腻，和万征比赛着哀怨："收到我的 E-MAIL，是不是想半天才想起是谁？"

万征有点恼怒："我没有。"

苏非非软软地笑了："你谈恋爱了？我就知道嘛——这年头，谁守身如玉等着谁呀？"

万征急了："不是你不让我等了吗？"

"嗯，你就一直等着这话呢吧。"

“你们女的都这样，”万征不知道是生苏非非的气，还是生自己没等她的气：“话就算明着一个字一个字说出来了，到了也指责是男的给领会错了。你那车哪来的？你要不是……跟有钱人谈恋爱，能开‘宝马’吗？我估计我这辈子也开不上‘宝马’。”

苏非非一瞪眼：“别胡说啊，那是我们剧组的赞助。”看万征将信将疑，她连忙转换话题：“女朋友交多长时间了？”

“一年多？不到两年。”

“嗯，正是结婚的最佳时机，有没有打算啊？”

“没有。”

苏非非撇嘴：“还编？那天在我眼皮儿底下拜访岳父岳母……”

万征不想提佳期，他打断苏非非：“你为什么改名？”

苏非非轻佻地一笔带过：“洒扫以待，辞旧迎新。”

万征不跟苏非非见外，粗暴地批评她：“俗气。”

苏非非不悦，拧拧眉毛：“对，我记得你说过，最讨厌女的抛头露脸，花红柳绿——我就可着劲儿你讨厌什么我招呼什么。”

“干嘛呀？”

苏非非表情轻松地说：“怨呗。”

“你不要颠倒黑白，不是你说分手的吗？”

“得了，陈年旧帐不要翻，你现在幸福就好。”

万征急着往外择自己：“谁告诉你我幸福了？”

“你不幸福你干嘛呢？”

万征连忙动情地表白：“如果我说，如果不是你，是谁都可以呢？”

他动了情，苏非非不为所动，但明面儿上还是摆出了一副被打动的样子：“我应该信吗？”

掰扯到紧要处，多余的人又来电话了，佳期问万征：“晚上有事吗？

万征心说这孩子可真是个倒霉催的：“不知道。怎么了？”

“昨天也没跟我们家人正式聊聊，今儿晚上我们家在外边吃饭……”

“去不了。”万征想都没想，磕巴都不带打的。

佳期很噎，缓了半天才问：“你没什么要跟我说的吗？”

"没有啊？不是你打过来的吗？"

佳期再软弱，也得表示一下态度："你昨天为了一个偶然碰上的人，把约好的跟我家人见面的事都推了……"

"我现在说话不方便，待会儿给你打吧。"万征把电话挂了。

苏非非笑："你怎么还这么暴呀？做你女朋友，就得在手腕子上刻一'忍'，天天自个儿看着。"

万征解释："她岁数小，我老觉得有代沟。"

"二十多岁的女的，都得在三十岁男的面前折一道，有了惨痛教训以后，才能继续人生路。"

万征问："那我们三十岁男的在什么女的面前折呀？"

苏非非探身趋前："万征，我送你一句话……珍惜眼前人。"

万征赖皮赖脸地说："我现在眼面前是你。"

苏非非美美地一笑，却像是无可奈何似地仰坐回去。

小柳成功入主小李美刀家后，飞快地适应了自己女主人的身份，也不去正经上课，天天在美刀的个人网页上大展身手。美刀发现创作之余的小柳，翻看的都是平时他看不动的诸如《艺术史》一类的书，纳闷："干嘛呀？这书我都看不动。这儿有时尚杂志，拿着看去吧。"

小柳淡淡一笑，吐出一个字："浅。"

这可刺激了当红作家："我豁出去这俩月哪儿都不去在家写作，你还不抓紧时间谈情说爱，俩月可说过就过了。"

"跟你如何谈情说爱？你本一介粗人。我求的不过是在一起。"

这话让美刀听着不舒服："我发现这不管条件多差的女的，只要男的答应跟她在一块儿了，她就牛起来了——你忘了你哭着求我的时候了。"

看来小柳是忘了："过程不重要，有你哭着求我的一天。你看你那主页，这两天点击率大增，难道不是因为我那日记的缘故？"

美刀问："你是也想从事文学创作吗？女的有点追求也好，我对贺佳音看不惯的就是她整天瞎晃悠。你要真想写作，我推荐你看这几本。"

他在书架翻腾，小柳却说："不劳你费事，我写作是单一路，你走着瞧吧。还有，既然有了这两个月的约，你也应该在这俩月里进入角色，在我面前，就不要把贺佳音挂在嘴边上了。你提一次，就要把咱俩在一起的时间加一天。”

“你还来劲了。你得明白咱俩的关系里，谁占有主动权。”

小柳的分寸感极好，看美刀要急，她便放一放：“得了，晚上我主动请你吃饭吧？省得你觉得我占你便宜。”

只要是玩的，没姥爷不会的。退休前，他每天要确认单位所有的活动室都没人玩了，才会不甘心地回家，不知道的人都会误以为他是个先进工作者——他永远是最后一个离开单位的人，除了看大门的。当然，后来他被降格去看大门，就成了真正意义上的守望的人。

因为爱玩，退休后，姥爷的生活更枯燥了，如果不在家，他不是在老干部活动中心，就是在去老干部活动中心的路上。

玩归玩，姥爷还没什么玩德。看人下棋的时候，嘴肯定不闲着，跟在家里像是换了一个人。

“臭！找死哪，你这不是找他那象吃你呢吗？”

没人理他。可有没有人理，他都不识相：“干嘛不吃呀？养虎为患呀。哎哟，你们急死我算了。”

甲老头说：“急死你算了，急死你我们就消停了。”

姥爷也不生气：“好，就这么下吧，不听我的，你赶紧输了就轮到我了。哼，看我待会儿下死你们。”

活动中心里一个长得很难看的年轻女干事过来轰这帮老头儿：“行了行了别玩了，赶紧回家吧。”

别人还没说话，姥爷不干了：“为什么呀？凭什么呀？”

“昨儿不是说了吗？今天有区里的领导来检查，只能玩半天。”

姥爷问：“我怎么不知道啊？”

女干事冷笑，这使得她的脸更难看了：“哟，怨我们，没单独跟您请示。”

姥爷听出这话不好听，其实要换个长相好看、说话和气的，他也就走了，但这女的这么难看，他瞧着不顺眼：“我不走。”

女干事愣了：“你为什么不走啊？”

“我就不走，我接着玩，该我了。”

“嗨……”，女干事左右看看寻找支持：“大家都走，谁跟你玩呀？”

下棋的老头站起来收拾东西：“走吧老陈，人关门儿了你非不走，又不是小孩，还撒赖呀。”

老头们都笑了，可姥爷不觉得可笑：“该我了，凭什么走啊？老干部活动中心不就是给我们老干部玩的地方吗？谁检查？检查什么？他检查他的，我们玩我的，怎么了？”什么事也别想拦住姥爷玩，谁拦着，谁就是他的敌人。

女干事本来也不尊重这些老头，看姥爷敢这么乍刺，自然没什么好听的：“您？”她上下打量姥爷：“您也算老干部？您算哪级别的老干部呀？什么时候看大门的也算老干部了？”

这可真是哪儿疼往哪儿杵。姥爷在老头们的笑声中涨红了脸，可女干事仍不放过他：“像您这种不够资格的，能放您进来就算我们高抬贵手了。还不服不忿的。赶紧走赶紧走别废话。”

这种不把人放眼里的态度深深地伤害了姥爷，以后他还怎么在老干部活动中心混呀。为了争这口气，姥爷发出了怒吼：“我就不走！我要玩！”

老头们看姥爷青筋直爆，生怕再给他气出病来，连忙劝：“得了老陈，明儿再来呗，怎么就那么爱玩？得了得了。”

邻居老马头也上来拉：“老陈，走，回家去。”

姥爷就像比别人少拿了糖的小孩一样气急败坏：“我就不走！我要玩！什么领导？区里的就算领导？”

女干事问：“总比你看大门的算领导吧？”

“算个屁！”姥爷本来也不是什么嘴皮子利索的人，只会说一些蛮横无理的话。

女干事也被气疯了：“这是什么人啊？啊？你们说说，这是什么人啊？”

马老头说：“老陈，你这就不对了，领导怎么是屁呢？回家吧回家吧，啊。”

姥爷一梗脖子：“不回。”

女干事严厉地说：“从今天开始，请您不要再来我们老干部活动中心玩了，我们这儿不欢迎您！”

姥爷不管这套：“你不欢迎行吗？”

女干事不能容忍这看大门的拿自己的话当屁：“您听好了，不是我不欢迎，是我们中心不欢迎您。我现在就找领导去。”

半小时后，姥爷的威风扫地去了，他蔫头搭脑地听着马老头的训：“都怪你！都怪你！现在连我们也不让上那儿玩儿了！你也不掂量掂量自己什么份量，跟人家吵什么呀？一会儿不玩能少块儿肉啊？什么时候也变得跟你媳妇一样不讲理了呢？”

姥爷的脸通红，一溜烟儿跑进了楼道。

日上三竿，女闲汉贺佳音还躺着不起。姥姥进来轰：“还不起？去陪柳奶奶说会儿话，晚上吃完饭就走了。”

佳音却突然翻身坐起：“姥姥，你说实话，你喜欢柳奶奶吗？”

姥姥想了想说：“我也没什么不喜欢的。你姥爷在山西的时候，我一人儿带着你姨和你妈，柳姐还来看过我。那会儿咱家还住平房，我在院里洗衣服……”

佳音不是要问这个：“可你是不是一想到她跟姥爷好过，心里还是挺别扭的？”

“话那么说，可那是在我之前，跟我没关系。这种陈年干醋吃起来没意思。”

佳音觉得姥姥没必要在自己面前装蒜：“可是我看你吃醋的劲拿得挺足的。”

“我是觉得，既然有过这层关系，就应该避嫌，不要老来咱家。”

佳音问：“你说小心眼儿是不是遗传呀？”

姥姥不爱听了：“这不叫小心眼，顶多算是老派。我们这代人，一辈子就谈一次恋爱，结一次婚，像你姥爷这样谈过两次的，已经算是很出格了。”

"您说柳奶奶恨不恨你呀？"

"恨不着我呀？要恨也得恨自己呀！恨社会呀！恨命运呀！恨有缘无分呀。"

佳音苦恼地问："姥姥，你信不信命？轮回？因果报应？"

姥姥仔细打量佳音："你到底想说什么呀？"

佳音作神秘状："我老觉得柳奶奶这次带小柳来，是报复咱家来了。"

"怎么报复？"

"你当年抢了她的心头好，现在小柳来抢我的。"

"你心头好是谁呀？"

"不管谁，她都抢。就有这么一种人。"

姥姥宽她的心："说实话，小柳长得比咱家人差远了。"

这话佳音爱听："那是那是，柳奶奶也比您差远了。"

"真的？"

"那是。"

一老一小舒坦地相视而笑，你一句我一句，自鸣得意。

"京东豪庭"的样板间十分古怪，说好听点，很像是三星级酒店弄了一总统套，不好听的就是一包房。廖宇大摇其头："真怪啊，他们居然最喜欢这种方案。"

万征"嘿嘿"一笑："咳，有一种成功人士就好这口。噢对了，你出来一下。"

他从车里拿出一个信封递给廖宇："不多，你拿着。"

廖宇没见过这种事，脸红了，连连推却："别别别，不用，我知道这活儿你也挣不了多少。"

万征坚持："该拿的就得拿。"

"这钱你应该给贺佳期……"

"她也有你也有，这你就甭管了。"

廖宇不好再推，收了起来，死活还是觉得不合适，特别真诚地邀约："那我晚上请你吃饭吧？"话刚说完他想起来："噢对，贺佳期不是让你晚上跟他们家人吃饭吗？要不咱改天……”

“不用，跟他们家人吃不吃饭……咳……”万征警觉跟外人不方便说太多，拍了拍廖宇肩膀，干笑两声。

柳奶奶刚要举筷子，姥姥一把搂住她脖子：“你别说，一想到你走，我还真舍不得。”

柳奶奶客气：“以后我少不了来麻烦你们，小柳也就托你们照顾了。”

建华说：“小柳挺懂事的。”看佳音撇嘴，建华瞪她一眼：“比你就强，你找工作了吗你？”

佳音的眉毛刚拧起来，小柳拉着小李美刀的手从外边进来了。正对着门的佳期赶忙捅了佳音一下，佳音不明所以，循着佳期的目光，正与美刀的目光对住。美刀吓坏了，不知道该怎么反应，居然对这一家人露出了热情洋溢的笑容。

小柳落落大方地给大家介绍：“奶奶，这位朋友是我专程请来送你的，这是我奶奶，这是小李美刀。”

“谁？叫什么？”柳奶奶问。

小柳索性直说了：“他是我的男朋友，您就叫他美刀吧。”

建华思忖：“这名儿怎么听着那么耳熟啊？”

“啊不奇怪，美刀是一位著名作家，是佳音介绍我们认识的。”小柳冲美刀嫣然一笑：“坐吧。”

胜利连忙往旁边挪了一个位子，谦卑地让让：“坐坐……作家。”

美刀慌里慌张地大手一挥：“你们好！”

佳音陡然变色，拍案而起，往外就走。建英问：“佳音你上哪儿呀该吃饭了？”

才智举起杯子喝水，挡住脸上的兴奋表情，但挡不住兴奋的眼珠乱转。

小柳很稳，面不改色心不跳，就跟没看见似的。美刀说：“哎哎好不容易见着，佳音你别走啊。”他的本意是想解释，但听在佳音耳朵里，简直就是挑衅。

胜利突然想起来了：“噢我想起来了，你是佳音那比赛的评委吧？”他高兴地指着美刀，为自己的记性不错洋洋自得：“是你吧？我没记错吧？”他跟个追星族似地问：“哎，决赛你怎么没去啊？你前边那牌子还是我撤的呢……我就在电视台工作，我是贺佳音的父亲。”他热情地与美刀握手，而美刀也渴望通过与一个能扯上关系的人来舒缓压力，可惜这家人全都没见过世面似的不放过他。

佳音拼命地往外冲，美刀不顾小柳在旁边，伸手就拽，拽得佳音的衣服都快扯崩了。佳音大怒：“干嘛呀你？撒开！”

才智恍然大悟：“啊我也想起来了，最近网上有一连载，一什么什么……”，她一时想不起来，看看佳期，看佳期没反应，自己又努力想了半天：“谈一场全世界最拧巴的恋爱……是这名吧？作者叫‘柳’，写的就是跟这位作家正谈恋爱的事儿，点击率倍儿高，是你呀小柳？”

小柳笑而不答，很光荣似的。柳奶奶不懂：“啊？就这么两天你就成作家了柳儿？”

美刀看场面乱起来了，欠欠身：“算了还是我走吧。”

佳音细瘦的胳膊指向小柳，暴跳如雷：“她走！”

大家不明所以，想要插科打诨都不知道从哪儿下嘴。半天，姥爷说话了，这回傻装得太假，谁都听得不自在：“谁走？她今天不走，是你柳奶奶走。”

佳音没功夫搭理姥爷：“她走，我就留下，她不走，我就走。有她没我，有我没她。”

小柳若无其事地说：“怎么了佳音姐姐？美刀是你介绍给我的，我谢你还来不及呢，你怎么就生这么大的气了呢？”

姥爷看这事自己管不了，索性充耳不闻，在一帮剑拔弩张的人的身体里左躲右闪偷偷摸摸地夹菜。胜利一看，也跟着吃，只剩一帮女的来劲。

“你少跟我这儿装腔作势，会不会好好说话？”佳音刚才要走，现在又往回冲，气势汹汹地要抽小柳。小柳看人多，量她也不敢怎么样：“这怎么又是我的不是了？佳音姐姐，我们之间有误会。”

姥姥闻出味来，问美刀：“你说，怎么回事。”

美刀的解释从来跟正常人不一样："咳，其实没什么事，我以前追佳音，她把我给拒绝了，后来小柳追我，我就说先跟她混着……这这这不复杂呀。"

这可杵到了姥姥的禁区，她把筷子一摔："我最恨男的用情不专左摇右摆墙头草顺风倒。"

柳奶奶傻眼了："小柳，你抢佳音的男朋友？"

佳音不屑："她倒想！这人我根本就看不上。"

"可不是吗？"小柳话接得很快："佳音姐姐眼界高，自然瞧不上我喜欢的人，可是，今日见了手下弃将，又为什么还要拂袖而去呀？人也得有追求新生活的权利呀？"

小柳说的也并非瞎话，佳音没法反驳，站在原地又气又急。偏偏小柳得理不让人："人弃我取，各人有各人的缘法。我不觉得哪里得罪了姐姐。莫非姐姐觉得自己不喜欢的人，最好也不要喜欢别人，一直到死也是您裙下之臣——这什么年月了还有这种美事谁比谁傻多少呀？"

美刀听不下去了："你少说几句，别得了便宜卖乖。你不是说你请我吃饭吗？闹半天示威来了，你还蒙我？待会儿挨大嘴巴我可不管你。"

相处了一段日子后，名人在小柳心里已走下神坛，她对美刀不很服从了："是你得了便宜吧？两个女的为你反目，特美吧。"

"咱俩从来也不是朋友，什么叫反目？"佳音啐骂。

姥姥突然站起来了："我不吃了，你们吃吧。"

建华骂自己闺女："佳音，你怎么就干这边三角四的事一门灵啊？跟什么男的来往，你要征得我的同意……"

姥姥冲着美刀来："我问你！你是真喜欢我们家佳音吗？"

美刀很坦率："我是啊！"看看周围的人，没一个像是相信的，他连忙补充："我真是。"

小柳脸上挂不住："美刀我还在这儿呢，你这话好歹背着我说行不行？"

姥姥不管："你既然真喜欢她，为什么又跟小柳好？"

"您也得为我想想，她老不松口，我一大小伙子……"

“停停停，别的我不听……那你就不是真喜欢她。”

“我是真喜欢她，可她说不喜欢我，我也不能一门心思就在这儿等她同意呀？谁知道这一杆子给我捅哪年去呀？”美刀真诚地对不可能理解他的姥姥解释着。

姥姥把她那套传统价值观抬出来了：“你要真喜欢她，就应该努力争取，怎么就半途而废了？”

“哎哟喂姥姥您不知道，我争取了，她还是不松口，我不是没辙了吗才跟小柳一块儿混。就因为还惦着她，小柳说想跟我混一年我都没同意，后来说的是俩月……”

“俩月，没错，是俩月”，才智插嘴：“网上写着呢，他们俩约好了，就俩月，就算俩月以后俩人真互相喜欢了，也分开，没二话。”

柳奶奶听明白了：“小柳，你这些天不见人，就跟他混在一起呢？这不是正经人。”

佳音也顾不上维着面儿了：“您孙女也不是什么省油的灯呀。”

才智点头附和：“不是一般人！她现在写她跟这位的事，好多人看，这就要出大名了柳奶奶。”

柳奶奶恨不得钻地缝儿里：“你还好意思写？”

“我鼓励她写的，”美刀挺身而出：“不就是想借我的光也当作家吗？没问题。”他真诚得没有立场。

胜利理解：“都消消气。妈，其实这孩子也不是什么坏人，就是直，有什么说什么……都先吃饭吧。”

“吃什么呀吃？”姥爷听姥姥一声吼，赶紧把筷子放下了，胜利也只好跟着放下。

“你们俩在一块儿堆儿，那就好好在着，别在我们佳音面前晃悠，显摆给谁看呢？我不想看见你们。”

小柳不卑不亢地说：“姥姥，今天吃饭是为了送我奶奶回老家，恐怕您不想看见也得忍忍了。”

佳音怒目圆睁：“你敢跟我姥姥这么说话？”

只有姥爷能打圆场了：“你干什么呀你——吃饭！小孩的事，大人不要插嘴。”姥姥气炸了肺：“我这么大岁数了，眼里揉不得沙子。佳音，你当着大伙儿面说，你到底喜欢不喜欢这人？”

小柳的刁样儿出来了：“哟，您是要做主各归其位了是吗？”

佳音犹豫着：“我本来是喜欢的，但是现在……”她狠狠地瞪了小柳一眼：“麻疯碰过的男人我不碰。”

听到这儿，小柳反倒笑了：“你们家人欺负人也到了极致了吧？奶奶，这就是您说的一辈子打不散的老朋友？”

柳奶奶其实早就对姥姥的行为不满，如果不想翻脸，还是走为上：“算了，小柳，你现在就送我去火车站吧，我也吃不下了。”

姥爷觉得不合适，拦着：“别，吃了饭让胜利送你去，胜利现在也混上车开了。”

胜利连忙显摆：“对对，我开着剧组的‘面包儿’呢。”

小柳说：“不用了，美刀有一‘捷达’呢。”

“嗬，这了不起劲儿的——”佳音嘲讽。

柳奶奶蹒跚着往外走：“小柳，你既然有了男朋友，以后就不要再麻烦陈爷爷家了。”

姥爷很过意不去，站起来：“干什么呀这都是。”

姥姥兔死狐悲，早就想找辙教训姥爷了：“你怎么就不心疼自己家孩子呀？”

姥爷说：“她自己不喜欢，还不让别人喜欢，怎么全跟你这么霸道呀？上梁不正下梁歪。”

“一码归一码，你扯到我脑袋上干嘛呀？我碍你事了吧？我就是一辈子没眼力见儿，我碍你事了吧？”姥姥的胡言乱语一句跟着一句。

佳期很难堪：“姥姥，越扯越不靠谱了。”

“你们都是不争气的！从你，到佳音，都让男的给拿得死死的！才智我看你也好不到哪去！佳期你找那是什么男朋友啊？要不是姥姥心宽，还不早气死了？我这一辈子就会装傻了！让人找上门来给侮辱……”

柳奶奶脸上挂不住：“桂兰，你看你，这么多小辈在这儿。”

姥姥才不理她呢：“我看出来了，咱家这些女的，都是牛马托生的，怎么别人家的，就都是妖精托生的。”

包间外已经凑了很多服务员在探头探脑，一辈子摇头晃脑当领导的姥爷不胜其烦，放下筷子：“不吃了，都回去。”

姥姥马上说：“已经吃饱了吧你？你这嘴半天吧唧吧唧也没闲着。”

姥爷老派，认为在外头，女的得给男的留面子，不禁骂道：“你这更年期也太长时间了。”

姥姥不能适应姥爷的反抗：“啊？你在说我吗？”

“你觉得呢？我真是让你给烦死了！这一家子女的就够烦的了，你一人儿顶一家子，什么时候能让我清静清静？”

“想清静，走人啊？！回你的老家去，不是天天嚷着要回去吗？现在人老干部活动中心也把你撵出来了！赶紧走，现在就跟着一趟车走！哪儿来的回哪儿去，那有人把你当神仙似地供着！”

不识相的美刀安慰姥爷：“咳，这女的都这样，单打独斗咱就已然弄不过她们了，您也够背的，弄一怨妇家族！还不如找地儿清静清静。”

姥爷的火真被拱起来了：“你当我不敢走哪？”他“噌”地站了起来。

建华不可置信地问佳音：“你居然喜欢这人？”

美刀说：“阿姨您别生气，我就爱说实话。估计老头儿还真不适应那清静劲呢。”

佳音已经被气晕了，她怒从胆边生，抄起桌上一碟酱油就朝美刀泼了过去。

美刀一闪，酱油不偏不倚落在小柳脸上。小柳尖叫一声，猛一闭眼，酱油顺着她苍白的脸流了下来。

姥爷是真急了，拥着柳奶奶肩膀说：“太不像话了！走走走。”

姥爷居然当着自己的面儿搂柳奶奶！这个动作让姥姥觉得是对她主权的公然挑衅。

姥爷说：“佳音你必须给小柳道歉。”

佳音没反应。姥爷平时在家里是不会横的，所以现在就算横了，也没人当回事。姥爷发现自己的话如此没有威信，更加恼怒，他转向姥姥：

“让佳音给小柳道歉。”

姥姥直直地盯着姥爷放在柳奶奶肩膀上的手，姥爷察觉，连忙放下了，但姥姥的眼睛就直直地盯着柳奶奶的肩膀。

建英连忙说：“哎呀孩子闹着玩，还能当真？我替佳音跟小柳说对不起了。”

“对，没事。算了啊小柳，谁让你要跟人示威的，都是你自找的。”美刀拍拍小柳的肩膀，算作抚慰，一边怕大家担心地作挤眉弄眼状。

不拍倒也算了，一拍之下，小柳委屈地抓着美刀的手哭了。小柳一哭，姥爷更觉得没面儿：“你们一伙人欺负孤儿寡母，好意思吗？”

这么一说，柳奶奶的眼圈红了：“哎呀，这话就言重了，算了算了。”

突然间，姥姥对柳奶奶叹了口气：“你说，女的这辈子还能为什么事急眼？不就是爱情吗？”她颓然坐下：“陈倚生你走吧，我脑子乱。你们俩一块儿走吧。”

大家都正想办法阻拦，小李美刀挺身而出：“那，那我开车去？”

虽然在一起吃饭，但廖宇跟万征没什么话说。沉默半晌，两人同时提起佳期，不过万征说的是：“小贺……”

廖宇每次听他说“小贺”，都觉得这称谓很好笑，他当然不知道这是因为这俩人自打认识的时候就地位不平等而落下的病。

万征问：“你觉得小贺这人怎么样？你们熟吗？”

“还行吧？你们是不是准备结婚了？”

这种没话找话徒令万征紧张：“没有啊，谁说的？她说的？”

廖宇连忙解释：“不是，我就是说呀，年龄好象到了。”

“我年龄早到了，所以呀，反正也晚了，不如就撒开了慢慢踅摸一个。越晚越不凑合了。”

“佳期好象，对你真是挺上心的。”

万征想了想：“嗯……怎么说呢？她就是你说的，还行，但是没什么特别的地方，特别吸引人的地方。”

“不都是普通人嘛。”

“咳，不是不甘心吗？你说让我跟她结婚吧，我不甘心，可她比我小那么多，我要是把她现在给‘听’了吧，又不忍心。”

廖宇替佳期说话：“其实她还行，公司里的人挺喜欢她的。”

万征可不糊涂：“你是说你们老板吧？那种人不会喜欢谁，得占便宜就占。”

“可是……”廖宇犹疑着：“那种人呵护起来是真呵护。”

“没用。我告诉你……你是外地来的吧？北京姑娘还就这样，你对她越好，她越防着你，你越臊着她，她倒来了劲了，就有了征服欲了。所以，不用对她们好，没事，真的，贺佳期就是一个比较典型的北京姑娘。我喜欢的也是她一副滚刀肉的架势，特别禁得起伤害。”

廖宇不明白：“可俩人在一起，还是图个高兴吧？”

万征摆出一副情场老大哥的姿态：“俩人在一起，就是再好，它也是俩人吧？也不比一人儿想什么做什么特统一没人跟你叫板——所以，高兴得了吗？”

廖宇大骇：“那要真是有人追贺佳期，你不慌吗？”

“我慌什么呀？没人追她我才慌呢！有人追才证明我不是拣了一个没人要的。”

“她倒也不至于没人要。”

万征摇摇头：“人的出身很重要，她那个家庭，我觉得，挺市民的，一家人素质都不太高。”

这时，苏非非从外边张望着进来了，万征脸上露出了笑容。旁边有人认出了苏非非，但她已经习惯了这种注视，视若无睹。

万征介绍：“廖宇，小哥们……这是……”他犹豫了一下，很不适应地一乐，以笑容掩饰他对苏丽娟新名字的不适：“苏非非。”

廖宇也不知道她是谁，很客气地点点头。

苏非非听是小哥们，以为是万征的马仔，倒也不避着：“哎，我想去看看你正装的那房，我现在跟我父母住，很不方便。”

“噢，我现在做样板间的房子就是他们公司的，你要是买，他能帮你打折。”他问廖宇：“能打吧？”

"啊？能打吧？找佳期肯定能打。"廖宇忙推到佳期那儿去。

苏非非眼波流动，似笑非笑地瞟了万征一眼："是你女朋友吗？真有面子。"

回到家，廖宇习惯性地数数人头儿，发现少人，问建英："陈爷爷呢？"

连多嘴的佳音佳期都不接茬儿，建英尴尬地说："呃……回老家了。"

"啊？是吗？陈爷爷也回去了？"廖宇觉出气氛古怪，机灵地住嘴。

建华说："散了吧，睡觉睡觉。"

佳音哭丧着脸，拉着姥姥的手："我跟姥姥睡。"

佳期问："那还能睡吗？"

姥姥长叹一声："我活了一辈子了，从没这么丢过人。"

佳期看了廖宇一眼，廖宇连忙站起来："我有点累，先睡了。"

谁知姥姥没头没脑地对他说："你是个好孩子，听我的话，将来要对女人好啊。"

"哎"。他莫名其妙地应承下来。

走到楼道里，他实在忍不住问前面的佳期："你们家出什么事了？"

"没事，就我姥爷回老家了。"

"那你姥姥怎么不一块儿回去呀？"

佳期嫌烦："回我姥爷老家，又不是回我姥姥老家。"

"不一样吗？"

"那当然不一样了。我姥姥老说：你们姓陈的，我们姓李的。"

"你们家一直就女尊男卑吗？"

佳期得意地"嗯"了一声。

廖宇又问："那怎么到你这儿就变了呢？"

苏非非一脸好奇地左看右看，在万征家里走来走去，评价道："变化不大嘛。"

她笑着看了他一眼，嘴上却长叹一声。

"叹什么气呀？"万征趁苏非非不注意，把电话调到无声状态。

“物是，可人非呀……怎么没有你跟女朋友的合影？”

“要那玩艺干嘛呀？”

苏非非说话很阴损：“女的就喜欢在男的家摆自己照片，就跟动物在自己活动范围里撒尿一样，留下自己的气味，显示这是自己的地盘儿，生人勿近。”

万征是完全把佳期抛在脑后了：“我跟她没合影，跟你的就有。”

“哪儿呢？”

“她刚来我们家的时候，到处都还有，后来她为这事还跟我吵过。其实我是无心的，一直在那放着，我看习惯了，想不起来收。”

苏非非佯怒：“后来呢？她收的你收的？”

万征连忙说：“我收的我收的。”

“哼，这就叫只见新人笑，不闻旧人哭吧。”

“你少来这套，我才是旧人，我哭的时候你在哪儿呢？”

电话上的红灯在闪，显示有电话进来，但他俩谁也没看见。苏非非发现了新气象：“杯子换了？”

万征拿给她看：“你的那个我用呢。”

“你自己的呢？”

“让她给瓶了。”看苏非非一脸诧异，他解释：“现在的小孩，都特不懂事。”他腆着脸凑过来：“她要有你一半温柔……”

“住嘴。”

万征不住：“你还没告诉我，你谈恋爱了吗？”

苏非非反问：“什么叫谈恋爱？”

“你还真把我问住了，就是，像我们以前一样。”

“不可能了。不会有谁再像以前一样。”

苏非非话里的惆怅，让万征听了舒坦：“如果你不快乐，我其实一直……”

苏非非不会让他说下去的：“我觉得这个岁数了，快乐不快乐，挺难定义的，而且快乐不快乐也没那么重要了。”

“那你觉得什么重要？”

“自由。”

佳音和姥姥背对背睡着，两个人都辗转反侧。佳音问墙：“姥姥，你觉得美刀怎么样？”

“太不怎么样了。”

“那你觉得他喜欢我多还是喜欢小柳多？”

“当然喜欢你了。”

“那他为什么还是跟小柳走了？”

姥姥也想不通：“那孩子像是脑子有病的……你喜欢柳奶奶吗？”

“还行，”佳音翻身搂着姥姥：“不过我姥爷肯定跟她没什么。”

“我还不知道没什么？你姥爷是因为人老干部活动中心不让他玩了，他反正呆家里也没事才走的……可我没面儿啊。人活着不就争个有里儿有面儿吗？他这么一走，我的面儿往哪搁？”

佳音宽慰她：“他不是一直想回老家吗？人岁数大了就这样，过两天他闷了自然就回来了。”

“他们村你是没去过……人一看他们俩一块儿回来了，多坏的影响。”

“人老了就没性别了，就跟俩老哥们儿老姐们儿一块儿回去一样。”

姥姥不爱听了，她的性别观念强着呢：“胡扯。你拿我的事不上心，我也拿你的事不上心啊。你柳奶奶一直是我的心病，老觉得一把你姥爷惹急了，他身后总有个退路。你姥爷下放的时候，柳奶奶就趁着天时地利时不常去看他。”

“你们那年代，谁敢有作风问题啊？就是同志般的友谊……”佳音还是更关心自己的事：“姥姥，你觉得我喜欢小李美刀吗？”

“你问谁呢？”

“我觉得我其实不喜欢他，可我是太讨厌小柳，就觉得他跟谁也不能跟小柳。”

“其实这事啊，有什么说什么，是你不对。”

“我眼里不揉沙子，有什么不对？”

“你就是沙子。”

佳期吃完早饭并不走，一边擦嘴一边看着廖宇。廖宇奇怪：“干嘛？”

“走啊？”

“不是有人接你吗？”

佳期明白了：“你眼睛够贼的呀，昨天是因为一早要去开发商那签合同，老彭才来接我的。干嘛呀劲儿劲儿的？”

廖宇这才也站起来，但佳期马上说：“不过到了公司，各走各的。”

刚从楼道里出来，廖宇一眼看见了老彭的车：“他又来了。”

佳期的汗马上下来了。既然躲无可躲，也只好硬着头皮向守礼的车走去，一边走还一边相互讽刺，廖宇问：“你希望接下来怎么发展？”

“什么怎么发展？”

“你觉得他会怎么想？”

“爱怎么想怎么想。”

廖宇不大相信佳期，他知道佳期就算不喜欢守礼，但能那样与他周旋，也表示不愿意得罪他。利用女性身份得点关照算是小奸小滑，并不是大奸大恶。

“你是说他一厢情愿？你要没给他什么好处，这种斤斤计较的台湾人，会一大早巴巴地来你楼下等？”

佳期装傻：“听说他们台湾人都是这样对女生表示好感地。”

廖宇想吐：“我就听不得胡同串子说台湾国语，你起猛了吧？”

“我还听不得你一个南蛮整我们京腔京韵呢。”

“听说一个巴掌拍不响，千万别解释说自己过于有魅力。”

“你既然了解，我就不解释了……我跟你解释得着吗？”

“我对美好爱情还是有憧憬的，你们不要整天拿残酷现实打击我。”廖宇不知道是真的还是假的发牢骚。

越近守礼的车，佳期的假笑越浓。守礼从车上下来了，皱着眉头看着他俩。

佳期正在想如何解释，却听廖宇突然说：“彭总早。”

守礼看不出形势，只矜持地“嗯”了一声。

廖宇转向佳期："我今天要先去工地，我先走了……姐。"

佳期猝不及防地被叫了一声"姐"，一时反应不过来："啊——？"

"再见彭总，再见……姐。"他会心地冲佳期笑笑，转身向公共汽车站走去。

佳期看着车窗外辛苦奔波的上班族，并没为自己拥有的特权而欢欣，她问："您为什么又来接我呀？不顺路吧？"

守礼也不藏着掖着："追求女孩子，还是要有一定的礼数的。"

佳期想客气，所以回答得不三不四："您不用追求我，我还有男朋友呢，您这样我挺尴尬的，我们还没分手呢。"

守礼眨眨眼："我不追求你，你们怎么分啊？"

佳期周期性的浑劲又上来了，也可能真是早上起猛了，加上刚才廖宇那声"姐"叫的，她说："您追求我，我们也不一定分啊。"

谁知守礼并不在乎："那也好啊，我也没有说希望你们分手，然后和我一起啊？最起码，我们可以从无话不谈的朋友做起。我知道，你最近一定是和男朋友有了什么龃龉，是不是？"

佳期假笑："跟大家伙儿都一样嘛。"

"最起码，你不开心的时候会想到彭总，彭总就很开心了。其实男女之间，能够做精神上的交流，我觉得才是最高层次的朋友。"

佳期觉得这话可真不像守礼说的，他一贯的口碑就是贼不走空，不大可能到自己这儿变戏了。

两人一前一后不避嫌地走进公司，表情也算和谐愉悦。大家一边叫着"彭总早"，一边自觉让出路来，看两人直接进了总裁室，守礼随手把门关上。

企划杨在总裁室外端着茶杯站了一会儿，猛喝几口，回过身，接收到一片好奇的眼光，明知故问："干嘛呢？怎么了？"

"我们都好，你干嘛呢？我们以为你要进去呢。"

有人问："哎，你说，拿下了吧？"

主任摇摇头："时至今日，我仍不愿相信。佳期是我们部门出去的，我一贯认为，她是个没傲气但有傲骨的女孩。"

有女同事哈哈大笑："你说的是贺佳期还是吴琼花啊？"

企划杨问："老彭的车，咱们公司哪个女的没坐过？"

女同事虽然没法反驳，但还是不服："谁不知道你呀，追贺佳期未遂。"

"还真没有！你当我多大度呢？我要追谁，她不答应，我恨她一辈子。但是我并不恨你。"

女同事高兴了："这还差不多。"

"对嘛，我又没追你。"

自从姥爷回老家后，姥姥越发多愁善感，看电视的时候动辙一把鼻涕一把泪。

这天正一人儿哭呢，突然听见楼后一阵人声鼎沸，她探头出去看了一会儿，觉得不对，一胡撸脸，麻溜儿顺后窗户就蹿出去了，问正在忙活的邻居马老太："干嘛呢？"

马老太乐滋滋地说："安个空调。"

"夏天都快过去了，安什么空调呀？"

"咳，我儿子孝顺的。"

姥姥连忙显摆："我们家孩子早就要孝顺给我，我不要，我喜欢自然风，我们家俩窗户对着，过堂风。"

马儿子五大三粗，一看就是个浑蛋，他冲地上啐了口唾沫，很看不惯姥姥四处攀比比不过还不服气。其实关上门以后，他们家谁都不太待见姥姥。马老头话里有话地说："那是，数你们家孩子孝顺，数你们家日子过得舒心。"

姥姥听出这话里有无限讽刺，炸了："我跟你们把丑话说头里啊，空调安是安啊，别安我们家窗户下边。"

"谁安你们家窗户下边了？"

"我是提醒你们。"看马家人不理她，她自顾自念叨："到时候你们家一开空调，你们家合适了，我们家嗡嗡的。"

她站旁边看了会儿，突然伸手拦："哎，你看你看，这压缩机别安我们家窗户底下呀？"

马老太奇怪："怎么是你们家窗户底下呀？"

姥姥拿手比划："看，还说没安我们家窗户底下，往我们家这边错了半块儿砖。"

"你至于吗？"马儿子忍不住了："这是你们家地儿啊？"

"那当然了。"姥姥把胸一挺。

"屋里头是你们家，可屋外头凭什么也是你们家呀？"

"那当然了，这是我们家墙。"

马儿子想跟姥姥吵，马老头老太太拦着："算了算了，往这边挪挪，什么大事呀？"马老头跟老婆小声但足以让姥姥听见地嘀咕："老陈不在，她……"

姥姥脸上做着神圣不可侵犯的表情，可心里沮丧极了。

万征看见守礼佳期和廖宇鱼贯而入，而佳期左右四顾，并不直视万征，反而那三个人比她落落大方多了。

守礼看了一圈回来，还算满意，问万征："怎么样？"

"您觉得怎么样？"

守礼点点头："还可以吧。"他故意在万征面前摆出一副牛气的样子。

守礼把廖宇叫到一边指指点点，万征趁机跟佳期说话："晚上一起吃饭。"口气是命令式的。

"有事吗？"

"你不是觉得没事也应该一起吃饭吗？"

佳期本来答应了老彭提出要请她和廖宇一起晚饭的要求，虽然她已经开始想用什么辙把守礼给回了，但嘴上不能轻易答应万征。她不满地说："你想吃饭就吃饭？你知不知道北京关于请吃饭有个说法，叫三天为请，两天为叫，当天叫'提溜'……

万征没功夫听她废话："到底想吃什么？"

"想吃你做的饭。"她很懂得见好就收。

万征痛快地答应："行。"

这让佳期很纳闷，她对这种顺利的谈话感到不适应。

快下班的时候，佳期进到总裁室去和守礼聊天打发时间，突然廖宇进来说“佳期有人找”。她莫名其妙地出来，一边问“谁呀？”却看到业务部的人都一脸惊喜。

佳期一眼看见苏非非正婀娜多姿地看着沙盘，吃惊极了。她在一片羡慕的眼光中硬着头皮走过去，伸出手：“你好，你来……？”

苏非非抿嘴笑：“我来看房子呀？！”

“你怎么知道我在这里？”佳期脑子里迅速转过很多念头，想到万征这阵子肯定与苏非非私下约会过不少次，满怀妒意。苏非非却说：“你父亲告诉我的。”

想象落空，佳期既放心又失望：“啊……好啊，我来帮你介绍个比较好的业务员。”她走到业务桌问：“该谁了？”一个土里土气的新业务员李忠义站出来，佳期一挥手：“很好，来。”

业务员们小声兴奋地问：“佳期你怎么认识她的？”

佳期不耐烦：“我骑车撞过她一跟头。”

业务员们又问廖宇：“你怎么也认识她呀？”

“嗯，不算认识吧？”

企划杨又闻风窜出来了：“那是那是，现在，没吃过饭不叫认识，没上过床不叫熟人。”

守礼穿戴整齐从总裁室出来，一眼瞥见佳期旁边有个美女，假装不经意地过来招呼：“佳期，你的朋友？”

佳期没防备把他给放出来了：“啊……对，我来介绍一下，这是我们总裁，彭守礼先生，这位是著名的主持人苏非非小姐。”

苏非非巧笑倩焉，非常优雅地向守礼点了个头。守礼明知故问：“来看房子啊。”

俩人狂过电，心里互相琢磨着对方的身家。守礼关心地说：“介绍完要不要一起吃饭啊佳期？我可以亲自讲解啊。”

佳期很撮火，不明白为什么苏非非一出马，自己的裙下之臣全部倒戈，她马上替苏非非拒绝：“不用了吧，苏小姐很忙。”

守礼连忙说：“那当然那当然。下次吧，下次有时间到工地的话，大家一起吃个饭吧？”

苏非非歪头笑着冲守礼摆摆手。

佳期看到整个回合里，苏非非没说一句整话，但是守礼的心轻易转到她那一边，她实在想不通这个岁数比自己大一截的女的凭什么就这么能勾人。

守礼出来，看到自己的“奥迪”边上停着苏非非的“宝马”，问廖宇：“这是那女人的车吗？”

“是。”

“我靠那算了。”

佳期和业务员送苏非非出来的时候，非非亲热地说：“谢谢你佳期，我可以叫你佳期吧？”

“可以可以，随便儿叫。”

“我很喜欢这房子，下次时间多一点的话，希望可以去工地那边看样板间。”

“没问题，万征就在那边。”

“找他没有用，想打折还是要找你吧。听说你跟你们老总关系很好。”

佳期可不吃她撒娇卖嗲这一套：“你可以直接找彭总，他一定会给你打折的。”

“那不保险，我宁愿找你。”苏非非笑着翩然离去。

佳期还是忍不住跟万征汇报了苏非非的行踪，谁知万征并不意外：“噢对，她想买房。”

“你跟她说我在那公司？”

“不记得了。”

佳期不爽：“怎么不记得了？你是不是还跟她说我跟总裁很熟？”

“不是吗？”万征根本就没把她的话往心里去。

“我只是一个干活拿钱的伙计……”

“我也没怪你。”

佳期给噎得够呛，只好矛头转向苏非非：“真土。这房子有什么好呀？还‘豪庭’，难听死了。”

万征变得一本正经：“你怎么这样呀？太没职业精神了。干一行爱一行，就算这房子再土，你也得说它好……她要是买你们的房子，你能帮她拿个大点儿的折扣吗？”

“不知道。”

“你不是在公司很有地位吗？”

佳期想起守礼和苏非非初次见面就眉来眼去，恶意地告状：“这姐们儿这么生，什么人磕不动？我看她今天已经跟我们总裁对上眼儿了，还用我帮她打折？将来指不定谁求着谁呢。”

这话果然奏效，万征听完很不舒服：“我就说你们公司那台湾人不是个东西。”看佳期阴阴地笑，万征自觉失态，连忙想起正事似的，从包里拿出一个信封，放在佳期手边：“给。”

“什么呀？”

“给你的回扣。”

佳期反应很大：“给我这个干嘛呀？”

“你介绍这个活给我，应该的。”

“跟我就不用来这套了……”

“一码是一码，分清楚点好。”

佳期好不容易让万征觉得自己是个有用的人：“分那么清楚干嘛呀？”

万征懒得听她大惊小怪：“你别嚷嚷，都有，不是就你一人儿。”

佳期奇怪：“还谁呀？”

“廖宇呀。人家就坦坦地收了，就你，还拿腔作调。”

佳期一拍桌子：“太不像话了。”

“怎么了？至于吗？游戏规则，懂吗？”

“不懂。你拿着这个活儿，是你自己的能力……”

“别扯了，我都不信。拿着吧拿着吧啊，你拿着我心里好受点。”

“我怎么觉得你怪话连篇呀？你是不是还觉得靠女的挣了钱不干净呀？”她又开始着急地胡说八道。

“你是出来混的吗？也岁数不小了，装什么纯呀？”

“我乐意纯。我告诉你，我不要。”

“爱要不要，反正我放这儿了。”

“他也甭想要。”

这下万征急了：“关人家什么事呀？”

“搁以前他不是我们家亲戚，我就得给他‘点’喽，现在算我倒霉，受累回家呲达他去。”

“你有病吧？”

佳期用她姥姥的口头语回嘴：“你才有病呢。”

守礼感慨：“现在这些漂亮的女孩子啊，真了不起，年纪轻轻开名车住豪宅，作男人却要一步一步地打拼，真是不容易。”

廖宇拍起马屁很和佳期同根同族：“彭总您的经历一定很有代表性。”

“咳，算不得什么……所以你说啊，男人挣钱再去给女人花，真是很贱啊。”

“也不是吧。看自己爱好什么了，如果爱好就是女人，也算物有所值。”

守礼觉得这话说到自己心坎里去了：“嗯，你说得很对，很聪明。你对佳期怎么看？在认亲前和认亲后，有区别吗？”

廖宇想了想：“没有太大区别吧。”

“可我记得你们以前相处不是太好，现在看上去蛮好的，难道是在家里人面前装的？”

“也可能，装啊装啊就习惯了。”

守礼爽朗地大笑，手指头点着廖宇：“你们比我们年轻的时候机灵多了……其实我对佳期这个女孩子印象很好，以前她在企划部，事情虽然不多，但是很让人放心。后来我观察这个女孩子不像公司里其他的女孩子那样很是非，而且性格看上去很随和，实际上是很硬颈……就是很倔强嘛。她男朋友你也认识的吧？那个万征嘛……”

廖宇唯唯诺诺。

"她其实很在乎他，不过那个人看起来心不在焉的，佳期内心很苦闷，有一次她就跟我讲，就是你碰见那次嘛……"

廖宇想起来就是自己被赶出公司那一次。

"……不明白为什么自己要这样屈辱地和他在一起，那个男的对她越不好，她就越要对他好……彭总人很好，彭总不趁机占她的便宜。我就帮她分析，其实她和我一样，真的，和我一样……"他捂着自己胸口，好像很交心似的。"她并不是真的爱他，真的，不是爱，是征——服——欲。"他觉得自己很精辟，停在这里等廖宇夸赞。

廖宇当然顺水推舟："您说的太对了。"

"对，就是越难以驾驭的人，你越想要去征服，那种随随便便就和你在一起的人……幸福来临太快，就不会懂得珍惜。就是……"廖宇接上："我们叫专拣硬骨头啃。"

"……对，就是要专拣硬骨头啃，才觉得拥有的是真正的爱情。其实不是，真正拿在手里的那一天，就会发现，不是爱情，是征服欲得到了满足。"

守礼跟他碰了一杯："彭总也年轻过，很清楚地，其实爱情不是要去折磨一个人，就应该是对一个人好，想方设法地对她好。"

"佳期也对他好。"

"我还没说完……好，不是说我对你好，就是好，应该是生活细节上的好，比如你不会做饭，可你就愿意为这个人学做饭，你担心她挤公车辛苦，就愿意天天少睡一点去接她，你愿意为她做最家庭最琐碎的事情，那个才是好。你看佳期给他介绍一个活儿，以为就是对他好，不是，他肯定不会领她的情，甚至他还会不高兴，觉得她瞧他不起。"

廖宇开始频频点头："您是说，您是爱……我姐的？"

守礼一笑："那倒也不一定。我前面讲过嘛，我也是征服欲。公司里其他的女孩子，很容易的……"他摊摊手："但佳期终于让我体会到好久没有体会过的追一个女孩子的辛苦……好玩来的。是挑战！不一定要有什么什么样的结果，我觉得我这样追求她，也能给她带来快乐。"

廖宇作恍然大悟状："那您也是实在是太……"

"无聊吧？哈哈哈，博漂亮女孩子一笑，也无所谓啦。"

姥姥埋怨："你说你姥爷，到了老家，连个电话都不打。"

佳音心不在焉地附和："太不像话了。"

"还是你柳奶奶打电话来的。"

"跟他离婚。"

姥姥瞪了她一眼："说什么呢？"

胜利和一脸疲倦的建华进来，建英问："建华又挣钱去了？"

"可不，我说我这儿现在挣得多，让她别那么辛苦，她还不乐意。"胜利说。

建华很倔地瞪着胜利："瞧你那副样子，就跟你多了解娱乐界似的。"

胜利不敢跟媳妇叫板，但心里不服。现今不比从前，他也有反抗意识了。他支使佳音给建华倒水，建华不领情："你！好歹找个工作，别整天在家里躺着，越呆越懒。"

胜利很有道似地说："你想干嘛你说，我帮你留意着。还想往这圈里混？"

建华打断胜利："你住嘴，我就讨厌听见你一口一个'圈里圈里'的，什么圈呀？为什么不念'圈（JUAN）'呀？"

胜利陪笑："没那么念的。"

"怎么没有？猪圈。"

佳音哈哈大笑，建华呵斥："笑什么呀？还不是削尖脑袋想往猪圈里钻。"佳音的笑马上收了。

胜利对媳妇很宽容，当没听见就算了，他跟佳音说："哎佳音你知道你……"

他还想说大姨夫，看见建英，想起来不合适，又改口："就郭勇，你知道他现在又干什么去了吗？他现在到电视剧组里当制片去了。这以后要是他们的戏找演员，你也可以去试试镜啊。"

姥姥一听高兴了："好啊好啊，到时候一开电视就看见佳音了，多美啊。"

建华不同意：“我就不喜欢女孩子干这种抛头露脸的事，朴朴实实的，跟你姐似的干个正经工作。妈您看看胜利，居然现在也打扮起来了，头发天天梳得跟牛舔的似的。”

姥姥不爱听：“演戏也没什么不正经的，不正经的那都是根儿上就不正经，干了什么她也会往不正经那儿去。”

“妈您甭净顺着她。你说演戏有什么好呀？出去有人找你签名？买东西不用排队？就满意了？”

佳音甩片儿汤话：“可我怎么看有一文章说，教师这个职业，其中有很大一部分人是因为也有表现欲，也特别喜欢被人崇拜，因为当不了演员被老百姓崇拜，所以才当教师让学生崇拜呀。就跟当不了主持人，只好退而求其次当售票员报报站名也一样过瘾似的。”

建华愤怒了：“哪儿瞧的这一套？现在这人怎么什么都敢说呀？”

姥姥问：“可佳音你会演戏吗？”

建华说：“会什么呀？以前还说会唱歌呢？结果呢？”

才智下了传销课回来，赶紧着挑事，从包里拿出一份报纸：“哎佳音，你看今天的青年报了吗？”

“没有啊，怎么了？报道我了吗？”

“那倒还没轮上。报道那谁了，小柳。”

佳音脸色大变，接过来埋头看，越看脸色越难看。

胜利问：“写小柳什么了？”

“就跟那个小李美刀的事，小柳在网上天天连载他们俩的吃喝拉撒，还特别多人爱看，出大名了。”

建华看不上：“这算什么名呀？这不是丢人吗？一大姑娘，整天跟一男的住在一块儿，还敲锣打鼓昭示天下。”

佳音把报纸扔在一边，生气：“真不要脸。”

建英连忙拣过来看：“哎，还有照片呢？还挺好看的……人都说她是美女作家。”

佳音不屑：“现在基本上脸上五官都在的就叫美女作家。”

才智狂挑：“我怎么觉得她现在打扮得跟你有点像啊？”

“别逗了，她倒想。”

“是有点像。”建英瞧一眼小柳的照片，瞧一眼佳音。才智嘻嘻笑：“后悔了吧？当初你要是答应了小李美刀，现在出名上报纸的就是你了。”

“这种名我才不要出。”

“你倒想出，你认识几个字呀？人小柳好歹是大学生。”建华骂道。

“大学生不也论堆儿撮吗现在？”佳音看着姥姥：“我是怕你们出门被人指指戳戳啊。”

姥姥深明大义，频频点头：“对！对！”

美刀努力写作的同时，小柳在旁边接受电话采访，四仰八叉地把脚搭在美刀的电脑桌上，没形没状，原来的矜持荡然无存，文言文语言风格完全不见了，撒开了欢儿：“……我又没碍谁的事……这是一个言论越来越自由的时代，社会变得非常宽容了，我只是这种情况下应运而生的幸运儿……别人这么做我就不会觉得有什么不好……他？”她探头问美刀：“你愿意接受采访吗？”

“不愿意。”

小柳笑眯眯地说：“他不愿意……好，没关系，谢谢啊，再见。”她放下电话，得意洋洋地在屋里遛达，看哪儿都觉得顺眼：“明天下午，有一杂志要来给我拍照片，你愿意一起出镜吗？”

“不愿意。”

小柳不在乎：“随你便。”

美刀看不惯她现在这飞扬跋扈的劲头：“你不觉得你这是鸠占鹊巢吗？你把记者招家来，我还得躲出去，天天这样，我怎么写作啊。”

“你出去写啊。现在好多人都在‘星巴克’里对着一手提电脑‘啪啪啪’，脸都让电脑屏幕映得蓝莹莹的，很有气质。”

“那不是缺心眼儿吗？”

“已经有出版社跟我谈出书的事了。我说版税得 12%。”

美刀忌妒坏了，大叫：“我才 12%！”

小柳不理：“起印五万。”

“我才五万！”

“管他呢，先吼着呗，万一他们能接受呢？这年头儿，就是撑死胆大的饿死胆小的。”

美刀气急败坏地说：“你打我这儿出了名，版税得分我 2% 才合理。”

“那可不行。咱俩一块儿混，你也得到了你想要的呀。”

“我从来也没想要，是你上赶着给。”

小柳唱起来了：“这就是爱的代价……你也别撮火，离俩月也差不多了，到时候咱俩一分，各走各的，两不亏欠，你可以接着追你的贺佳音。”

“怎么不亏？我亏了！贺佳音还能理我吗？”

小柳晓之以理动之以情：“哎，这你就不懂了，受过挫的爱情才刺激。好多人没事还整事呢，就是为了刻骨铭心。”

美刀扳过小柳的身体，直视着她：“你也跟我说句实话，你对我，有爱情吗？”

小柳咬着嘴唇，犹豫地说：“嗯……有。其实你这个人，挺单纯的。要别人，不一定会搭理我，你这人心眼儿挺好的，我会记你一辈子的。”

美刀气结，拿出杀手锏：“你等着，回头我写你一千字儿。”

小柳笑了：“你还嫌我没名？就这样，估计俩月以后，你得管我叫师傅。”

佳期嗑嗑巴巴在全体员工会上念一份文件。守礼听得生气，大眼睛一直四下瞪着。

“这是非常严重的违纪行为……”

刚念到这儿，守礼突然冲佳期大吼：“大声念。”

佳期吓一跳，只好提高声音：“经总裁室及人事部讨论决定，扣除廖宇本月奖金，并暂调总务部服务一个月，工资按清洁工标准发放。此决定自颁布之日起生效。隆业房地产公司总裁室、人事部。”她越念声越小，勉强念完，赶紧坐下。员工们顿时交头接耳，几个女业务员非常同情地看着廖宇，廖宇却事不关己地左顾右盼。

守礼站起来发言："收受回扣，是我们隆业公司绝对不能允许的肮脏的行为。为了洗刷这种肮脏，廖宇，从今天起，由总务部监督清洗厕所。"

交头接耳声更巨大了。守礼威严地扫视大家："必须施以重罚，才能让隆业的所有人得到教训，廖宇这个厕所，也是替你们洗的。今后，谁有收受回扣的行为，就地开除。散会。"

佳期内急，从楼道里往厕所一路小跑，跑到一半突然想起来了，扭身往回跑。

廖宇正从女厕所出来，把门外"正在清洗"的牌子挪开，一眼看见她："你去哪儿呀？那边是男厕所。"

佳期只好站住，看见西装革履但挽着袖子的怪模怪样的廖宇，一脸抱歉："对不起啊，谁知道他耳朵那么尖。"

"算了算了，您那么大声批评我，他要再听不见就是耳背了。"

"你这哪儿是算了的意思呀。"

"真没事，咱们公司的厕所还挺干净的。那些女孩老在里边抽烟，现在更爱来这儿了，陪我聊天。"

"你还真能给自己找乐儿。"

"咳，活着呗。"

他浑不吝的样子惹佳期反感，不挤兑两句很难受："哎，你来公司多长时间了？倒贴多少钱了？"

廖宇问："你不憋得慌吗？"

佳期还没来得及回嘴，身后响起叮咣五四的皮鞋声。守礼还是一副怒气冲冲的样子："我告诉你，要不是看在佳期的面子上，我早就开除你。"说完，眼睛还挑衅似的在廖宇身上打量半天，才转身上男厕所。

佳期放下陪着的笑脸，发现廖宇正讽刺地盯着她："谢谢啊，要不是你这么有面儿。"

"你不服气可以走啊。"

"我干嘛要走？"

"我要是你，我就走。"

"所以你成不了我呢。"

姥姥想通了，乐子得自己主动去找，不要长期沉浸在自怨自艾或怨天尤人的情绪里。今天她准备把占公家地儿围的菜园子再扩张一下，她找来两棵小枣树，让胜利和佳音帮她种上。

胜利从厨房窗户顺出一条水管子，喊佳音："佳音，接一下。"

佳音不情不愿地过去接了，递到姥姥手里，问："这是您从哪儿弄来的呀？"

"就那边街心花园里。"

"您怎么那么没觉悟呀，那是国家的枣树。"

姥姥头都没抬："对呀，挪到咱家，就是咱家的了。搁街心花园里也没人照顾它们，现在我天天还给浇浇水。"

"它们在街心花园里您也可以提溜着水过去浇呀。"

"那不行。我浇了，到时候结了枣了，别人给摘了，凭什么呀？"

"那还是觉悟低。"

"咳要那玩艺儿干嘛呀我这岁数还能入党吗？"

"这话要让我姥爷这老党支部书记听见肯定气炸了。"

"少跟我提这人！什么老党支部书记，他是从看大门的岗位上退休的。"

佳音听着烦："啊我知道知道。"

胜利看看这两棵枣树，夸赞："妈，它能结枣吗？"

"那怎么不能？活了就能结枣。"姥姥拍拍手上的土，嘱咐佳音："你不是没事吗？帮我看着点啊。别让那些小孩给撞坏了。"

佳音才懒得管："那可保不齐，这么几根儿枝子，谁看得见呀。再说这儿过来过去都是车，没准就让车给撞了。"

姥姥一瞪眼："敢，那我就拿钥匙划他们那车。"

"哎哟姥姥，我姥爷跟您吵架您也犯不着反社会呀。"

胜利问："佳音，你怎么也不出去找工作呀？"

佳音装傻充愣："啊？噢，明儿就去。"

胜利一给女的打电话，就跟一女的似的。尤其给年轻漂亮的女的打电话的时候，看他背影，居然跟一个小姑娘闹春一样女里女气，时不时还一扭一扭、好像跟谁撒娇似的。从正面看，眉目含情，如同讲电话的人就在眼前。

“我有个事求你……真的真的，是求你。”他很强调那个“求”字。

“如果不算冒昧的话，我想请你吃个饭，边吃边说，也多谢你一直以来对我挺关照的……嘿嘿嘿不是客气。”他踱到窗边，看见马儿子正在倒车，车撞歪了姥姥刚移植的枣树。

“真的真的……你喜欢吃什么？”

他看见姥姥火箭一样窜了出去，有点慌：“那就沸腾鱼乡吧没事不怕没位子我现在就去排队去好好六点没问题晚上见啊。”他撂下电话就往楼下跑。

马儿子直着嗓子喊：“谁成心的呀？我没看见。”

佳音怕姥姥吃亏，也赶紧窜了出来：“姥姥姥姥算了，人都说对不起了。”

姥姥可不干：“对不起都不好好说，听着跟骂人似的。那么大棵树看不见？”

“那是树吗？草似的。”

“你撞了我的树，你还有理了。”

“什么你的树，又没栽你们家屋里，怎么就成你们家的了？”

胜利去拉姥姥：“又不是成心的，扶正了不就行了吗？”

马儿子气急败坏地问胜利：“胜利你们家老太太怎么回事呀？”

姥姥可不服气：“我怎么了我怎么了？”

马儿子成心气她：“您老伴不在家您也不至于着急忙慌成这样啊？”

“你怎么说话呢？我怎么着急忙慌了？我哪儿着急忙慌了？”姥姥恨不得咬他。

马老头老太太也出来了，老头还拿着铁锨。姥姥看两人气势汹汹的样子，吓得往后一跳，嘴里可不服软：“干嘛呀？”

老头径直过去扶正那棵枣树，拿铁锨松土。姥姥这才松了一口气，得理不让人地说：“你们家儿子可真不懂事。”

马老太叹息：“老李呀，不是我说你，你这些天怎么这么怪呀？”

马老头也说：“嗯，可不是。老陈在的时候就够怪的了，现在更怪了。”

“别阴阳怪气的啊。”姥姥不甘示弱。

马老头老太太也不生气，自顾自笑，佳音禁不住也跟着笑，胜利对她板起脸：“你晚上，跟我出去吃饭。”

“为什么呀？”

“还能为什么，帮你找工作呗。”

“什么工作呀？钱少了我可不干。”

胜利诡秘地一笑：“要是进圈里呢？”

佳音不耐烦地看表：“您跟人约的几点呀？”

“六点。”胜利说。

“那干嘛四点半就拉我来呀？”

“要不然没座儿。”

“哎哟喂。”佳音正心说这是谁呀让他爸这么巴结，苏非非被服务员领了进来。胜利马上脸红心跳地站起，一只手还把佳音也提溜起来：“哎非姐来了。”

佳音一看是她，又意外又不爽。胜利麻溜儿从服务员手上夺过茶壶倒茶：“您真准时。”

“干咱们这行，准时是必须的。”非非看着佳音，很主动地、像哄小孩似地打招呼：“你好吗——？”

佳音不耐烦地说：“还行。”

“菜可以上了。”胜利对服务员说：“噢小姐你报一下，非姐你想加什么，随便加。”

苏非非听小姐报过之后笑笑：“可以了，你真会点。”

胜利不敢看她，可说出来的话是火热的：“咳，你喜欢吃什么我都留意着呢。”佳音觉得父亲十分不得要领，频翻白眼。

晚饭的时候，姥姥一看桌上没男的，伤感起来。她认为他们这一代人所谓同志般的爱情，就是像她跟陈倚生这样——共同生活一辈子，也要斗争一辈子。还算年轻力壮的时候，天天早上起来俩人都要例行吵一架来漱嗓子，不然就觉得嗓子没开，痒痒难受。开始孩子们还觉得怕，以为他们感情很坏，时间一长，也就麻木了，甚至哪天早晨姥姥姥爷由于太忙而疏于吵架，孩子们深感不适。

上岁数以后，老两口有点吵不动了，明刀明枪耍不了，可以暗地里放冷枪使坏，不然，寂寞得不得了，日子怎么过呢。

建华问："怎么了妈？胃口不好？不舒服？"

"没有，我就是没精神……咱家本来就男的少，现在……"

建英和建华互相瞅了一眼，问："妈，你是惦记爸了吧？您要是惦记，就回去找他呗，把他接回来。"

姥姥觉得不妥："那不给他脸了，从此他就该不服我了。"

才智躲在杯子后面小声说："我姥爷以前也不服你，是懒得跟你掰扯，才养成了装聋作哑的毛病。"

姥姥执拗："我们俩私底下都好说，可让你柳奶奶看了这笑话去……"

"咳，谁管别人家事呀？就您，老把柳奶奶当假想敌。"

才智也对柳奶奶家人很瞧不上："你要找也得找一水平相当的呀。我姥爷装聋作哑，可眼睛是雪亮的，他万万犯不上为了柳奶奶得罪您，除非他不想回来了。"

姥姥嘟囔着："我看他就是不想回来了。"

"不会的。俩人都要面子，所以才僵着。一人让一步，算了。我让佳音陪您回去，反正她也闲着呢。"建华宽她妈的心。

姥姥左右看看，脸上微微有了笑模样："既然你们求我，那我就回去一趟？"

"我们求您。"

"我听您前一阵儿说，想找个助理？"胜利问。

非非点点头："对呀。"

胜利又让人特替他累地笑了一阵子，这种笑，是别人还没怎么着，自己先心虚了："哈哈哈哈哈……我就想起来了，我这闺女，现在正好在家待业，您也见过，其实挺机灵的，也愿意在这行里干，所以今天就想问问您，觉得她怎么样？”

说完一拍佳音的脑袋：“坐好喽。”

佳音和苏非非都觉得很意外。半天，非非才迟疑地说：“噢……对呀。”但没有下文。

她觉得佳音可不像是个省油的灯，有点厉害，起码比她姐厉害。

佳音可不巴结她，坦坦地吃饭，看都不看这俩人。

苏非非脑子里琢磨，嘴上一直敷衍着：“那小姑娘自己乐意吗？”

胜利抢着答：“她求之不得呢。”

苏非非直接问佳音：“你什么学历呀？”

佳音一副混蛋样子：“咳，我要学历高，我爸也不会张罗我干这个。”

苏非非倒觉得找个厉害的助理，对外办事倒也方便，尤其转念一想，接下来买房的事可能还要求到佳期，倒也不是很抗拒，大不了过一阵再说不合适把佳音给开了呗。想到这儿，她笑眯眯地说：“做助理挺麻烦的，心得细。”

胜利连忙说：“她心挺细的。”

贺佳音并不介意做助理，好歹算半条腿迈进了娱乐圈，多认识点人，以后再找机会嘛。但她介意的是给苏非非当助理。

“我这边事儿倒是不多，就是接个电话，提醒我的 random 什么的。”

佳音顶讨厌中国话里夹英文单词，倒不是觉得“假洋”，是因为她听不懂，觉得人家欺负她。她故意张大嘴看着他们，胜利门儿清地解释：“就是流程。”

非非介绍：“现在我手里有两个节目，外边还接一些节目，有时候时间安排上有冲突我自己都不知道，所以有个助理能明白点。不过就是整天跟着我，怕你烦，挺单调的。”

看佳音不理，胜利说：“说话呀。”

苏非非解释：“其实我跟她姐姐挺熟的，昨天还去她们那儿看房了呢。她姐姐办事很大气，我想她也差不了。”

她这么一提醒，佳音突然想起来，对呀，可以趁机替佳期盯着苏非非跟万征，她马上满口答应："那行吧。"

"你要愿意就太好了，真的，就帮了我的大忙了。"非非那高兴样儿让胜利和佳音真觉得自己帮了她的忙了："那就这周末，咱们录新一期节目的时候你就来吧。你留我一个电话，周五你先给我打个电话，我告诉你我们家在哪儿，你来接我。"

佳音一听这么快进入状况，面露难色，毕竟她从来也没上过班。非非突然自责地拍拍头："噢，还有，最重要的一点……工资！"

胜利马上抢话："您看着给。"

"别别别，先说定了，省得大家都不乐意。"她想了想："先两千五吧，先干两个月，看看咱俩磨合得怎么样，如果好的话再涨，再商量。"

这个价钱比佳音预想的多，看在钱的面子上，她露出了今天晚上的第一个笑容。

胜利觉得不合适："太多了吧。"

非非摇摇手："不多不多。钱我觉得其实不重要，最重要的是这个钱大家都能接受，干起活儿来就没怨言。我不在乎钱，真的，我也穷过，我觉得钱不是特别重要，钱多有钱多的活法，钱少有钱少的活法。不能说谁钱多就比别人高一等了，要不然咱们今天能在一块儿吃饭吗？"

这一番话让胜利乐得合不拢嘴，真觉得自己跟苏非非是平起平坐的朋友了。

陈建华很不高兴："不行。"

还不用胜利说话，佳音就急了："为什么呀妈？"

"我晚上刚答应你姥姥，让你陪她回老家接你姥爷。"

"啊？那您也没问我呀。"

"你整天游手好闲白吃白喝，我用问你吗？不往家里交钱的人是没有地位的人。"

胜利不想在苏非非面前出尔反尔，他着急地说："哎呀这工作挺不错的，一月两千五呢……"

"钱钱钱！"建华生气地说："自打你进了电视台，嘴里整天不是这明星那明星就是钱钱钱。你忘了你是一知识分子了贺胜利？”

佳音又来劲：“中学老师算知识分子吗？我们同学都是学习差的才考师范呢。”

姥姥连忙说：“算了建华，孩子找个工作不容易，我自己回去有什么不行的？”

“她这也不是正经工作，不是长远之计。”

胜利跟建华递葛：“现在哪儿有长远之计呀？你看看我。”

“你那叫不争气，没本事。”

胜利的话总是偷偷摸摸但不服气地溜边儿出来：“可我现在挣的比你多吧。”

建华气坏了：“那是你应该的。你一男的，挣的再比女的少，你好意思吗？我就瞧不得这爱慕虚荣的人。家里有一个还不够，老的小的都要给那女的服务，她有什么了不起呀？

佳音撒赖：“妈，反正我愿意去，我就去。”

姥姥也说：“孩子愿意去就让她去呗。你前两天一直骂她不找工作，现在找着了你还拦着？”

“那您一人儿回老家……”

建英只好说：“要不然我请几天假陪妈去？”

姥姥连连摆手：“不用不用，还给你姥爷脸了，为他犯不上耽误工作。”

7

其实谁也不服谁

姥爷在自家场院里撒开了欢儿地抽烟，没人管，脸上的皱纹都平了。柳奶奶早起路过，在围墙外边看见，蹁腿儿进来了。俩人老没见了。

“哟，还没回去呢？”

“没哪。这儿多好啊，空气也好，也安静，住着舒坦。”姥爷连说话也比在城市里清楚自信。

“那家里不惦着？”

姥爷“咳”了一声，并不多言。

柳奶奶心下明白：“你这不是跟我大妹妹怄气呢？”

“不是。这人啊，岁数大了就愿意在长大的地方呆着。”

二姥爷出来招呼：“柳姐来了？屋里坐呗。”

柳奶奶推脱：“不了，我这是早锻炼，遛达到这儿了，看看陈倚生他走没走？”

“哎，那我也去。”姥爷相跟着出来。

走着走着，柳奶奶突然笑了：“你说哈，为什么这夫妻俩走道就一个前一个后？没啥关系的倒能并着肩走？”

“嘿嘿，我也不知道。”

姥爷知道也说不知道，何况他懒得想。他看着对岸的学校：“你一直在那儿教书哈？嗯，当老师好，我就觉得你当老师好，所以才让建华也当老师。”

柳奶奶有点害臊，可姥爷落落大方地说：“我就觉得这女子啊，得有文化才行。那会儿你是咱村文化程度最高的吧？”

柳奶奶叹口气：“现在就指望小柳能是文化程度最高的了。”

“她有信儿吗？还跟那个这儿有问题的人在一块儿哪？”姥爷指指太阳穴。

“不知道。哎，说起来真让人脸红。我不管她的事，她爹妈自然会管。我一个人回村里住着，图个清静。”

姥爷也叹息：“现在的孩子啊。”

“可不是嘛，咱们年轻那会儿……”她不好意思说了，姥爷倒觉得没什么，替她说：“也就拉拉手。”

姥爷可没看见柳奶奶的大红脸，他想着自己的事：“……明明还跟昨天似的，一睁眼就几十年以后了。可不敢再闭眼，恐怕这一闭就再睁不开了。”

“瞎说啥呢？你现在身体还行吧？”

“好着呢。不过听说这身体好的人，只要得病就是大病。”

柳奶奶关心地问：“陈倚生我觉得你这思想不对头啊，怎么那么悲观呢？”

“是吗？可能是。一回到老家，就想起‘叶落归根’这四个字。”

“那你还是趁早回去吧。你们家那一大家子人，多热闹。桂兰那个性格真好，心里不装事，是个痛快人，肚子里不留脏东西，对身体也好，跟个孩子似的。”

“嗯，其实当初我就看上她那个大大咧咧的劲儿……不过你说她肚子里不留脏东西？她把脏东西都扔别人身上了。任性！”

“你内向，她外向，正好互补。她比我强，我这性格也闷。”

姥爷哼哼着：“她小心眼儿，以前有什么得罪你的地方，我替她给你赔个不是。”

“这话就远了。我跟她认识多少年了？打你们结婚就认识了吧？我还能生她的气？”

"她又罗嗦，这么多年了，那点事没完没了地说。"

柳奶奶批评他："你也是，你跟她解释解释不就完了吗？咱俩不就拉过手吗？那算啥呀？你这辈子拉过多少女同志的手了？……我是说，握过多少女同志的手啊？没区别。"

两人聊得高兴，谁也没注意一辆出租车从身边开过。车上的姥姥可注意他们了，她看见这两个人大早上的并肩散步，醋意翻涌："""停停停停停。"

出租车在路边停下，姥姥从车上跳下来，大叫："陈倚生——！"

柳奶奶一看，倒高兴了："看，接你来了。"一边热情地推着姥爷往姥姥的方向走。

可这动作落在姥姥眼里，明摆着就是他们俩不清不楚。

姥爷心里得意，脚下并没快，慢悠悠地到了近前，还看不出眉眼高低地问姥姥："你——干什么来了？"

姥姥狠逮逮地说："我来亲眼看看你这个老不正经的所作所为！"

姥爷吓得退后一步："说什么呢？！"

"我坐了一夜火车，本来想给你个惊喜，你倒好，大早上起来就轧马路！"

柳奶奶听见后面半句话，也吓得不轻："可不敢这么说桂兰，就是早上散散步，锻炼锻炼。"

姥姥狐疑地盯了两人半天，像押着犯人似的，严厉地催促："先上车！"因为她站在前车门处，没有眼力见儿的姥爷就要和柳奶奶坐在后面，姥姥大喝一声："你往哪儿坐？"

柳奶奶连忙慌慌张张冲到前座，姥爷沉着脸和姥姥坐到后面。

姥姥的不好惹是威名远播的。到了院门口，二姥爷一看姥姥，吓得退了回去。

姥姥不理，严肃地走到正屋主位上坐下，二姥爷连忙倒上茶来，然后垂手在一边，站着问："嫂子还没吃早饭吧？我去弄。"

姥姥觉得他不在也好，她正可以审这两个人，气定神闲地问："陈倚生，你还呆上瘾了？"

一大早上，姥爷没招谁没惹谁被姥姥劈头盖脸骂了一顿，正撮着火呢。因为在自己家地界，他说话也横了：“可不。”说完还嘻皮笑脸地冲柳奶奶挑挑眉毛，意思是“是不是”？让柳奶奶颇感尴尬。

姥姥瞪眼：“你还会顶嘴了你。”

姥爷很蔑视地挥挥手：“去去去少来这一套。”

“我问你，你打算多咱回去啊？”

“我多咱说我打算回去了啊？！”

姥姥觉得自己能亲自来，就算够给他面子了，谁知他根本不下台阶：“你要呆到死啊？”

“也行，还省得往老家再送一趟。”

柳奶奶和稀泥：“哎哟大早上的，说的话忒难听，回来看看是高兴事，怎么一碰上就呛呛？”

二姥爷端了碗牛奶进来：“喝碗奶嫂子，听说这么多年天天早上喝牛奶哈？真会保养。”

姥姥歪着头打量那个碗：“这碗干净吗？”

姥爷一把夺过碗放桌上，牛奶都震出来了：“爱喝不喝。”

二姥爷陪着笑：“干净，给你用嘛，刚又洗了一遍。吃点啥？有馒头，要不我上外头给你买油饼儿炸糕去？”

姥爷拦着：“不用，她减肥。”

柳奶奶趁机要溜：“那你们坐着，我先回了。”

姥姥站起来，摆出一副送客的架势，嘴上却说：“别走啊，再呆会儿。”

柳奶奶逃也似地跑了。姥姥转回头来，想从姥爷脸上看出什么破绽：“就这么巧？你们回来头次见就让我遇见了？”

“爱信不信。”

姥姥对他这种态度很不适应：“陈倚生你吃了什么不干净的东西了吧敢这么跟我说话？”

姥爷十分得意：“我们老家！哼。”

“你跟不跟我回去？”

"你得弄清楚现在的形势，是你求我，不是我求你。"

姥姥急了："我凭什么求你啊。我是来看你是不是病在老家了，你要没事，那我这就回去。"

"别呀……"姥姥听姥爷拦她，面露得色，谁知姥爷说："怎么着也得吃完午饭再走啊。"

头天上班，贺佳音精心打扮了一番，心里存着念想，看有没可能今儿就被哪个缺主持人的栏目组给挑走了。她花枝招展地拎着大袋子跟在苏非非后面走进化妆间，非非还没化妆，脸色不大好看。

化妆问："第一场穿什么衣服啊？"

苏非非沉着脸看佳音，佳音连忙从袋子里拿出一件粉色的上衣，化妆师接过去，在苏非非旁边比了比，又递还给佳音："非姐，你的助理啊？瞧着怎么有点眼熟啊？"

佳音装傻："不会吧。"

剧务带着一个送花的快递员进来，佳音抢着问："找谁？"

"非姐。"

苏非非很不耐烦："有事吗？"

"这有一个给你送花的。"

苏非非深感意外，探头看了一眼，是一大捧包装精美的黄玫瑰，心情愉悦起来："没送错吧？"又指使佳音："你接一下。"佳音帮她签收了，下面还有一张卡片，佳音递给她之前，自己先迅速地瞄了一眼，上面只有一个"Z"。她马上猜到了这是谁送的，偷偷观察非非的反应。

谁知苏非非毫无反应。

趁着非非在备稿，佳音很没眼色地拿着她的手机和保温瓶在一边跟一个腕儿嘉宾聊得热火朝天。苏非非突然对佳音说："你以后在工作时间别打扮得这么花里胡哨的。"说完就没再理她，接着踱来踱去。

佳音上下看看自己，觉得很满意，可再想跟那个腕儿聊，人家不理她了。

导演室里又传来那个神秘的声音："桌子上太空。"

胜利拎了一个花瓶摆上去。

“有没有花？”

佳音突然想起来：“有啊。”

苏非非瞪了她一眼：“哪有？”

“明明有啊，化妆间……”

苏非非打断她：“去给我倒点热的。”

吃完午饭，佳音跟着苏非非进演播厅，看见演播厅外的大垃圾箱里，那束Z送的黄玫瑰正躺在里面。

她们俩谁都没注意到，苏非非停在院里的“宝马”雨刷器上，神秘地别着一朵黄玫瑰。

苏非非的车缓缓停在工地上，万征从窗户看见她和贺佳期一干人等从车上下来，连忙迎了出来：“来了？”

苏非非笑眯眯地点头，表情相当正常：“不好意思啊，还让你加班等。我上次听完介绍，实在是忍不住想来看看样板间，所以就央求佳期晚下会儿班带我来。”她亲热地就势挽上佳期的胳膊。

守礼认为不喝酒不足以表现诚恳，他脸红脖子粗地拍着胸口：“我为什么要罚你你知道吗？”

廖宇不说话，因为他知道自己根本不用说话，守礼会自问自答的。

“因为我器重你。因为我爱惜你。因为我太器重你，太爱惜你。”守礼一边说，一边做着掏心窝子的手势，生怕廖宇体会不到他的器重和爱惜有多深。

廖宇频频点头：“对对对，我知道。”

“我知道你会明白，我不会看错你。”他感慨：“你知道吗？你很像我弟弟。哈哈哈虽然我的年纪，拼一下都可能生你了……我弟弟叫守书，比我小十岁……”

守礼食指交叉比划着“十”：“……一直跟在我屁股后面混，很听我的话……后来我去当兵嘛，就那两年，他就开始混那些小流氓，打架打得很厉害，找舞女，年纪很小地！……等我回来，他已经进了感化院，你们大陆有没有感化院？”

“少管所。”

“对，少管所……我恨呀，不去看他，他把我爸爸妈妈气得不得了……后来我妈妈求我，说他只听你一个人的话了，我这才去把他接回来……那时我已经开始做房地产了嘛，业绩很好，你知道好到什么地步？”

廖宇微笑地摇头。

“有一个案子，正式开盘那天，我办公室在二楼，楼下搞SP促销，等我下楼的时候，全部卖完了。”他摊着手，不断重复：“全部卖完了……结果哩，他说好，哥，我跟你，我一定听你的话。我说我信你，不过，你休想到我的公司一下子就做管理，你年轻，以前口碑又那么不好，你给我从清洗厕所做起！”

廖宇想原来是这种相似。

“他开始说不行，拒绝。后来我说，如果你放不下你的自尊，你没法在社会上靠自己的力量立足……后来他就去洗厕所了嘛……”

他摊摊手，对自己在兄弟面前的权威非常满意：“就去扫厕所了……扫了三个月！你知道后来怎样？公司里所有的人，非常服气，说彭守书了不起，彭守礼更了不起！”

廖宇问：“现在呢？你弟弟？”

守礼眼睛里的光倏然黯淡：“去世了……在我结婚的第三年……他身体一直不大好，年轻的时候又玩得太狠了……”守礼脸上有了悲哀的神色。

可廖宇听出了不对：“您……结婚了吗？”

“对呀，我结婚了。奇怪吗？”

“从来没听您提起过。”廖宇难掩吃惊的神色。

“我老婆在台湾嘛，她不愿意过来，会闷嘛。”

廖宇刚在想这个事情不知道佳期知不知道，守礼一把拉住他的袖子：“你不要跟佳期讲啊……啊其实你讲也无所谓啦。”

廖宇谨慎地回答：“我没那么多话。”

守礼拍他肩膀：“我知道嘛，我不会看错你。我相信你，你将来会是个了不起的人，整个隆业，在房地产界口碑是这个……”他竖起大拇指：“而隆业，我看将来能干出事业的，也就是你……不以物喜，不以己悲。

非常好。”

苏非非不停地与佳期说话，故意冷落万征似的：“我尤其喜欢TOWNHOUSE，也喜欢那种巴洛克式的装修风格。”

这话让万征和佳期都吃了一惊，他们本来都觉得那种装修实在是太土了。

“我的想法是买三套挨着的……”

“三套？”佳期吓了一跳。

万征实在管不住自己的好奇心：“你哪儿来那么多钱？”

苏非非娇俏地看了他一眼：“借呀……然后把顶层的露台连起来，四边一围，就可以变成一个空中网球场。”

“那球掉下去谁拣？”佳期恶意地问。

苏非非又娇俏地看了她一眼：“围高一点嘛……你们觉得怎么样？”

佳期想要笑，万征粗暴地说：“跟穷人乍富似的。”

苏非非不高兴了：“你不懂。佳期你觉得呢？”

佳期认真地说：“我觉得挺好，挺适合你。”

“就是嘛，还是女孩子之间容易沟通。”

佳期不认为苏非非的岁数还在女孩子的范畴里，她皱皱眉头。

“佳期我觉得我们真是很有缘分啊，你父亲和你妹妹都在我们台工作……其实咱们真是很熟。”

佳期知道非非要听什么：“我一定尽最大的力请彭总给你打最高的折扣。”

苏非非得意地看着万征。万征看她高兴，自己也高兴：“小贺既然说了这话，就一定能做到，你放心。”

佳期从来没在万征嘴里听见一句像样的夸奖，这回居然因为苏非非的缘故赢得万征的好脸，真让她不舒服。她说：“其实如果商量可以做代言的话……”

苏非非连忙制止她再说下去：“那算了，我认为做人还是低调一点比较好。我买三套也是为了让父母住得宽敞一点，不是展览用的。”

万征欣赏地看着低调的她。

饭后，万征主动提出送佳期回家，她知道这一切都是为了苏非非，他对自己讨好，只因为她答应苏非非能拿到好折扣。说不定万征对自己好，还是苏非非嘱咐的呢。

万征逗着她说话："怎么了？舍不得回去？那去我那儿吧。"

搁以前佳期肯定乐坏了，但今天她很冷淡："不了，累。"

"怎么好像不高兴？还吃干醋呢？人家对你多好啊。"

佳期赌气地问："她对我好不好，我在乎吗？"

"我对你不好吗？"

"你扪心自问，你对我好，是不是因为她对我好？"

万征皱起了眉头："别没事找事啊。"

"我终于知道为什么你对我不好了，因为你心里始终还不能接受除了她以外的别的人……其实我觉得这是一个交往距离的问题，不识庐山真面目只缘身在此山中，你退一步看，就像我这种距离看，她这人也就那么回事。"

万征不爱听："你怎么背地里说人坏话呀？"

"这怎么是坏话呢？没有褒贬，客观陈述。"

"羡慕忌妒恨吧？"

佳期瞪大眼睛："我羡慕忌妒恨她？她贵庚？我贵庚？"

太不会说话了，万征不比苏非非更老："有一天你也会老的。"

"可不是？所以现在要有风驶尽帆，不抓紧挤兑挤兑别人，将来就瞎儿等着挨挤兑一点还嘴机会都没有了。"

佳期饶有兴致地看着报上小柳的采访，佳音在旁边不服气地问："她真的像我？"

佳期拍拍她的肩膀："你放心吧，你就是毁了容也比她漂亮。"

"就是嘛……"佳音满意了："哎姐，你今天问万征那花儿的事了吗？那卡上还写个'Z'，他当他是佐罗哪。"

正说着廖宇回来了，身上的酒味很冲，她的目标迅速转移："哎，你回来了。"

佳期觉得是自己害他洗厕所，稍微比平时关心了一点："你喝酒了？”

佳音忙问：“遇着什么不顺心的事了？”

“没有啊。”廖宇说。

“没事喝什么酒啊？”

“就是没事才喝嘛。”

佳期搭讪：“对了，上次是你吧，说喝蜂蜜解酒，你怎么知道的？是因为自己老喝吗？”

“不是。”

廖宇的回答总就那么几个字。佳音追问：“那你怎么知道的？跟谁喝去了？男的女的？”

佳期站起来要走：“儿童级别的对话我就不参与了。”

“哎哎哎别呀，咱聊点喜闻乐见的。”佳音怕没别人在，廖宇更不理她了。

才智突然问：“廖宇，你妈现在又结婚了吗？”话里的不友好显而易见。

这是这个家里第一次有人问这个，廖宇突然很烦躁：“没有。”

“那现在谁照顾她呀？他们为什么离婚呀？”

廖宇不客气了：“不想讲。换个话题。”

佳期想：这还真是个不好接近的人啊。可她也按捺不住对廖宇身世的好奇：“廖宇，你每月给家里寄钱吗？”

“寄。”

这让佳期更内疚了，觉得自己害惨了他：“寄多少？”

“有多少寄多少。”

才智担心自己家的钱外流：“那你爸还寄吗？”

“不知道。应该不寄了吧，我已经成年了。”

佳音谄媚地说：“看你的样子，你妈妈一定特漂亮。有照片吗？”

“你不要老说男的好不好看，无聊。总有比好看更重要的吧。”

佳音果断地接上：“有，忠诚。”

才智笑了：“要没小李美刀的事，你也不会这么说吧？这都是扯，有钱最重要。”

佳音好奇：“要多少钱你才满足呢？简单说吧，你将来要找一多有钱的？”

“上不封顶，下怎么着也得上百万吧？”

“你呢？你喜欢什么样的女孩？”佳期看着廖宇。

廖宇想了半天：“善良。”

佳音不屑：“善良的人多了，比如我，我姐……”她看看才智，不好意思不说她，才智很大方：“不用加我，我算不上。”

佳音问佳期：“你说万征身上什么东西最招你喜欢？”

才智心领神会地说：“万征挺有钱的吧？”

“我不知道。”

其实她想出了一个答案，可是廖宇在这儿，她有点不好意思说。她看了廖宇一眼。

才智说：“都不是外人，有什么不能说的。”

佳期吭唧半天：“我吧……就喜欢那种对我不好的，就是吧……他要是特顺着我，我就觉得没劲。”

那三个人露出了绝望眼神的人。廖宇问：“那比如说有个人，是有老婆的，还一直追你，你知道了，会更喜欢他吗？”

佳期不傻，立即提高了警惕：“你说的是谁？”

虽然心里不乐意，但佳期还是得把苏非非的事当事，毕竟她还准备在万征的屋檐下讨口饭吃。中午，她强迫自己陪守礼一起吃盒饭，一边探听：“苏非非希望折扣能再打低一点，因为她要买三套嘛。”

守礼吃得一嘴油，心不在焉地问：“她很有名吗？”

“还可以吧。反正咱们公司的人都知道她。”

守礼盘算着：“她又不愿意我们宣传的时候提到她，选的又是位置最好的三套房子，我为什么要给她低折扣？”

佳期想一想和万征的未来，也只好硬着头皮上了：“她跟我关系不错……”

“是吗？以前又没听你提过。”

佳期连忙傻笑："谁会把认识个把名人的事挂在嘴边上呢？多傻啊。"

"咳，你提我也记不住。那好啦好啦，我是给你面子噢，打九折好了，真的不能再低了，你也知道房子的总价那么高，零点一的折扣都不得了……"

佳期明白："我知道我知道，太谢谢您了彭总。"

彭守礼觉得这种时候得顺理成章地骚扰她一回，他走到佳期面前："让她谢你好了，我都说是冲你的面子……彭总对你可是非常非常珍惜的哦。"他的手很自然地捧起了佳期的脸。

佳期马上不会动了，呆呆地看着守礼，盘算着为了男朋友的暧昧女友被面前这个人揩油值当不值当。她瞪着守礼的一嘴油，觉得实在恶心。

可守礼只用脑门顶了她的脑门一下，便放手了。

趁着苏非非签合同的当儿，佳音偷偷在隆业里转悠，路过一条走道时，她突然站住，又往回退了几步。她看见走道的尽头正在拖地的廖宇。

廖宇觉出身后来人，并没抬头，只是往旁边让了让。但来人就站在他身后不动，他回头一看，颇感意外。

"真是你。你为什么擦地？"佳音看到廖宇挽着的袖子："你成了清洁工了？"

廖宇还没来得及答，佳音大叫："为什么？"

"什么为什么，我权利大了，还管男女厕所呢。"廖宇不当回事儿。

"我姐怎么能这么欺负你，她还帮苏非非打折呢她都不帮你。"佳音眼圈突然红了："太过分了，我找她去。"

廖宇一把拉住她："你别多事了。公司里的人不知道我和她的关系……清洁工也挺好的，我就当锻炼身体了，又清静。"

"这种活儿怎么能是你干的呢？"

"你别瞧不起清洁工，我觉得这职业很高尚。"

佳音知道这是廖宇的心结，忙解释："我不是瞧不起，我就觉得你不该干这个。"

"什么叫该干什么叫不该干？王侯将相，宁有种乎？咳跟你说你也不懂，反正我干这个，下了班老板还请我喝酒吃饭呢。”

“啊？丫有病吧……我看你脑子也有问题，我姐这么不帮你，换我早跟她翻脸了，你还没事人似的跟她说话。你不是也跟我姐似的专喜欢对自己不好的人吧？”

这还真把廖宇问住了。

佳音跟她姐翻脸了：“收回扣有什么了不起？你跟钱有仇啊？”

“我跟钱没仇，我跟他也没仇，我只是觉得这种钱是不正当的。”

“什么是正当的？你暴涨那么多的工资是正当的？怎么就那么宽于律己，严以待人啊？”

“我本来也想把他这个月的工资给补齐。”

“怎么补？你拿自己的钱给他？这不是开玩笑吗？他怎么会收呢？”

“回扣他都能收。”

佳音急眼了：“你还嫌他在咱们家住得踏实啊？他自尊心多强啊，你再给他钱，这不是明着轰人走吗？”

“他走不走你着什么急啊？”

佳音愣了一下，马上说：“那我还怎么近水楼台啊？”

“你想干嘛呀？”

“我想谈恋爱。”

“跟他？”

“怎么着？”

“那我真得轰他走。”

姥爷回身看看姥姥，慢条斯理地说：“我在这儿住得挺好的，这儿空气多好，我都不咳嗽了。”

“你不咳嗽是因为我不让你抽烟。”

姥爷像个专气大人的小孩似的得意地说：“你以为你不让我抽我就不抽了，你以为村长真是干部？”

姥姥话接得很快：“村长不是干部，看大门的才是干部。”

这话噎得姥爷当场开始打嗝。

姥姥冷笑着：“我看你是接上你们村的地气了，现在敢这么跟我说话。”

姥爷装作一点不生气，抓了把米喂鸡。

“哼，当然了，这儿不但没人管，还有人伺候着，见天儿就是玩玩玩，什么都不操心，还有夕阳红呢，就差家庭重组了吧。”

姥爷很烦：“你这无中生有的毛病不改，我是不会回去的。”

姥姥来劲了：“什么叫无中生有？无中为什么能生有？苍蝇不叮没缝的蛋……”

“得了得了李桂兰，你已经丧心病狂了，往自个儿男人身上泼脏水……”

二姥爷刚进来，听见这茬儿不像好对付的，连忙又退回去。姥姥一看又在老家人面前栽面儿，脸涨得通红，她拎了自己的包一阵风似地冲了出来：“我跟你废话都多余，我现在就走，你就这儿呆着吧，叶落归根吧。”

躲在院门口的二姥爷瞧着架势不对，赶忙问：“哎呀嫂子再住两天呗，再住两天秋收了，带点白薯板栗啥的再回去。”

姥姥看见姥爷并没上来拦，在旁边看戏似的，气得说：“不用，我不在这碍事了，人嫌狗不待见的。”

姥爷觉得自己在这一回合小胜：“她要走谁也拦不住。”低头接着喂鸡。

二姥爷说：“哎呀，真急着走，这儿也没车啊，你等着，我去给二头打电话，让他开车送你去火车站行不？”

二姥爷一进屋，姥爷问：“真走啊？”

姥姥以为姥爷要留她，一拧身儿。姥爷却说：“告诉孩子们，甭惦着我，该工作工作，该学习学习，天儿冷了我就回去。”

姥姥嘴上从不服输：“你千万别。你不住恶心了你别来见我。”

“一家子人呢，我又不是只见你一人儿。路上小心啊，要不我送你去火车站？”

“你还知道不放心啊？”

“我怕你让人拐走你脑子乱的。”

贺佳期觉得自己这回是真把自己给设计了。她靠出卖色相才帮苏非非打了折，可苏非非一眼看上了样板间的装修，死说活说让半推半就的万征帮她装修这三套新房，而万征竟然喜不滋滋地应下了。这回连守礼都看不下去了，当着廖宇的面说："佳期啊，不是我说你啊，为什么要帮男朋友的女朋友呐？我看你男朋友比彭总好不到哪里去呀。"

有时候自己委屈也就打落牙和血咽肚子里了，但凡有个外人表示了同情，自己的可怜就加了倍，所以贺佳期再听万征风骚地发牢骚说他累坏了，就手拆台："太累了就推了吧。"

万征打了个嗑巴："那倒也不用。跟钱没仇吧？"

"钱是挣不完的。"

"可是她的活儿吧，我推了也不太合适。一推就好像我记她的仇似的，其实过去的事都过去了……"

"过去了吗？"

万征装傻，左右看看："过去了呀？！"

"我怎么觉得你每次见她都挺不自然的呀。"

万征连忙大口喝着开水，以掩饰内心慌乱："那是你多心了，杯弓蛇影。我跟她能有什么呀？咱俩现在不是好好地坐这儿说话呢吗？"

"可是，她要不是那么有钱呢？我知道男的都不愿意找一女的比自己能干，要是她没那么多钱没什么名气，你还能让她过去吗？"

"过去了……你怎么了？平时挺大方一个人，怎么最近老跟我这儿嘀嘀咕咕的？你看，你跟你们老总眉来眼去的我都没说什么……"

佳期涨红了脸，想起自己为了苏非非差点又被守礼揩油，气急败坏地问："我什么时候跟他眉来眼去了？再说这算交换条件吗？"

万征使劲把杯子墩在桌子上："急什么呀？我还没急呢。少跟我急，我就烦女的跟狗似的冲我汪汪。"

佳期差点被气晕了，没想到给比成了这样。

万征觉出自己的失态，稍稍缓和了一下："这过了气的男女朋友，就跟一远房亲戚其实差不多，可能比远房亲戚关系更好，因为人一找你干什么事，你为了面子不好意思拒绝呀。远房亲戚你可以敷衍他，可这种关系的朋友，你一拒绝她，就显得你小心眼儿。”

“小心眼儿是性格并不是缺陷，有什么可丢人的？”

“我不这么看。我也不能让别人这么看我。”

“爸为什么不回来呀？”建英问。

姥姥一拍沙发扶手，冷冷地反问：“你觉得呢？”

建英慌了：“我我我不知道啊。”

“我还没进他们村呢，早上八点！就看见他们俩在河边遛达。多大岁数了还轧马路？可回了他们村了，一点儿不怕别人说闲话。我以后在他们村还怎么抬头啊？”

佳音觉得姥姥这是小题大做：“早上八点那是锻炼身体呢吧。”

姥姥一斜眼：“你姥爷这人你还不了解？拉着不走赶着倒退的，怎么就乐不滋滋地锻炼去了？他在这儿的时候陪我爬过山吗？”

才智也替姥爷说话：“我姥爷不爱爬山，觉得那太剧烈。”

“不对，”姥姥分析着：“爬山是肉体的剧烈运动，跟柳凤香散步那是剧烈的心理运动，那叫什么？心如鹿撞。”

廖宇在旁边听得想笑，又不敢，忍得很辛苦。

建华跟母亲的性格相似，也就比较能够互相了解：“妈，你是不是又跟爸横来着？”

这下姥姥的声音稍弱：“我哪有？”

“您甭不承认，肯定是。您肯定是一副气势汹汹兴师问罪的架势——您既然想让他回来，就应该客客气气的，伸手不打笑脸人，本来也不是什么大事……”

“不是什么大事他跟我较劲？回来再说嘛，那儿人多眼杂的。现在好，他说天冷了再回来。我就跟他说天冷了也甭回来，天冷怕什么？心里暖和呀。”

建英建华看姥姥这儿又越说越不像话了，小辈们又在场，显得很尴尬。廖宇懂事地说：“奶奶您先歇着吧坐了一天车了。”

姥姥对待廖宇就像一个慈祥的老奶奶：“还是你疼我，没事，我不累。”

佳音从来不看眉眼高低："对，人要是特愤怒的时候就不容易觉得累。"

才智躲在杯子后面嘿嘿笑："你懂得真多。"

建华骂："她二百五。"

才智说："她那是愤怒过。"

万征拿着卷尺在毛坏房的各处丈量，然后认真地记在一张图纸上，其实尺寸和样板间是一样的，可他怕细节会有出入，再量一遍心里踏实。

苏非非奉承他，反正说好话又不费钱："你就是心细。跟你在一块儿我觉得心里特别踏实，一点儿不用操心。"

万征一听就酥了，涎着脸说："真的？那咱们还在一块儿吧。"

苏非非眼珠转转："那你女朋友呢？"

"我心里孰轻孰重你还看不出来？"

"看不出来，我觉得你们俩挺恩爱的。"

"别逗了。我送你的花你还喜欢吗？"

苏非非笑得很甜："喜欢。"

"那提都不提一句？你越来越狠心了。"

"我怎么提呀？现在贺佳期她妹妹是我的助理，我的一举一动她都盯着呢。"

万征的袖子上蹭上了土，苏非非上去帮他掸掉，动作很自然。万征有刹那恍惚："哎，你别动……你有没有感觉，这一幕好像出现过？"

苏非非动动："没觉得呀。不过有这种感觉是常事。"

"我怎么觉得以前好像就有过，我干什么事把衣服蹭脏了，你帮我掸。"

苏非非咯咯笑："可能你老把衣服蹭脏了，我老帮你掸。"

万征就势开始煽情，压低了声音，把苏非非逼迫到一个角落里："你后来，想没想起过以前，想起我，咱们在一块儿的时候？"

苏非非正色："当然。"

"然后呢？"

"然后就赶紧想别的。"

万征失望："为什么？"

"越想越难受，何必要再想？"

"你知道我一直是在等你。"

苏非非迟疑了一下："这样不好吧。我看得出来，她特别爱你。"

"你这话不对：三个人，两个相爱，一个单相思。且不管谁在什么位置上，总要两个相爱的人在一起，是痛苦的人最少的选择，对吧？如果我跟她在一起，就算你不痛苦，也有两个人痛苦——我痛苦，对她也不会特好，她也痛苦。所以，应该抛弃一切杂念，让相爱的人在一起。"

苏非非凝视着万征，心里突然有点同情贺佳期："我觉得你还真是变了，你以前没这些花花肠子。"

佳期对守礼的约会，采取松一阵紧一阵的态度，约三次，出来一次。她也不知道自己这算干嘛，报复万征？还是这样能在总裁助理的位子上多呆一阵儿？她不愿意多想，因为她不愿意承认自己其实是个俗称"傻奸傻奸"的人。这阵子守礼倒是带她去了不少时尚的地方，很是开眼。

佳音正在跳舞，眼角瞥见她和守礼坐在一旁，连忙冲了过去："姐。"

佳期一愣，有点不好意思："你怎么在这儿呢？"

"你怎么在这儿呢？你不是从来不跳舞吗？"

佳期一指守礼："他带我来的。"

佳音把佳期拽到一边："你真跟他好了？"

佳期否认："没有。"

"可作为普通朋友，你们来往颇密呀？"

"你少废话。你跟谁来的？"

佳音往舞池里一指："几个企宣姐姐，还有几个娱记哥哥。现在我逢女的就叫姐，逢男的就叫哥。五张儿也这么叫，挺'得'的吧？"

"得什么呀？"

"得要领呀。哈哈哈哈哈。"

佳期要走，佳音摇头说："HAPPY 的夜生活刚刚开始呀……噢对了告诉你一声，今日无战况，花儿还是在送，但仅凭一个 Z 也不能证明是万征送的。那姐姐还是给扔了。"

佳期点个头，拉守礼离开，守礼没忘了凑到佳音面前邀功："你们的单我已经买了。"

在车里，守礼突然问："你愿跟我出来，还是为了跟男朋友不开心吧？"

佳期否认："没有啊，我们挺好。"

守礼不相信："你还不盯牢他一点，要不然分分钟被那女的抢走。"

佳期摆出无所谓的态度："咳，苍蝇不叮没缝的蛋，不是这只苍蝇，也是那只苍蝇。"

"这么灰心？"守礼高兴了："现在是不是觉得，还是我这种一上来就摆明不是正经人的比较好？"

刚进茶餐厅，佳音就听见一个熟悉的声音在大声训斥："摘了摘了摘了，什么样子呀？"

循声望去，竟然是美刀和小柳，大半夜的，小柳还戴了一副特别大的墨镜。她解释："我怕有记者。"

"有记者也认不出你来。"

佳音跟旁边人说问："看见了吗？这女的不就是在网上连载恋爱日记那个吗？'谈一场全世界最拧巴的恋爱'，亏她想得出来，什么玩艺呀。"

娱记哥哥说："噢是吗？怎么还戴一墨镜啊？咱们这么大腕儿都没戴，生怕碰见艺人扑上来求咱们采访。"

"苦孩子，觉得自己出名了，特不适应。"

"哎佳音，有仇儿吗？有仇儿哥哥帮你灭她，把她真给灭拧巴了。"娱记哥哥爱护佳音。

"得了，你那是帮她呢，就让她自生自灭去吧。"

这帮人的哄然大笑吸引了美刀的视线，他看到了人堆儿里的佳音。这个头脑简单的人倒真没什么不好意思的，马上走了过来："嗨小可爱，看见我都不打招呼。你最近怎么样啊？"

他热情地跟周围的人打招呼："你们好，我叫小李美刀。"

娱记哥哥瞧不上他："网络写手不叫作家，不是正道出来的。"

小李美刀在追星族出身的企宣们心里还是有市场的："怎么算不上啊？我就觉得他写得特好。来作家，给我签一名，签背心上。"

美刀羞红了脸："啊，这不合适吧？"

"听说你见一个小有姿色的就爱一个是吗？"

佳音一直事不关己地埋头喝茶，可美刀冲她一指："别听他们胡说，我只爱她一个。"

佳音瞪他一眼："你有病啊。"

美刀不怕打击，斗志昂扬地说："我没病，我很好。"

娱记哥哥问："可你怎么还跟那女的混一块儿啊？这也太不靠谱了吧？"

美刀自来熟地掩住嘴，作亲密状偷偷说："咳，她非赖着我，就想出名。我就当帮她一忙儿，赶紧出了名走了完了，我好好追贺佳音。"

小柳在那边听得快疯了，站起来就往外走，美刀连忙追："哎哎等会儿我。"

娱记哥哥问："你不是不在乎她吗？"

"我们家钥匙在她身上呢。"

刚跑到门口，被服务员截住了："先生您还没结帐呢。"

美刀赶紧掏钱，又怕小柳走远，原地踏步，很着急，倒像尿憋的，一边还不忘对佳音喊着："佳音，等着我。"

苏非非戴着巨大的墨镜和万征就新居的效果图进行辩论。万征说："我觉得不能跟样板间一样，这个样板间没有特色，也没有家庭氛围。你看我新给你画了几张图。"

两人埋头看了一会儿，苏非非反正也看不懂："我不是说了吗？我完全信任你。你就当成自己家那么弄。"

万征深情地说："我自己家也没那么费心。"

苏非非笑："我特别忙你也知道，什么料啊什么的你就包了吧，最好连家具都帮我配上。"

"家具不大好配，看上去差不多的东西，价码差得挺多，我不知道你注意的细节在哪儿？”

“你怎么会不知道？”

“我知道我知道。可我不知道这么多年，你的品味变了没有？”你来我往都一副话里有话的样子。

苏非非凝视了他一会儿，悠悠地说：“有的变了，有的一直没变……报价单呢？给我看看。”

“还没做呢，你告诉我一个你的承受度，我就照着那个去。难道你还怕我黑你吗？”

“那不会。如果你都不能信任，我还能信谁呀？”

万征哀怨地说：“我一直就想设计咱们俩的家，不管是在一起的时候，还是后来分了手。我这次的设计，也完全是按这个思路走的，也就是说，不是单身住的，是二人世界的，当然你父母那套不是。你跟你爸妈说了是我在装修吗？”

苏非非点点头。

“他们说什么了吗？”

“没什么，你别问了。”

万征追问：“他们还记得我吗？”

苏非非推了他一下：“当然记得，你以为我谈过多少次恋爱呀？”

8

没有最坏只有更坏

街边的腌杂小馆里拼起了一张长桌，闹哄哄地坐满了“隆业”的业务员，全是男的，基本上都喝多了。

为首的老耿站起来：“来，咱们这些生活在水深火热里的兄弟们，干。”

老耿和这里面大多数人一样长了一张落魄的脸，只不过多了几分豪气：“我今年三十了。我跟你们说，我从来没见过这么黑的公司，从来没见过这么黑的老板。”

他一屁股坐下，很是沉重：“咱们来几个月了吧？真正拿到手里的工资有多少？”他揪了揪旁边坐的人的西装领子：“就这么一破工服，扣咱们那么多钱！……谁出来上班挣钱不是为了养家？可是现在呢？咱们拿什么养？钱哪？钱哪？我无所谓，我吃不饱无所谓，可是我家里有老婆孩子，他们吃什么喝什么？！”

那个卖给苏非非房子的外地小孩李忠义也义愤填膺：“对呀。你们没卖出房子去，所以拿的钱少。可我哪？我一下子卖出去三套房，本来应该给我提成吧？说好的嘛。结果说我在试用期，试用期不给提那么多。还说这单是贺佳期介绍的，再劈给她一半，那我还剩什么了？”

廖宇一听提到佳期，留意起来。

“就是嘛，那个贺佳期算什么东西？就是老彭的小蜜嘛。”

廖宇觉得不舒服。他喜不喜欢佳期倒在其次，可他知道佳期并没有与守礼怎样。

“对待男人和对待女人就那么不一样！女的犯了错就没关系，摸着骂两句就过去了。可男的一犯错……你们看廖宇，多惨，居然让人家去扫厕所。”

廖宇不方便在这种时候唱反调，如坐针毡。

李忠义说：“那些老业务员，什么都不肯教咱们，生怕咱们抢了他们的活儿！”

老耿站起来：“不要理他们！咱们团结起来，不信斗不过老彭。”

一伙人像农民起义军一样挥舞着拳头，大力拍打着桌子。

“你说老彭为什么喜欢招咱们外地的？就是因为欺负咱们离乡背井，在北京没有什么势力，所以就可以尽情地奴役咱们。咱们不能认输，我已经找律师朋友帮着看了咱们当时签的不平等条约，他给咱们的工资已经违反了劳动法的基本条例，咱们得告他。”

一时间群情激愤：“对，得告他，不能便宜了他。”

“明天咱们就去找他要钱，然后集体辞职！”

“如果他不给钱，法庭上见。”

佳期一进公司大门就傻眼了。墙上挂着一条白底黑字的条幅，上书“打倒黑心资本家！还我工资！”业务员们分为两派，一派是老业务员和企划部看热闹的，都坐在一边不吭声。一派是在地上静坐的新业务员，头上都扎着白条，苦大仇深。

佳期问：“怎么了这是？干嘛呀？”

企划杨收起了嘻皮笑脸，过来拉她：“还看不出来？嫌没挣着钱，急了。”

佳期不理解：“可签合同的时候谁也没拿枪逼着他们啊。”

业务部主任教训她：“唉你小点声别卷进去。”

刻意与佳期一前一后进来的廖宇也愣住了，为首的老耿叫他：“来，廖宇，加入！”他递了个白布条到廖宇手里。

平时很有主意的廖宇，这会儿也不知该如何是好，毕竟他觉得守礼平时对他还是不错的。

老耿看他迟迟不戴，质问："怎么了？临阵退缩了？"

佳期如梦方醒地看着廖宇，廖宇一脸无可奈何，不知道该怎么跟她解释。

李忠义也进来了，老耿说："李忠义，赶紧过来。"

李忠义含糊了，虽然被公司扣了钱，可是如果一加入他们，就一点钱也拿不着了。他犹豫着："我……我还是再想想。"他正往老业务员那边儿闪，守礼推门进来，看见眼前的情况，稍愣了一下，但绝对没有乱，严厉地问："做什么？不想干了是不是？"

老耿的气焰没有昨天那么嚣张，先来软的："彭总，我们不是不想干了，我们要拿到我们应得的钱。"

守礼很凶："你们应得什么钱？你们一栋房没有卖出去，应得什么钱？"他机灵地拉过李忠义："你们看看忠义，他一下子卖出去三套房，一下子就要挣到三万块钱！"

李忠义想说没那么多已然来不及了，那帮闹事份子"嗡"地一声大乱："李忠义你这个骗子……叛徒……"

守礼大声说："不要吵！如果你们努力，你们都可以像忠义一样，为什么要闹呢？有什么意义呢？"

佳期在这种时候，自觉地走到了守礼身后，守礼回头看看她，目光里充满感谢。

李忠义怕这伙儿人冲自己来，忙说："没有，没有，没有那么多，他骗人！"

闹事的业务员人多势众，呼啦啦把守礼和佳期围在中央。企划杨是"隆业"的老员工，对守礼是有感情的，连忙冲上去："干什么干什么呀？别干这下三滥的事。想闹事啊？"

他要推开与守礼近在咫尺的老耿和为了逃命而冲在最前头的李忠义，李忠义被制住，但老耿急了，抄起一把凳子扔过去，正砸在企划杨头上："你这狗腿子，我操你妈！"

守礼吓坏了，迅速在佳期的掩护下退进总裁室，佳期把门关上，转身冷淡地看着这些业务员，大义凛然地说："有事说事，这么闹没用。"

隔着人群，廖宇看到镇定自若的她，非常惭愧。

血从企划杨头上流出，老业务员一见血，知道急了。老耿没想到演变成流血事件，傻在一旁，闹事分子一时群龙无首，廖宇连忙冲到柜台准备打"110"。

但李忠义这个投机分子以为谁把谁打出血谁就算占上风了，他想在这个时候在闹事分子面前好好表现，手疾眼快先一步蹿过去，把总机一大把复杂的电话总线统统扯掉了。

廖宇再拿起任何一部电话都不通，正要和李忠义理论，总裁室门口的贺佳期脱下一支高跟鞋，攥在手里直冲过来，口中高叫着："我打你丫的——"

不但廖宇吓傻了，被开了瓢的企划杨也吓傻了。所有人都吓傻了。

李忠义没见过这种阵势，吓得撒腿就跑，可是贺佳期追着他又骂又打："我就恨你这种墙头草！"

廖宇赶紧掏出手机报警。那边一帮女同事顾不上私人恩怨，冲上去拦着佳期，一时间现场非常混乱。

没一会儿，一辆110警车拉着警笛开到，几个警察还没有什么作为，闹事的乌合之众就已经老实了。本来也不是什么大奸大恶之徒，被警察一劝，就跟找着说理的人了似的，恨不得痛哭流涕。

那些没什么主见平时只会叽叽喳喳的女业务员终于在这一刻围拢在佳期身旁，有点佩服，也有点忌妒，恨为什么不是自己勇于表现。佳期用脚探着穿高跟鞋，一边还瞪着李忠义。李忠义鬼鬼祟祟地一个人在边上坐着，没人理他，他也不敢往四处看。

守礼不是不惊恐的，一个人在总裁室门口叉着腰东望望西望望，不知道该到哪堆儿人里说话。

警察抬起头来找："这儿谁负责啊？"

守礼过来了，牛哄哄地说："怎么样？我是，兄弟。"

为首的警察看了他几眼："既然我们出警了，也得有个结果。你们怎么着？准备怎么解决？"

守礼一副得理不让人的样子："他们这样胡作非为，甚至酿成流血事件，应该严惩嘛。抓起来！"

企划杨虚弱地劝："算了，彭总，算了，我没事。"

守礼觉得不用见官总是好的，反而来了劲了，一副假仗义的样子："怎么可以就这样算了？"

企划杨连忙站起来，廖宇扶着他："算了，真算了，"一个受了伤的人反而得忙着拉架："看我面子看我面子，彭总，算了，咱们还得接着卖房、营业，跟他们耗不起。"

廖宇回头看了看佳期，他有点不放心她，谁知佳期还在那儿瞪李忠义呢，李忠义在她正义的目光里无所遁形，卑微下去。

守礼觉得得拿谁撒撒气，大叫："李忠义，我现在就让会计部把三万块的佣金给你，你立刻给我消失。"

所有的人，不分派别，包括警察，一听到这个数目字，都把仇恨的目光投向了李忠义。李忠义经受不住这威胁，害怕得双腿颤抖。

守礼看成功转嫁了危机，得意地大踏步走回总裁室。

守礼突然蹲在佳期面前，佳期吓了一跳，脑袋猛往后一仰。

守礼没把廖宇当外人，倒也不避他，深情地注视着佳期的脸："真没想到……你原来对我这样好。"

他离佳期距离太近，佳期稍往前就会贴他脸上，但往后躲又好像对不起这深情的凝视。她眼珠转转，咽了口唾沫，没说话。

守礼有点啧怪地说："当时多危险……他们男孩子都不敢出头，你难道不怕吗？"

佳期尴尬地一笑。守礼觉得这样的笑是表白，他就势把手放在佳期膝头上，一个字一个字地说："我很感动，真的非常非常感动。"

廖宇虽然不感动，但贺佳期的身影也在他心里高大起来。

下班时，每个人临走都不忘了跟佳期打招呼，佳期在"隆业"陡然有了威信，这比守礼升她的职更让她受宠若惊。

廖宇也禁不住要赞美她："真看不出来，你还挺猛的。"

佳期提了提嘴角算是一笑，仿佛小事一桩不值一提。

廖宇继续采访她："你当时是怎么想的？你就不怕李忠义跟你对打吗？你一个女流之辈，也打不过他……看来你对老彭还有点真感情。说实话，我都感动了。"

佳期笑了："感什么动啊？有什么可感动的呀？"

"一个平时性格如此乌涂的人，突然在关键时刻大放异彩，扮演了正义者的角色……"

"你觉得这里边有正义吗？谁正义呀？"

"我怎么知道你是怎么想的。"

佳期突然大煞风景地说："其实，关我屁事呀？"

"说的是呀，那帮女的不都躲在一边吗？你干嘛疯了似地冲出来呀？不怕伤着自己吗？那这不是真感情是什么？"

佳期站住了，用手指点着他："你还真是聪明面孔笨肚肠。就李忠义那样儿，借他仨胆儿，他也不敢还手。"

廖宇愣了："什么意思？你是一早认准了他最㞞？"

"那当然了。我怎么不冲那横的去呀？我也怕人抽我呀！就这种墙头草，敲锣边儿的，其实最好欺负，你一瞪眼，他肯定吓坏了。我只有灭他，安全系数最高，高大形象也就此建立起来了。"

廖宇倒吸一口凉气："贺佳期！我一向觉得你是个糊涂人，怎么说出这么一番精明话来！平时都是扮猪吃老虎呢！原来你竟然如此狡诈！把我都骗过去了，白让我刮目相看。"

佳期按捺不住得意洋洋的笑容："你算什么呀？把你骗过去新鲜吗？我比你大一截子我再骗不了你。"

"可你瞧你，一个女的，都破口大骂了，谁不以为你真急了呢？你把老彭也骗了，把大家都骗了。"

佳期不耐烦地一挥手："我谁都没骗。人是复杂的，性格是多面的。我本来瞧李忠义也不顺眼，今天可能夸张了点……可你甭说，还真挺痛快的……你也学着点。"

"我学不来……从此老彭还不把你引为知己？有情有义，有勇有谋，这公司里谁还敢惹你呀？"

佳期严肃起来：“其实……我就跟你说啊……我不想干了。”

廖宇没听懂：“你说真的？你既然想换工作，为什么还要挺身而出。”

“嗯……心里有鬼呗。觉得将要挺对不起老彭的，还不趁现在对他好点。”

廖宇想了想：“我还是觉得你脑子有点问题，找着好地方就走呗，你又不欠他的。”

“可他对我挺器重的。”

“那是他对你有所图。”

佳期缓缓地说出心里话：“不能这么看。就算有所图，人能图你，说明看得起你。”

“你用得着他看得起吗？”

“你年纪小，我不与你分辩。”

“你就算教教我。”

佳期倒愿意给他分析分析：“你说我，资质如此普通，何德何能，人家能注意我？提拔我？呵护我？”

“倒是把我问住了。”

佳期瞪他一眼：“所以，有人喜欢我，我就应该感谢人家。这叫知遇之恩——要感谢别人喜欢你。”

廖宇不能相信她有闪亮的人格：“就算这人你不喜欢？”

“对。做人就应该有一颗感恩的心。”

“我觉得你被老彭他们台湾人那套洗了脑了，满嘴仁义道德。”

“我跟你说不明白。这么说吧，我不喜欢他，但我喜欢他喜欢我，你懂了吗？这个人，因为喜欢了我，所以变得不那么讨厌了。”

廖宇理了理头绪：“我能不能这么理解——你是想说，你是一个善良的人？”

“靠谱了。”

“可你为什么要自卑呀？你并不是一无是处，你也很值得人喜欢。”

“是吗？你喜欢我吗？”

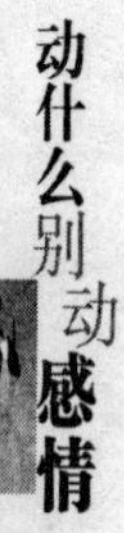

她一句无心的顺嘴的话问愣了廖宇，她倒没觉出来："看，你就不喜欢吧。长得好的不喜欢我，像万征，有了一定经济基础和一盘儿小买卖的，也不喜欢我。可是老彭呢？他有一个几十人的公司，有房有车，有不少女的追他，他喜欢我，这让我陡然上了一个台阶，提醒我不要自己瞧不起自己，我是有价值的，所以我很感动……"

廖宇打断她："不对，哪儿听着不对。他要是对所有的女的都这样呢？"

"他不是"，佳期很自信："今天你也看见了吧，他对我是真心的。"

"那是因为你今天挺身而出！今天之前呢？你在他眼里跟别人有什么区别？"

"今日事今日毕，反正从今天开始，他是真心对我了。你看着，从今天开始，只要我叫他，他肯定第一时间出现。"

看廖宇不相信，佳期马上掏出电话："彭总？我是佳期……你在哪里呀？……啊出来坐坐吗？……啊？"

显然她被守礼拒绝了，声音变得气馁，还要在廖宇面前强撑着："啊没关系，改天吧。"

她放下电话，不敢迎视廖宇讽刺的眼光。

"人就不能太自信。"

佳期解嘲地笑："误伤，我这是误伤自己了。"

"他要是真对你一心一意，你会跟他好吗？"

"那不能够。"

"那你要这些心眼儿有什么用呢？"

"咳，扳倒一个算一个呗。"

"你说，女的出来行走江湖，多少都得出卖点色相吧？"

佳期想了想说："嗯，多少卖点儿。"

"真悲哀。"

"这有什么可悲哀的？有的卖是好的，就怕没的卖。"

佳期到工地去探万征的班。她意识不到，万征又有阵子没骂她了，这让她不适应，所以上门来观察观察，是不是出什么乱子了：“你也不用老在这儿呀，工人有什么不明白的事你再来。”

“我没老在这儿，我老在这儿干嘛呀？”万征自己心里有鬼，当是佳期话里有话。

佳期不信，但也没戳破他。万征听她说了闹事的事，本来漠不关心，但一想苏非非刚买了房，还是警惕起来：“那人家刚买的房怎么办？”

佳期忧心忡忡：“这次业务员闹事，还真是给我提了个醒。”她看着这一排排房子：“他不了解这边儿的人情世故……”

“你还真给他操心，不就是干活拿钱吗？他垮了就回台湾呗。”

佳期不高兴了：“他垮了，我就失业了，你忘了吗？”

“咳，现在哪还有一个工作干一辈子的？人跟人都过不了一辈子。”

佳期的眼里突然闪过一丝狡猾的光，她试探地问：“哎，我问你，咱俩一起干好不好？你公司里不能只你一个人，你看你一出来，公司那边就锁上门没人管了，如果我在，还可以再接别的事儿……”

万征马上断了她的念想：“我现在刚开始干，活儿得一个一个接，稳扎稳打，我不急于求成。”

佳期审视着他的眼睛：“可你弄一个公司，总不仅仅是为了糊口吧？公司总要扩大吧？”她涎着脸开万征觉得一点都不逗的玩笑：“咱们反正迟早要弄夫妻店。”

果然，万征被这话吓着了：“什么跟什么呀？俩人在一块儿干活不好，肯定吵架，咱俩现在就吵得够厉害的了……反正我觉得现在说这个事太远。你要辞职可以，别指望着上我这儿来。”

佳期见说项失败，很恼火：“你也不见得有那么多前女友的活儿可干吧？”

“你怎么正经话说不了两句就原形毕露啊？……我公司现在这么小，你来是大材小用，不过我觉得廖宇还不错，又是学美术的，他要是来还真能帮上我。”

“她还喝吗？”廖宇担忧地问：

大廖说：“最近还行，不怎么喝了。你姥姥和小舅看着她呢……她好像也愿意把身体养养，看看能不能再找个工作。”

“你就不能让她去你们那煤矿吗？”

“不行。那她可去不了。”大廖马上拒绝。

廖宇忿忿：“你就是嫌弃她。”

“胡扯。”待了一会儿，大廖问儿子：“你没跟佳期她们说过你妈的事吧？”

廖宇摇摇头。

“对，别说。”

佳期大大咧咧地进来，一看两人的样子，停在门口：“说事呢？”

大廖满脸堆笑：“没事。佳期有事啊？”

“我找廖宇有点事。”

大廖连忙往外边走：“说吧，说，说。”

佳期这才看着廖宇：“你想换工作吗？”

“我？不是你想换吗？”

“今天万征跟我说，他公司里忙不过来，觉得你肯定能帮上他忙，让我问问你有没有兴趣跟他一起干。”

廖宇有点意外：“你为什么不跟他一起干？”

佳期一脸正经，就跟接下来的话都是她想的似的：“我觉得男女朋友啊、夫妻啊在一起做事不好。”

廖宇审视着她，佳期硬撑着：“真的，会影响感情。”

“我想想吧。老彭对我也不错。”

佳期还是有点顾虑：“你说这次的官司……我觉得赢面不大。”

守礼脸色颓败：“我无所谓。那一点赔款算什么？”他按住胸口：“我只是伤心啊。坦白讲，我对他们，真是毫无保留，把我所学，所会，全部教给他们……怎么就那么在乎钱呢？钱不是问题……”他把腿搭在大班台上，屁股把大班椅扭来扭去，冲着窗玻璃抖着下巴翻着白眼：“如果说花掉这些钱，让我知道谁对我是真心的，也值得了。”

佳期知道他又要煽情了，有点尴尬。果然，守礼说：“你是我最宝贵的。”

他站起来，要往佳期身边凑。佳期正犹豫是不是该窜出去了，总裁室的门突然被推开，这在“隆业”是不被允许的。

守礼正走在半路，很意外地停住脚步：“爸，妈，你们怎么不打招呼就来了？”

来人正是守礼的父母和他鸟语花香的太太，佳期连忙站了起来。

彭太说：“也是路过嘛，打什么招呼呀？”

佳期去倒茶，彭太阻止：“不用了，我们坐一下就走了。”

守礼使唤佳期，做出打发她的样子：“去倒去倒。”

佳期来不及琢磨高不高兴，慌慌张张的出去，又端了托盘进来：“彭爸爸彭妈妈喝茶。”

守礼介绍：“这是我的助理，贺小姐。”又一指彭太，多少有点尴尬：“我太太。”

佳期从来没听守礼提起过他已婚的事，又不好反应过激，向彭太笑：“请喝茶。”

彭太是个厉害角色，只轻蔑地扫了她一眼，说：“我不喝这种茶啦。阿彭，你肯定有私藏吧。”

佳期识时务地退了出去。业务员们正在窃窃私语，廖宇假装倒水，与佳期擦肩而过，偷偷问：“你知道不知道？”

“啊？什么？”

她一装傻，倒显得廖宇多事。

佳期一直以为在与守礼的周旋中，她处于绝对的上风，没想到老东西居然有这一手，她很沮丧。

出租司机突然问：“后边那车怎么老追着我呀？”向后右方一伸大拇指：“那‘奥迪’……是不是追你呢？”

佳期往后一看，可不是守礼正开着‘奥迪’追这辆出租车呢，她的心情顿时起了变化，她惊异地发觉，竟然有点刺激。

“不认识。”

红灯，“奥迪”与出租车平行，守礼摇下车窗，喊她：“佳期，下来呀。”

佳期假装听不见，但守礼不放弃："佳期，佳期。"

佳期只好扭过头去，假装刚看见守礼，连忙摇下车窗："彭总？有事吗？"

"佳期……我们一起吃饭？"

佳期很抱歉："我有事。"

"你去哪儿，我送你。"

"不方便。"

灯变了，守礼仍然跟着。佳期不知道该怎么对付这种看起来有点浪漫的行为，出租司机乐了："行啊这人……妹妹你想理他吗？"

"不想。"

"行咧，坐稳了啊妹妹。"

这个司机是"车油子"，在车流里左钻右钻，速度时快时慢，到了一个不明显的路口，突然打轮左拐。

佳期再从后望镜往后看，守礼因为要强行并线，与本来在左转道行驶的一辆"捷达"撞上了。他沮丧地下车，一边看着佳期绝尘而去。

佳期还没来得及说话，司机乐了："嘿，该吧。"

佳期没笑。

"怎么了？你别告诉我你要下去。"

"我不下去。"

"就是嘛，咱们北京姑娘……该！"

胜利点头哈腰地走进苏非非的工地，对万征说："哎你好你好。"

万征对他挺客气，您您的："您好，您怎么过来了？"

"非姐说……"

万征一听他这么大岁数还管苏非非叫姐，很不顺耳："谁？"

"啊非非……江湖人称非姐你不知道？"

万征对这套江湖口气非常反感，默不作声。

"非姐说今天实在没时间过来，让我替她把钱给你。"胜利从兜里掏出一个信封，万征不情不愿地接过来，还不说话。

胜利谄媚地给万征递烟："你点点。"

"不用。"

胜利抽了一口烟，套瓷："怎么样啊这儿？"一副很会混事的样子："瞧人家非姐，真是，圈里像她这样有文化的主持人还真少，她给我看过你画的那个效果图，漂亮。"

看胜利这样的人冲自己竖大拇哥，万征觉得特糟心："那么回事。"

胜利生怕场面冷清，没话找话："怎么也不家去呀？"

万征一时没反应过来他说什么，想想知道是指佳期，很冷淡："忙啊，这活儿也且完不了。"

"对对对，操心。你还天天在这儿盯着哈？"

这话听在万征耳朵里，怎么都觉着是讽刺，他没搭理。

胜利劈头盖脸地夸着："非姐找你还真是放心，非姐老说你办事特靠谱……"

万征不可思议地看着胜利，而后者生怕万征不信自己胡编的场面话："真的真的，非姐对咱们这些人其实真是一点架子都没有。"

"她凭什么有架子呀？"

胜利一听这话不像善茬儿，愣了一愣，接不上话来，只好掏出电话给苏非非打，一边说一边满脸跑眉毛，看得万征直恶心。

"哎……非姐，我是胜利……送到了送到了……给他了给他了……没问题没问题……不用谢，你也太客气了……行，那早点休息吧，再见。"他转回头来跟万征解释："明儿我们一早出外景。"

"那您赶紧回去吧。"

胜利一步三回头一边招着手极端客气地走了，万征这才给苏非非打电话。

但苏非非竟然关机了，他有点纳闷。

姥姥从医院带回一个沉痛的消息：大夫说她这腿病挺严重，要住院开刀。

这下佳期生气了："本来好好的，非要跟柳奶奶较劲，我看您这腿，就是爬山爬出毛病的。"

姥姥自知理亏，陪笑脸："没有，我腿一直不大好。"

"我劝您还是做手术。"

姥姥害怕："坚决不做。"

"要不给我姥爷打个电话商量商量。"

姥姥一听，气了："凭什么给他打呀？我的腿。再说，他的话哪儿有分量。"

"那咱们家投票，看大家的意见。"

佳音爱张罗这事："我，廖宇，我姐，我爸支持做手术，才智，廖叔，我妈，大姨反对，四对四呀。"

姥姥说："加上我自己，五比四，不做。"

"不能加您，这事不由您拿主意。"

建英说："给爸打个电话叫他回来吧。"

姥姥一把把电话捂住："谁敢给他打？我就不让他知道，让他玩去呗。一跟他说这事，他觉得我求他了，我才不呢。"

佳期在自己家里说话还是有人听的："姥姥，平时我们都不在家，有点什么事姥爷还能帮你，买点东西什么的。"

姥姥却任性地说："得了，他不在家，不给我添麻烦我就烧香了。就让我残废了算了，就让我走不了了算了，就让我……"

廖宇连忙拦住："奶奶您说什么呢？受罪的可是您呀。"

姥姥不反驳廖宇，笑眯眯的："没有，我说着玩呢。"

正玩呢，门铃响了起来。建英说："不是我爸回来了吧？"姥姥眼里掠过一丝惊喜。

守礼诚惶诚恐地拎着礼物："我找贺佳期。"

开门的才智当然闻出这是个有钱人，她一脸诧异却又端庄地冲他笑了笑。

本来一家人四仰八叉熟不拘礼，但因为从没有真切地面对过台湾同胞，不免摆出非常景仰的姿态，连一贯傲慢的建华也有了点笑模样。他们说话都有点拿腔拿调，不难看出傻里傻气是这家人的光荣传统。屋子小人多，可胜利、建英、大廖宁肯站着或者在屋里四处遛达也不肯走。

姥姥说："彭先生太客气了，还要专门来家里看佳期。"

守礼在被尊重的气氛里如鱼得水，谈吐得体："我不是来看佳期，是来看您的。因为听佳期说您的腿不大好，所以我才过来。"

姥姥喜不自胜："是吗？咯咯咯，我好着呢。"

大廖和建英不为什么就在旁边一直点头，像是很洞悉。廖宇和佳期非常不自在，一贯喜欢有钱人的才智倒是很喜欢守礼："彭总在台湾住在哪里啊？"

"永和。"

"是永和豆浆那个永和吗？"

"是。"

"啊，那真有趣。"

守礼问姥姥："老人家，您的腿怎么样呢？有什么需要我帮忙的，尽管告诉我，不要客气。"

"那是。"姥姥亲手削好一个苹果，递给守礼，守礼连忙摆出受宠若惊的样子："谢谢谢谢。"他并不愿意吃，可是又抵不过这热情，拿在手里看了会儿，看见姥姥一直盯着他，只好硬着头皮吃起来。

姥姥又递上水："喝水。"

守礼被她搞得手忙脚乱："啊您不要客气。"

姥姥笑眯眯地坐下，其实是她自己手足无措。

才智又问："彭总到内地几年了？"

"不久，三年。"

"喜欢北京吗？"

"嗯，非常好。"

才智转向廖宇："哎廖宇，你来北京有没有水土不服？"

守礼忙说："廖宇在公司里也是我非常得力的帮手。"

大廖欠欠身。

"您是他的父亲？很好。"

佳期听不下去了："你父母不是来了吗？这么晚还出来。"

守礼这才得着机会与佳期表白："他们明天就走。"

"那您还不回去陪陪他们。"她的本意是想让守礼赶紧走人，但守礼却听出了醋意，他打了个突："呃……"

姥姥插嘴，觉得自己特懂理数："噢你父母来北京了？"

"是的。"

那边厢横竖也插不上话的建华突然说："哟，都十点多了……"

守礼不敢造次，连忙起身："好，那我先告辞了。"

全家人长出一口气，都站了起来。

"不好意思，这么晚，打扰了。"

姥姥说："咳，我们家都闹，且不睡呢……你常来啊。"

等守礼走了，姥姥一把拉过佳期，很兴奋："佳期，你这老板是不是追求你呀？"

建华冷眼看着并不喜欢："妈您甭瞎说，他多大岁数了？跟胜利差不多了。"

"是吗？"姥姥问佳期："他多大？"

佳期冷淡地说："不知道，不打听，不关心。"

佳音倒是赞赏守礼的诚意："行啊姐，白热化了，他还真有点胆色，自己就摸上来了。"

廖宇笑："他肯定是急了，怕你以后不理他了。"

佳期发牢骚："这人怎么回事呀？弄得大家都尴尬。"

"姐，你不是说过要感谢每个喜欢自己的人吗？怎么到他这儿你就不谢了。"

廖宇也说："就因为他结婚了？结婚了的人也有感情啊，喜欢你也是喜欢啊。"

佳期在这个事上是非常有原则的："我认为在婚的人没资格追求别人，先把自己拎拎清再出来混。"

"你这属于歧视已婚人士。"

"我坚定维护社会的安定团结还有错吗？"

佳音说："没错。不过我觉得是这人讨厌，要是一个不讨厌的已婚的人追你，你会不会动心？”

“不会。将心比心。如果你将来结婚了，你老公四处勾三搭四的，你受得了吗？所以，己所不欲勿施于人。”

佳音摇头：“我不这么想。我觉得要是俩人感情不好……你不是说了吗？苍蝇不叮没缝的蛋，不是便宜了这苍蝇，也是便宜那苍蝇。”

廖宇每听到这话都要吐吐舌头，问佳期：“那你打算怎么办呢？以后怎么面对他？他这已经很明显地表示心意了。”

佳音使坏：“我要是你，我就大大方方告诉万征，让他也着着急。”

“可他真不着急啊。”

“那你觉得你能把老彭和他媳妇搅和黄了吗？”

佳期正色：“我干不出那种禽兽不如的事，我怕遭报应。”

“可你没干这种事，为什么现在还遭这报应啊？苏非非为什么搅和你和万征呀？”

“也不能这么说，”佳期说：“她可能就像你说的，是某只苍蝇罢了。我们一辈子也许会遇见很多只苍蝇。”

“我可受不了这个。此处不留爷，自有留爷处，要是处处不养爷，才把爷难住。”贺佳音拍案而起。

每次苏非非录节目之前，佳音都要提前一个小时到她楼下等。苏非非从来也没招待过佳音到她家去坐。佳音听从前辈的教导，艺人和助理是不会成为真正的朋友的。

她百无聊赖在地花园里踢石子玩，石子跑到哪儿，她跟到哪儿。她跟着石子来到一辆车边上，抬眼看看，是辆常见的“银富”，并没往心里去，低头接着拿脚够落在车底的石子。

但低下头的片刻她突然觉得车里这人有点眼熟。

万征并没看见她，而是像个思春的少男一样，趴在方向盘上，呆呆地望着楼上苏非非的窗口。佳音想要拿这人逗逗，拍拍车门。万征看见是她，不能置之不理，放下车窗微笑。

车窗一摇下来，佳音听到扑面而来的怨曲儿，她流里流气地问：“吗呢？”

“没事，我要跟苏非非说个事。”万征指着楼上。

“干嘛不上去呀？”

“你怎么不上去呀？”

“她不让我上。她从来也没让我上过她们家，就是在楼下等。腕儿大呗。”

万征没想到苏非非有这么多“腕儿”的脾气和气势，结巴起来：“是……是吗？”

佳音看他紧张，明白过来：“你千万别告诉我你也不知道她们家住哪儿啊？”

万征被她说中，反倒坦然了：“我不知道，我就是……”

佳音不信：“你们俩那么好……她都不请你去她们家坐坐？”

“还得跟她父母客套，麻烦……”

万征在说一些自己都不信的话的时候，总是很客气地陪着笑，像是非常体谅自己，在对着自己理解地笑。

佳音反问：“谁说她父母住这儿？”

万征大惊，明白过来苏非非以前是搪塞自个儿呢，但在贺佳音面前露底不免难看，只好假装无事：“我猜的。”

机灵如佳音，马上明白怎么回事。她很乐于传闲话：“她父母住方庄，我去送过东西。”说完，仔细看着万征的反应，突然看见他的车后座上放着一大束黄玫瑰。

万征顺着佳音的眼神知道她看到了什么，脸已经红透了，他强自镇定：“那什么我先走了，你待会儿见着让她给我打个电话。”

“别走啊，她这就下来……哎你今天这花自己送啦？”她一点不见外地戳破万征怕给她知道的事，万征慌了，联想到佳期也可能洞悉自己的所作所为，实在待不下去。正掰扯着，有个长了一副导演脸的大胡子从楼道里出来。佳音觉得那人眼熟，倒也没往心里去。

趁她接电话，万征把车开走了。

“啊我在呢……啊？你看见他了？……他走了……行。”佳音看着万征的车居然有种落荒而逃的架势。

苏非非下楼，不耐烦地开车门，昨晚上恐怕没睡好，她没化妆的样子也就像个中年妇女。她唠叨着：“这人真烦。”极力想把自己择出去：“他说干嘛来了吗？”

“没说。看见我就跑了。”

“他跟你姐怎么样了？”

“不知道，我姐不爱说她跟万征的事。”

苏非非叹口气：“他要老这样，你姐该误会我了……这算怎么回事啊？”

“我们是不是有误会？”守礼追问佳期：“你昨天不来上班，是不是因为对彭总有意见？”

佳期反问：“为什么？”

守礼说话的声音渐渐低了下去：“因为彭总已经结婚的事，并没有告诉你。”

佳期笑了，她现在已经不大尊重他了：“您结不结婚跟我没什么关系。我不歧视已婚的人。”

守礼也掌握了一套与佳期这种装傻充愣的人对话的方式。他绕过这种障碍直问主题：“你会不会觉得，彭总已经结婚的人，不应该追求你？”

佳期用外交辞令：“我对没有成为既成事实的事不作评论。”看守礼不懂，她解释：“我是说，我也没打算接受您的追求，所以您结没结婚对我没影响。”

守礼长叹一声，颓然坐回自己的大班椅：“也好，其实我也不想追求你了。”他搓搓自己的老脸，阳光下头发已经花白，疲态毕露：“好累……”但他仍然苍白地拍着胸脯，以示余威尚在：“最近发生这么多事，我更加明白：女人，彭总想多少有多少，但是，知己难求，人生总是这样子的，我们应该是一辈子的朋友……我昨天回去也想了很久，我不想因为那种浅层次的纠缠而失去你这个宝贵的朋友。”

贺佳期也不想跟他做朋友，所以很沉默。守礼以为她的沉默是对自己不再追求的不满：“你不要难过，其实在我的标准里，朋友比女人重要得多。”

他走到她的对面，蹲下，伸出双手握住她的，专注地凝视她的眼睛："真的，你在我这里，是朋友。朋友是用心交的。"他指指自己的心，又指指佳期的心，显得过于真诚了："你不会是失望了吧？"

佳期是有点失望，一个男的当面儿说不再追你了，换哪个女的都会失望。虽然她掩饰不住失望，但嘴上是不服输的："我觉得解脱了。"

两人和解似地笑了。守礼想了想，摆出一个我可以抱你吗的姿势，佳期想了想，伸出双手，发出你可以抱我的邀约。

她终于在他的拥抱里，抛离了从前时常出现的不安全感。两个人甚至还友好地互相拍了拍背。

苏非非的节目在台里新一季收视调查中排行第一，整组人不分高低贵贱弹冠相庆，盛大聚餐。

胜利又有新变化，下巴上精心蓄起了一撮奇怪的胡子，方方正正，很是滑稽。但他认为这是向自己心目中的圈里人形象又迈进了一步，他乐呵呵地冲非非伸大拇指："真高兴，非姐，收视冠军啊！"

苏非非心里是照单全收了，但表面上还得客气两句："也不是我一个人的功劳，还得靠大家。"

胜利倒了杯酒，想要敬苏非非，站起来，旁边有人批评他："干嘛呢胜利？导演还没来呢。"

"啊对对对对对。"胜利连忙坐下了。

佳音看了父亲一眼，觉得丢人。她低头轻声问父亲："您下巴上那是什么呀？是叫胡子吗？"

胜利的脸"噌"就红了。虽然他以圈里人的标准严格要求自己，但被人质疑还是非常承受不住的："废话，当然是了。"

"胡子为什么那么长啊？"

胜利瞪了自己的女儿一眼，小声申辩："酷。"

佳音冷笑，拿了根牙签开始剔牙。

胜利莫名其妙地问："干嘛呢？还没吃呢就剔牙？"

"已经饱了。"

突然间，所有人都站了起来，冲向刚进包间的一个人。有帮着挂外套的，有帮着拿包的，一时间这人外面包围了很多人，佳音也看不清楚来者何人，想问胜利，旁边已不见踪影。原来人堆里最热情巴结的那个是自己的父亲。

佳音莫名其妙地四下看了看，只有自己和苏非非一动没动。苏非非似笑非笑，表情暧昧得像个女主人。

来人好不容易坐定，一照面，佳音就愣了，因为这就是早上她在苏非非家楼下碰见的大胡子。

胜利谄媚地替该人拉完凳子，才转了一个圈回到自己位子上斜肩谄笑："就等您了，盼星星盼月亮似的。"

佳音小声问她爸爸："这人谁呀？"

胜利不可置信地看她一眼，连忙热情地朗声介绍："还没见过啊？……导演，这是非姐的助理佳音。这是咱们大名鼎鼎的秦导演啊。"

佳音作天真状冲秦导演点个头。秦导演一乐，大胡子里咧出个像嘴的东西，一嘴四环素牙。

胜利得意洋洋地开着组里的车，前挡风玻璃贴着"超级明星脸"的牌子，他心里觉得这比军牌可不次。

看他喝得上脸，佳音批评："爸你这人怎么这么不自觉呀？你喝这么多，待会儿要是遇见警察怎么办？"

"警察一般不查咱剧组的车……"胜利强调着"剧组"。

"再说咱电视台的人，有道。"

佳音撇撇嘴问："那导演多大呀？"

"我估计，跟我差不多吧。"

"不可能，也就三十出头……反正肯定比苏非非小。"

"不可能！那得多老啊长得？"

"您就不观察细节！您没看见他那一口牙？嚼过碎玻璃似的？那种四环素牙的人，都是生于七十年代。"

胜利琢磨："不会吧？……那可真是年轻有为。咱们这导演……"

佳音没功夫听他废话："那苏非非得比他大啊，这属于姐弟恋啊。"

胜利的手突然一扭，车在马路上晃了一下。佳音猝不及防，尖叫一声："干嘛呢您？"

"你说什么呢？谁跟谁恋呀？"

"四环素牙跟苏非非呀？！您看不出来呀？！"佳音觉得这是明摆着的事呀。

"别胡说，秦导的闺女都两岁了。再说人非姐是单身。非姐跟我说过，她喜欢单身的生活。"

佳音心明眼亮："单身也可以有男朋友啊？二奶也是单身啊。单身只是一种状态……单身？她倒想不单身呢？有时候单身是因为她不得不单身。"

胜利不能接受这种大胆的假设，他激烈地替苏非非否认着："胡说！非姐是'海归'，人家生活状态比较前卫。"

"拉倒吧。我不同意管不正经叫前卫。"

胜利"吱"地一声把车停在路边，看着父亲憋气的脸，佳音以为他内急："走肾了吧？"

胜利脸憋得通红，呵斥道："你不能小小年纪就心态这么不好，我得跟你谈谈。"

佳音愣住了，看着父亲下巴上那块小方胡子，说出了她姐常挂在嘴边的冠冕堂皇的话："我心态怎么不好了？我捍卫传统价值观怎么不好了？再说您犯得上为她教育我吗？"

胜利也觉得刚才自己有点失态，以沉默表示着自己的不愉快，重新开车。还没走多远，看见马路边有警察查车。胜利先自慌了，嘴里念叨："糟了糟了糟了。"

警察伸了一下手，胜利把车停下，慌慌张张地找本儿，下车，"咣"一声关上门。佳音探头看着父亲点头哈腰地冲警察敬礼，很会来事似的。

建华劈头盖脸怒斥贺胜利的时候，大家一般不敢吱声。

"……你照照镜子，瞧瞧自己是个什么鬼样子！你是不是真觉得自己是个人物了？奇形怪状招摇过市……"

胜利陪着笑："这就刮了，行了吧？"

建华不依不饶："不行。你必须说清楚你为什么要弄成这样鬼样子！"

"什么叫鬼样子啊？就是好玩呗。"

"不对。我跟你过了半辈子了，你一撅屁股拉什么屎我还不知道？……"

胜利要面子："哎哎哎，人民教师用文明语言。"

"文明是对等的，对文明人才需要文明语言。我对你要是文明，我怕你听不懂。"

佳期这些小辈忍不住要笑了，建英打圆场："那胡子挺有个性的，不难看。"

大廖也说："对对，其实挺好的。"

建华不爱听了："挺好的？大廖，那你怎么不留一个啊？"

廖宇也觉得父亲趟这浑水是不识时务。

建华又骂胜利："好不当眼的玩这种花活儿，甭问，动坏心眼儿呢。动物什么时候对自己的外表花心思？求偶的时候……"

胜利想要辩解，建华根本不给他说话的机会："……人也一样！想要不安于室的时候，想要红杏出墙的时候，想要吸引人注意的时候！今天大伙都在呢，你说说，你到底想吸引谁的注意啊？"

姥姥狠狠地瞪着胜利。因为姥爷的事，她最近很仇恨不安分的男性："对，你说说吧。"

胜利很难堪："别呀妈，您也跟着建华闹，孩子们都在这儿呢。"

姥姥犯混："咱们家孩子都成人了，没什么听不得的。"

胜利急得左右顾盼，可是确实没什么人能再帮他说话了。

姥姥连名带姓地叫着："贺胜利你老实点。虽然轰走了一个，可我觉得咱们家这歪风邪气一直还在呢。"

"哎哟冤死我了。我真是觉得好玩。"

建英笑着为他开脱："胜利赶紧刮了去吧。"

大廖妇唱夫随："就是，我看胜利就是想吸引建华注意呢。"

建华想说还不够注意他吗，又觉得跌份，埋怨建英："我早就觉得那郭勇不是个东西，连带着也想把胜利往沟里带。”

这话本来跟建英没关系，但她是忿恨地冲着建英说的，令建英颇感委屈，在上一段婚姻里，她也是受害者。她受不了妹妹一杆子扫落一船人，拒绝再张嘴。大廖不方便批评前任，也不说话了。

廖宇并不知道他们说的是谁，小声问佳期：“郭勇是谁呀？”话声虽小，大家还是听见了，气氛更加难堪。

胜利为妻姐不平，当然，也是找个茬儿为自己泄愤，但一开头还是不敢硬来，笑着说：“一码归一码，你说人家郭勇干嘛呀？我就是吸引你注意呢。”

才智为自己的妈出气，躲在杯子后面冲着天说话：“自打您进了电视台，我姨还不够注意您吗？”

胜利说：“算了吧。咱们家呀，男的就是弱势群体……”

建华更生气了：“哟，你还阴阳怪气？”

胜利的忍耐也是有限度的：“对呀，你说，我们弱势群体的时候，你们呲达我们，我们弱势群体想努力不弱势了，你们还不适应。就得我们一边儿经济上摆脱弱势，精神上还保持弱势才行啊？”话说到后来，听得出来已经强硬起来了。

建华没料到胜利说出这样不服管的话：“我发现这男的要是兜里有俩臭钱，真是不知道自己的份量了。好，贺胜利，你就这样下去吧，我倒要看看你能在错误的道路上走多远。”

胜利替自己鸣不平：“留个胡子多大的事，怎么就联系到道德领域去了？建华你也太小题大做了，你要不喜欢，我刮了就得了。我就说这事……”

姥姥来劲了：“这事没完！现在我是不敢叫陈倚生回来，叫回来也得让胜利给带坏了！”

才智听不得有人说有钱不好：“这我倒不同意。有钱不是有罪，没钱的还有没钱的毛病呢。如此相比，我更喜欢那有钱的毛病。”她理直气壮地打落四面八方射来的惊讶的目光：“看我干嘛？”

姥姥问：“怎么说出这么没志气的话？”

“人穷志短。等我有钱了，就只说有志气的话了。”

佳期出来打镲：“不过爸，你这胡子确实不好看，赶紧刮了吧。只有没自信的人和三流演员才靠这种鸡零狗碎搏出位呢。”

小柳在一间酒吧外给时尚杂志拍照，搔首弄姿作想象中的有气质状。

小李美刀来接她，小柳看见，倒是高兴，用眼神打个招呼。

旁边有个文字记者，连忙上来寒暄：“哎来了。你们俩一块儿照几张吧？”

美刀客气：“不了不了，照她就行了，我又不靠姿色混饭。”

小柳强笑着反驳：“你休要说这等话，好似我们女作家就是靠姿色混饭的。”

“那哪儿能呢？那不早就饿死了？你们是靠隐私混饭的。”

胜利去交通队取被扣的面包车了。苏非非和佳音去吃饭的时候，意外地发现今天的雨刷器上竟然没有插上黄玫瑰。佳音觉得新鲜：“哟，今天怎么没有了？”

苏非非笑：“是啊，还挺不习惯。看来这人今天心情不好。”

佳音特聪明地说：“要么就是这人今天没来。”

“今天咱们组有人没来吗？”

佳音想了会儿，突然大惊失色看向苏非非，苏非非也正大惊失色地看着她。

回家路上，佳音一直搭拉着脸。胜利现在学会不主动跟自己家的女的说话，也沉默了一路。

终于还是佳音忍不住：“我问您个事，您可得老实回答。您是不是干了什么不可告人的事了？”

胜利纳闷：“你还不知道你爸吗？什么时候干过出格的事啊。”

佳音诡秘地看着他：“没干不等于脑子里没想。你是不是喜欢苏非非呀？”

胜利的脸上的红晕开始蔓延：“说什么呢？”

佳音指着她爸："是吧？我没说错吧？"

"胡说。"

"嘴里不承认没用！你脸红什么？"

"你疯了吧？"

"谁疯了谁知道。苏非非那车上每天的花是怎么回事？"

胜利结巴了："什么花儿呀？我哪儿知道啊？"

佳音的声音里都带哭腔了："您也太丢人了！您就是喜欢她，也自己买花呀。

干嘛拣人扔的花送啊！"

胜利非常颓废，趴在了方向盘上，方向盘突然发出很响的一声，把他吓得又抬起了头。

万征刚把车停好，就看见佳期从马路牙子上站起来，扔掉正抽着的烟。

他看不惯："你怎么来了？"

"好几天没见了，我来看看你。"看万征没说话，她连忙打蛇随棍上，歪着脑袋撒娇："行吗？"

万征严肃地说："下次你提前给我打个招呼。"

"哟，还挺心疼我。真心疼我给我配付钥匙啊。"她很期望万征一口应承，但万征却说："我觉得文明人是不做不速之客的。"

佳期想从万征脸上找出开玩笑的痕迹，但使半天劲也找不到。

"你这样不打招呼就来，是对我隐私的侵犯。"

佳期的脸绿了："万征，我侵犯你隐私？我难道不是你隐私的一部分吗？"

进了家，佳期问："苏非非那活儿怎么样了？为什么你给她装修，比那会儿给我们公司干还起早贪黑呀？"

"我对所有的活儿都认真。都是我的衣食父母，你，她，都是，一视同仁。"

佳期讽刺地笑："我真得谢谢你把我跟她同了。"她刚才遭了灭，心里窝的火忍不住地要撒出来。自打当了总裁助理，受到守礼的追求，她自己都没发觉她比以前强硬了：“你是一边想着怎么装，一边想着装好了怎么一块儿住呢吧？”

万征马上翻脸：“你就是改不了的小市民气，脑子里整天在想什么啊？”

佳期非常气人：“想你所想啊。”

“你瞧瞧你，你浑身上下哪一点像个女朋友啊？我整天忙成这样，你还打着关心和探望的旗号来冷嘲热讽，你怎么就这么不懂事啊？”

“我不是什么事都懂。比如我就不懂你现在还天天给她送花是怎么回事？算是回扣吗？你给我回扣的时候为什么不给花而是直接折现啊？”

万征在这事儿上死活是不占理的，他颓了一会儿，仍然用振振有词的态度回应：“投其所好呗。你喜欢钱，我就给你钱。她喜欢花，我就给她花。”

佳期嚷道：“我也喜欢花！”

万征不予理睬，点烟喝茶，忙自己的。

“我还喜欢你！你怎么不送啊？”

万征说：“你一来我就不得安生。男女在一块儿，是互相添堵的吗？我是给她送花了，但是我没什么可跟你解释的，我做任何事也不需要向任何人解释。你还少来兴师问罪，我这人就这样，独惯了，我不认为人干什么事都要有目的。”

佳期听不懂，她的善解人意一到万征这儿就短路：“你有目的也没办法。她会再和你好吗？”

“她和我好不好是她的事。你不是也这样吗？你只对我所谓的好，并不管我对你好不好。小贺，我觉得两个人在一起，都要给对方留出足够的空间，我对你就不会贴身紧逼，你也不要对我这样，这样的感情才有可能长久。谁也不是谁的什么东西，都是人，感情复杂，不能一两句说得清楚。比如我对苏非非，我自己也说不清楚。但不管怎么样，现在我们在一起。这不是你想的吗？你还有什么不满足？”

佳期死活是想不明白：“为什么你的逻辑和正常人不一样？”

万征轻蔑：“我没什么不一样，是你少见多怪。”

“如果我们在一起，你并不快乐，我也快乐不起来。那又何必在乎在一起这种形式？”

万征得了理了：“你不就追求形式吗？你说我跟你说多少次分手了？是你不分啊。我并不想拖累你，你应该去找那种跟你有共识的人，那种把结婚当成一辈子最大的事的人。我不是，我觉得比结婚重要的事多了。”

佳期大惊：“以前你不是这样说的。我们刚在一起的时候，你可不是没说过结婚以后怎么怎么样。”

“人是会变的，我现在不想结婚了。”

“你什么意思？你是说你不想跟我结婚了，还是你就是不想结婚了，任谁都不想？”

“任谁都不想。”

“我不信！”佳期歇斯底里的劲又上来了：“你太过分了！你在跟我交往的过程里变成了不想结婚，不就是说因为我不好，令你对天下女性失去了信心，对婚姻失去了信心吗？”

“我没这么说。你又曲解我的话了，你好像就喜欢曲解我。”

贺佳期哇哇大哭，这打击太大了。她觉得自己丢尽了天下女性的脸。

万征告诉自己视而不见视而不见视而不见，绝不能心软：“并不是因为你，是因为我自己，我自己的变化。只是不幸这个变化的过程让你赶上了。你别误会。”

他重新坐回她身边，真诚地说：“我就是这样一个人。”

在万征那儿弄一大窝脖儿，贺佳期出了门惯性决定——再一次忍了。回家跟佳音一学，佳音急了：“他那套歪理就你听！他到底也没解释他为什么要送花给苏非非呀？”

“他说他没什么可解释的。”

“因为他解释不了！”佳音觉得她姐真是够缺的——反正也急了，那就急出一结果呀。

“一男的天天给一女的送花是什么意思？傻子也知道啊。”

“我不想问，你也别告诉我。”

佳音冷笑：“我倒成了挑拨离间的小人了。那好，我倒要看看你跟万征怎么天长地久理解万岁。”

佳音摔门而出。佳期追到客厅，看她已经冲出去了，正在看电视的廖宇莫名其妙地看着她。她有点尴尬，搭话：“你听见什么了？”

廖宇摇摇头：“为什么就不能分手呢？”

“嗨——”，佳期索性坐下跟他说说：“我一想到生活要重新开始，就要崩溃。”

廖宇不同意这种说法：“难道在他之前，你就没有分过手吗？”

“都是我分别人，还没被别人分过。”

旁观者清，廖宇马上就明白了：“那你不是爱他，是自尊心承受不住。”

“不是不是。我也想过这问题，是不是因为下不来台，所以才不愿意分手。但其实不是。我今年就要二十七岁了……一个女的，以二十七岁高龄还要在感情路上跌倒重来，任务太艰巨了。我是懒人，懒得分手。”

“怕变化，听起来是懒，其实还是没有勇气——你怎么不懒得结婚呀？结婚也是生活起变化呀。”

佳期还真没这么想过，廖宇的逆向思维让她开眼界：“你这孩子看着小，其实什么也瞒不过呀。”

廖宇讳莫如深地说：“基本上，女性所有的典型缺陷都可以在你身上找到。虚荣啊……”

“喂，我以为你想安慰我。”

“忠言逆耳利于行，想听好话去找老彭啊……你一方面要求万征对你专一，另一方面又跟老彭眉来眼去，将心比心，人万征反正没说你什么。”

“我跟老彭是非常纯粹的工作关系。”

廖宇可不是那么好糊弄的：“那为什么你知道老彭有老婆以后气成那样？连班都不上了？平时嚷着不在乎，关键时刻的气急败坏把自己都吓一跳吧？”

“我只是觉得他要是追我就应该在单身的情况下追，哪儿能说有主儿了还要追别人？我生的是这个气，气的是他一直隐瞒已婚身份。”

“他也可以了，居然还跑到家里来向你道歉。有男的对你这么重视过吗甭管已婚的未婚的？”廖宇问：“你现在对老彭什么态度？”

“没有态度。他后来找我恳谈了一次，说大家还是朋友。”

廖宇还是比较了解贺佳期的：“你不会一听他说是朋友，若有所失吧？”

佳期在他的逼视下不好意思不说真话：“坦白地说，有一点。”

佳期看见守礼从一辆“桑塔纳”上下来，纳闷地迎上去：“彭总早……怎么开‘桑塔纳’呢？噢……”她恍然大悟，非常不好意思地说：“都是我不好，上次累你撞了车。还没修好呢？”

守礼躲躲闪闪的：“啊对啊。”

“……连车都卖了，我看这公司也快关门了。”洗手间里，两个女业务员在聊天。

“不是说他是为了追贺佳期，把‘奥迪’给撞报废了才开的‘桑塔纳’吗？”

“你还真爱信，贺佳期长俩脑袋呀？……我跟你说你别告诉别人啊……开发商那边李总，以前老彭带我跟他吃过饭的，那人以前就是一著名的骗子，也就老彭这外地来的不知道。我听说，咱们‘京东豪庭’这个案子五证都不齐。”

“真的假的？你别胡说。”

“真的，真的真的，那人以前就做黄过好几个案子。老彭对内地的房地产业根本就是水土不服，分分钟让人搁这儿。”

“那咱们也得想辙赶紧撤。”

两人撤出洗手间，隔板里的贺佳期才小心地按下冲水钮，心事重重地溜了出来。

她琢磨着探探口风，到总裁室敲敲门，假说给老彭倒茶。守礼正在电话上大发雷霆：“李哥，我阿彭待你怎么样？……对啊，没有话说，你不能害我啊……”

他自始至终瞪着铜铃似的眼睛，也自然瞪到了佳期身上。佳期连忙退了出去。

过了一会儿，他满脸怒气地从总裁室里摔门而出，问：“佳期哩？”

“说头疼，先走了。”

老彭更生气了，骂骂咧咧的：“都没吃饱饭吗？一个个坐没坐相！”

他大步流星地走了出去，大厅里的人面面相觑。

“我跟佳期天天吵架，烦了。”

苏非非一愣，只不作声。万征连忙说：“你不用有压力，不是因为你。是因为我自己，我们俩说过很多次分手。”

“你们这是要花枪呢，”苏非非一听事不关己，就开始说风凉话：“要是老说分手，就不叫分手，叫调情了。她怎么说？”

“没说什么。她就是这样，什么都不说，抗打击能力太强了，简直就是一打不死的铁人，过一阵儿又什么事都没发生似的笑嘻嘻地来了。”万征说得自己都颓了。

苏非非站着说话不腰疼：“我觉得她挺好的，家庭型的，肯定能照顾你。”

“她还知道我送花给你。”

苏非非想起来：“对了，我正想跟你说呢，你别送了。”

“怎么了？我乐意。”

“你不懂，被人喜欢虽然是好事，可是有的人喜欢你，真给你添堵。”

“什么意思啊？”万征多心了：“你是说我呢吧？”

苏非非大睁着眼睛：“当然不是。”

“是谁呀？”

苏非非冷冷一笑：“你女朋友她爸。”

这句话让万征消化了半天，大怒：“我早就觉得那人不靠谱！……你真没弄错？”

苏非非一副很受侮辱的样子：“前一阵儿我的雨刷器上老放朵花，给我吓坏了，后来才知道是他。他送我花干什么？难道还想我跟他怎么样吗？他倒真没门户之见。而且他送的花，都是从你的花上折下来的，你说这是什么人啊？”

万征咬着后槽牙，从牙缝里吐出了一句话："一个人不靠谱不难，难的是一家子都不靠谱。"

佳期从公共汽车上下来，一通抻胳膊踢腿拧脖子："我是岁数大了，真挤不了这种公共交通工具。"

廖宇十分不齿："我就看不得一般劳动妇女兜里稍有俩臭钱就嫌坐地铁失身份。"

相处的时间也长了，佳期自然而然地让着他："你年轻，你不懂，我原谅你。我要是像你这么大，也愿意挤地铁。现在上岁数了吧，一到人多空气不流通的地方就头晕，恶心，想吐。"

"你有多大岁数？"廖宇觉得好笑。

佳期自说自话："所以你说，人不挣钱行吗？我上中学的时候，老师问我们将来的理想，我说我将来的理想就是天天出门我就打车——！"她把"打车"俩字拖着长音，说得十分夸张。

廖宇被逗笑了："原来你不是装傻，是真傻。"

"我找男朋友的基本条件就是有车，而且排气量 1.0 以上，白天也能上长安街……"

廖宇抢白："所以活得那么没尊严，始终不能在感情生活中变成强势一方。"

"我也就是照顾你，你干嘛不愿意搭我的顺风车？"

"你不觉得堵车吗？比坐地铁更慢。再说我又没逼着你跟我一块儿走，你干嘛要跟我一块儿走？令我失去了多少在地铁上跟美女搭讪的机会？"

"你是说那些美女一看见我就知难而退了？"佳期嘻皮笑脸地问。

"我是说她们肯定认为我品味有问题。"

佳期心里有高兴事装着，不与他计较："反正也耽误不了你几天了，我准备跳槽了。"

"真的假的？去哪儿啊？"

"欧亚广告，我昨天去面试了。"

"他们能看上你吗？"

“基本上吧，昨天聊得很愉快。”

廖宇露出羡慕之情：“我的理想就是能进‘欧亚’。”

“你没戏，你学历不够。”

“是啊。”廖宇有点颓：“可是你准备怎么跟老彭说？”

“可说呢，我也正琢磨呢。”

“要是我，说什么也得走，撕破脸也得走。”

“隆业”又搞SP促销，样板间前停着很多车，客户们正从上面下来，佳期臊眉搭眼地混在里面招呼。

车前的景象更是让人匪夷所思，两个舞狮正在客户脚下摇尾乞怜。

客户入座，守礼走到写着“美人美宅美景人生”的条幅下，宣布弦乐四重奏表演开始，可所有人都心不在焉地在瞟着桌上的自助餐。

廖宇问：“这都什么跟什么呀？舞狮完了听四重奏，谁出的这馊主意呀？”

佳期推得一干二净：“不关我的事，他们PUSH出来的。”

“这帮人有几个是真客户？真客户连个车都没有？还得坐咱们的大巴？我看多半是别的公司来做‘市调’的，反正白吃白喝管接管送，还有精美礼品，谁不来呀？吃完一抹嘴说没看上这房子不就完了？”

佳期叹口气：“人气人气，主要是图个人气。所有的公司都这样，不让咱们的业务员自己装客户就够可以了。我还担心没人来呢。”她心不在焉地瞟着远处万征的“银富”。

弦乐四重奏余音尚在，真假客户甩开腮帮子撩起后槽牙一拥而上。有些人谁都能看出不是客户，长得寒碜打扮寒酸，几天没吃过饭似的。业务员们还要毕恭毕敬地为他们服务。

守礼竟然对这活动感到很得意，新郎官似地穿梭在人堆里与客户们干杯，满脸通红，脚步踉跄。他摇晃着到苏非非的房子里，死说活说一通生拉硬拽把万征请来，一路还大力拍万征的肩：“兄弟！怎么样兄弟？”

“不错，挺好。”万征胡乱应付他。

“是嘛，我彭总做房地产，没话讲！你那边快完工了吧？”守礼不拿自己当外人：“忙完了别人的事，也要忙自己的事了。”他生怕万征不明白似地会心一笑："和佳期，什么时候好事近啊？"

佳期一脸不自在，廖宇干脆走远点。

"佳期是我的小妹，你一定要对她好。"守礼紧紧地搂着佳期肩膀："佳期，小妹，跟大哥干一杯。我觉得这个人啊，哈哈，"他用另一支手指着万征："要是不对你好，基本上一无是处。他对你好，才是他存在的价值。"

看万征脸色铁青，佳期巴结地说："我要换工作了。"

"何必用这种说辞把自己择清呢？"万征还在生守礼的气。

"我确实是要换工作，我已经去'欧亚'面试了。"

"换呗。"

"你给我点意见。"佳期扮无知少女。

"不是弱智的人都会去'欧亚'吧，还用什么意见？"

佳期嘟囔："你这是什么态度？回回好像我上赶着你似的。"

"你不是吗？"

佳期觉得自己都快进欧亚了，也算半个成功人士，脾气怎么也得涨涨，不过她还拿捏不好涨幅："我实在找不出理由再忍你了啊——你觉得我怕分手吗？分手没有问题，但你必须要承认是你移情别恋，是你辜负了我。"

万征觉得这都叫扯淡："承认这个有什么意义吗？就能说明你特别无辜特别纯情吗？你还不是一个虚荣的女性？你干嘛不坐公司的'红叶'，非要坐我的车回城？"

佳期刚要反驳，万征又说："瞧不起'红叶'，上赶着'富康'，拼命想过好日子的虚荣女性。"

佳期自以为掌握万征的痛脚："你不是也身在'银富'心系'宝马'吗？"

"我？哼哼，那也比身在'红叶'心系'宝马'档次高点吧。"

佳期一愣："你说谁？"

"谁开'红叶'呢？"

胜利笑着否认："什么呀？谁说的呀？"

佳音在一边拱火："我作证，这事是真的。"

虽然佳期懂得尊老爱幼，可这回面对胜利，她怎么努劲也尊不起来："您让我太失望了。"

佳音敲锣边："就是，什么品味？"

胜利死不承认："没有！你告诉我谁说的。"

"苏非非说的。"

这是给胜利的迎头痛击。一想到整天对他笑眯眯的非姐背地里不定说了些什么难听话，他突然觉得天旋地转。

"您还想听她的评价吗？您怎么能这样？您怎么能追求我男朋友以前的女朋友？您让我以后在他面前怎么抬得起头？您都快五十岁的人了！我妈会怎么想？"

胜利服软了："别介，何必呢。"

佳音一副恍然大悟的样子："怪不得人说男的有钱就变坏，话是俗点，但俗话尽是真理。"

"你们不能这样说我，这是对你爸爸的正确态度吗？"胜利在道理上无法战胜女儿，妄图凭天然的社会关系震慑对方。

"您还要求态度哪？我命令你马上辞职，不要再在你所谓的圈里混了。"

佳音也威胁她爸："要不然我妈知道了，我们可不替你说话。"

"哎呀，瞧你们俩。"胜利虽然还陪着笑，但那笑容已经扭曲了。

"你知道万征用什么口气说起您的？您怎么就不替我想想，我们俩吹了就吹了，可我吹了还让人瞧不起……"

胜利突然生气了，他说："佳期，他们都说你懂事，其实我看你是最自私的人！"

"我自私？"

"你想想你自己都说了些什么？全是为自己考虑，从自己出发——你抬不起头？你为什么抬不起头？因为你爸爸给你丢人了是吗？你怎么不能从我的立场考虑问题？"

"您是说，您临了这春心荡漾还有理了？"

胜利摇头晃脑地说："谁都有追求美的权利。"

"哟喂爸，那是美吗？那就差脑门上刻上'假恶丑'了。"看来贺佳音平时在苏非非那儿受了不少气。

"我不跟你们说，说了你们也不懂。我也没追谁，我就是喜欢那热乎气，我表达表达我的追求有什么不行？我一辈子在一冰窖里跟冰棍儿过，我冷。我知道我配不上她，我也没想怎么着。我就是表达表达，哎——表达表达！"

"您表达的是愚蠢。"

"我跟你们费事说。你们也少跟我吵吵，告诉你妈去我也不怵。我什么也没干。谁看见我送那花了？"

佳期气结："真行啊您，我妈这么厉害都管不住你……想想我就不寒而栗，就您这种道德水平，幸亏学校不要您了……"

贺胜利终归也是个人，软弱也有底线。佳期的话也实在太难听了，他震怒："我就没见过这么目无尊长的孩子！我伤害谁了？谁伤害我了你们想过吗？就你那个死活看不上你的男朋友？就你把他当宝，全是一窝耗子扛枪，对外边的男的俯首贴耳，你们家的优良传统呢？你们家那股子把男的都踩脚底下的劲呢？"

佳音大骇："爸！你疯了吧？说什么呢？你想说什么呀？"

胜利理直气壮地说："我想说，我没错。我们为了追求美排成一条队——我们导演也喜欢人家呀，人家假恶丑？"

"你跟你们导演喜欢一个人就说明你品味……您说什么？你们导演？"佳期愣住了。

胜利为自己成功地转移了话题而洋洋得意，他觉得这回可出了气，用力地点着头。

苏非非戴着一副巨大的墨镜，不知道是怕别人认出来，还是怕别人认不出来。

她跟在万征后面东张西望，万分警惕。

万征指着一张双人床和她商量了一会儿，她觉得满意，问："订金多少？"

售货员早看出她是谁了，笑着说："一百就行。反正您也不会白给我们一百块钱。"

苏非非不觉得可笑，她觉得对下等人要保持冷漠。又转了会儿，她懒得走了，跟万征撒娇："我累了。"

"那你去星巴克坐着吧，我帮你看。"

"难道你要替我拿主意吗？"对涉及到自己利益的问题，苏非非是毫不退让的。

万征早有准备，从包里拿出数码相机："我把我看好的拍下来，再把价钱记下，待会儿拿到星巴克咱们坐下慢慢挑，你选定了以后我再过来下订单。"

这出离繁琐的程序让苏非非对万征有片刻真情流露，她迟疑地问："你对我这么好，我要不为所动，你会不会恨死我呀？"

万征很自信："没事，我乐意。"他对着她的背影志在必得地念叨："人心都是肉长的嘛，我不信焐不化你。"

知道苏非非另有情人，贺佳期芳心大悦。她本来要第一时间知会万征，可转念一想，决定这回不传话，就原地等着，等万征在苏非非那儿挨完撅回来，她再摆出既往不咎的姿态签收——她得让他尝尝挨撅的滋味。总得有人替她出口气吧？管出气的人是她讨厌的还是她恨的。她知道他只有挨了撅，才能深刻地明白她的好。

佳音比她姐还是幼齿一点："这么想是不是不太善良？"

"你告诉告诉我谁又善良了？"佳期问："在这万恶的大都会里，谁的怀里不揣着板砖？像咱们这种语言上的巨人行动上的矮子，顶多背地里发发牢骚，天一亮见着谁不得笑得跟朵花似的？我现在最大的理想，就是不想笑的时候就能不笑。"

廖宇进来，听见她最后两句话，不解地说："你的理想都够怪的。"

佳音一看见他就心花怒放："哎弟弟，咱俩拍拖去呀。"

"没空。"廖宇摔上自己房间的门。

佳期数落妹妹："你现在也太流气了。"

"不是流气，是风气。你看咱爸。"

美刀在厨房里忙着切菜炒菜，就忘了关门，油烟味直接飘进对面儿的书房。

正在伏案创作的小柳左脚在地上一蹬，把电脑椅划到门边，伸出脚"砰"地一声把门踹上。

美刀拿着菜刀冲进来对她比划着："你还来劲了你？你吃我的喝我的花我的还卖我的……隐私当自己的零花钱，你还敢踹门？"

小柳连忙摆出一脸委屈，陪着笑说："我刚洗完澡，待会儿还有个采访，让人家一闻我一脑袋油烟子味儿多不好呀。"

美刀怒气冲冲地看手机上的日期："今天十三号，明天，明天就满俩月了，赶紧走人，今天晚上过了十二点，你给我立刻消失。"

小柳摆出招牌POSE，眼圈一红："可明天是情人节……"

"情他妈什么人节？"

"你忍心让我明儿走吗？"

美刀反问："你忍心让我跟你一块儿情人节吗？我说话不算数惯了，就到你这儿我发发狠坚持了俩月，你再多呆一天，我就少活一天。我的文学价值比你高多了，为了中国人民的阅读趣味，还是牺牲你吧。"

小柳看软的不灵，立马翻脸："你当我乐意还跟你混呢？我要不是吃惯了你这口儿……你看看……"她打开电脑里的一个文件夹："这都是男网友给我发的照片，三千多张呢。"

美刀不甘示弱，也冲过来哆哆嗦嗦地打开文件夹，左手还拿着菜刀，小柳赶紧往边儿上躲。他遍寻不到，急出了一身汗："哎？我女网友的文件夹呢？"

小柳悄悄往门外闪，被美刀回身一把薅住："你丫给我删了？"

小柳看反正也躲不了，不如大大方方承认："答对了小强。"

美刀心疼坏了："完了完了，一千多张呢。完了……"

小柳得了意："出了你的门，我就是最受欢迎女王老五，你还不求求我，过这村可没这店了。"

谁知美刀却说："……完了完了，我现在脑子里只记得贺佳音长什么样了。"

逛了一天，年轻时候当过侦察兵的万征也给累得够呛，他问："明天你干嘛呀？"

苏非非的谎张嘴就来："临时代一个节目。"

"我请你吃晚饭？"

苏非非想把他草草打发了："算了，改天吧。"

万征失望："你真忘了明天是情人节呀？"

苏非非笑眯眯地问："那跟咱俩有什么关系吗？"

看万征的眼睛竖了起来，苏非非连忙倒打一耙："哟，这是什么表情？"她伸手去摸万征的脸，万征不高兴地闪开："算了，不知道算了。"

苏非非连忙安抚："哎哟得了，你就不怕贺佳期闷呀。"

万征连忙说："我们俩基本上已经完了。"

"什么叫基本上啊？这种时候我得离你远点，省得你把把这屎盆子往我身上扣。"

"嗨，你还逃得过去吗？"万征用力地调着情。

苏非非可不趟这不值当的浑水："你要这么说，我可得对你严肃起来了。追别人没关系，先把自己情况拎拎清，不要不明不白地拖累我。"

"你一直不明不白的，你让我怎么拎得清？"

苏非非冷笑："哼，说来说去，还是怕自己吃亏。真没诚意。"

"你还让我怎么有诚意啊？我都快长在工地了，我什么时候给谁操过这心啊。"

苏非非知道男女之间这根线，要是绷得太紧，自己就得往前凑几步，绷断了大家不方便。她口气软了："哎呀真生气呀？那好吧，明天你六点给我打电话吧。"

万征这才面色稍霁。

玻璃窗外佳期和廖宇正走过。谁也没看见谁。

佳期让廖宇陪他给万征买情人节礼物，看廖宇爽快答应，她觉得奇怪："你不是号称每日一约不重样吗？怎么这么闲呢？"

"我说的是在我乐意的前提下。"

女人急猴猴的色相也不是不让人恶心的，廖宇宁愿跟贺佳期这种所谓亲戚出来晒晒太阳遛遛弯，也不愿意被人请饭。他是那种难得不自觉好看并且不觉得好看顶屁用的男性。贺佳期虽然有不少毛病，但相处久了，其生动有趣勇于自嘲的性格倒也令人放松，何况她从来不觉得他好看。

她只觉得她自己好看。

逛了一下午，仍然一无所获，佳期又累又急。廖宇作为万征的身高替代品，试了无数的衣服，尽管毫无怨言，也忍不住问："我觉得你不能这么漫无目的地瞎逛，你到底想给他买什么啊？"

"啊……我也正想问你呢。你们学设计的人喜欢什么？"

"要不你给他买个相机？"

"不要开玩笑，那个太贵了。"

"反正你要是送给我，我就喜欢。"

佳期白他一眼："白来的你都喜欢。"

"要不你去旧货市场看看古董相机，有那种老式的海鸥120的，旧旧的特别好看，要是运气好，没准还能用呢。也就几百块，你这种财迷也不会太心疼。哎，你们俩到底分手没有啊？"

"没有。"

"真的吗？"

"没明说，就不算。"

"怎么明说啊？非让人说：我跟你分手了。你倒真是个执着的人，我相信凭你这种把牢底坐穿的性格，一定能成大事。"

佳期付完钱，年轻的女服务员抽出一枝红玫瑰，但却是递给廖宇的："谢谢光顾，这是送您的。"

佳期问："送谁？"

"送你们谁不一样啊？"

佳期顿时拉长了脸。

廖宇把红玫瑰塞给她："我不想让别人觉得是你在倒追我，给你点面子。"

"就跟谁都看你似的。"

“那你每天为什么要化妆？谁看你呀？”

“我那是怕影响市容。”

廖宇追上她：“哎，有人送过你花吗？我是第一个吧？你还拒绝。”

佳期站住想了想，骄傲地说：“上学的时候有。”

“一定是最不起眼的男生送的吧，有我这么高大威猛的男生送过吗？”

佳期“切”了一声转身就走，廖宇在后面叫着：“得了拿着吧，省得明天什么都收不着，还怎么出来混呀。”

晚饭后，姥姥非常正经地宣布，她要参加下个月的楼门组长竞选，大家听完马上东倒西歪要作鸟兽散。

佳音断言：“您肯定选不上，您在咱这片儿人缘太差。”

姥姥白了她一眼：“我知道，我人缘是不那么好。但那是以前的事了。就是为了扭转这个现状，我要从我做起从现在做起，从一点一滴的小事做起，改善邻里关系，争创精神文明……首先，我要改善跟老马他们家的关系，主动找他们说话，主动帮助他们。”

才智懒得听：“您最近腿又好了，闲不住了吧？”

“少废话，”姥姥说：“你们也要支持我，出来进去不要像以前那样对我没大没小的，省得人家说我在自己家都得不到尊重。”

“妈您少操点心不行吗？”建华也不支持：“这楼里几家是善茬儿啊？就您这包打听的脾气，拱火还来不及，怎么帮人化解矛盾啊，我看这楼里好几起矛盾都是您挑的。”

“尊重我！尊重我懂吗？……你们懂什么！真是短视。当楼门组长光荣，替居委会分忧，替邻里分忧，每月还有四百多块钱呢。”

佳期“咳”了一声：“为那四百块钱您犯不上。”

姥姥说了：“我不是大款，四百多块钱在我眼里多着呢。我治腿的药一个月就八百多，我不能让你一人儿掏，我自己挣点儿是点儿。”

“哟，姥姥，您说这话可是寒碜我呢。”

建华也说：“要为这个您就算了，这点小钱，我补几堂课就挣回来了。”

廖宇觉得自己也有义务：“摊到每个人头上一点儿都不多。”

“而且您肯定选不上。人说了，您自个儿家里还一团糟呢，您自个儿老伴儿还不愿意跟您一块呆着呢。”佳音专拣姥姥不爱听的说。

姥姥一拍桌子：“住嘴。明儿我就把这钉子拔了。”

9

个人史上最难忘情人节

“你今儿有节目吗？”

佳期头也不抬地说：“当然有了。”

“别吹，一缺一吧。”

看佳期不理，佳音又问才智：“你今儿有节目吗？”

才智有点紧张：“嗯……有。”

佳音不服气：“哟嗬瞧不出来。”她看向廖宇：“那只好咱俩一块儿过了。”

廖宇很冷淡：“我真有事。”

贺佳期今日的稳健，在于早已一颗红心两手准备——就算万征不约她，最次最次，彭守礼也会给她一个拒绝他的机会。所以从一大早，她就不断在总裁室出出入入，晃得守礼眼晕，再不说点什么不合适了。

“佳期？”

“啊？”她愉快地看着守礼。

“呃……我明天请你吃饭好吗？”

明天？佳期纳闷，为什么是明天？为什么不是今天？

守礼抱歉地说：“我今天有点事情。”

佳期相当的失望。她并不想和守礼过情人节，但她觉得守礼在情人节不对自己提出请求是天理不容的。她生了会儿闷气，赶紧给正主儿打电话："晚上怎么设计的？"

万征的回答在她意料之中："苏非非这边要收尾了，今天我没空。"

"喂，今天是情人节。"佳期不知道他是真不知道还是装不知道，只好说：

"我可以过去看你吗？"

万征马上拒绝："这是工作。你来让人家看见不好。"他坐在刚送来的沙发上，摩挲着沙发扶手，宛如摸着苏非非的手。

廖宇这一上午收了好几束花了，这让坐在他旁边的佳期心里很堵。偏偏又有个女业务员大大方方过来问："你喜欢吗？"

廖宇淡淡地回答："谢谢，改天请你吃饭。"

"今天不行吗？"

"今天……"他指指桌子下面，那儿还有几束花："今天跟谁吃都不好，倒不如改天。"

呼啦凑过来好几个女的："没关系，大家一起嘛。"

廖宇笑着摊摊手："我无所谓啊。"

有个女孩连忙举手："不过你得挨着我坐。"

绝望的贺佳期终于明白了什么叫旱的旱死，涝的涝死。

佳音正端着苏非非的水杯在台侧发呆，化妆师拎着报纸过来："哎，这小李美刀是不是你认识的小李美刀？你看他这篇文章，一口一个佳音，是不是隔空喊话呢冲你？"

佳音吃惊地拿过来看，报纸上，小李美刀正举着一枝玫瑰摆POSE。

佳音得意了："那当然了。可不是冲我吗？"

苏非非四处找不着佳音，问化妆："看见佳音了吗？"

"刚还在呢？看完报纸十分激动。"

非非转头发现椅子上摆着一大束"蓝色妖姬"："这是谁的？"

"哟，这可贵了，肯定是你的啊。"

化妆师翻翻卡片："行啊，谁这么大方？我数数，一二三四……三十朵啊，一朵一百二，三千多块啊。"

苏非非觉得倍儿面子，接过花来左看右看，又深深地闻闻，陶醉地说：“我最喜欢‘蓝色妖姬’，谁送的啊？”

只听化妆师嗷的一声，非非忙问：“怎么了？”

低头一看，自己雪白的衬衫上沾上了大片的蓝墨水，她也尖叫起来。化妆师问：“这花怎么掉色啊？靠，这是自己染的。”

苏非非气炸了，正好看到卡片上画着一支摆出“V”型的手，她破口大骂：“这他妈谁呀？太过分了，这不是埋汰人吗？”

苏非非上了车，窗玻璃都摇上，才把手机打开。屏幕上蹦出一连串留言，全是“万先生请回电话”，她马上又把手机关了。

她从包的隐兜里取出另外一个手机。

“你干嘛呢？”她的声音甜得发腻，可渐渐脸色变得不大好看：“当二十四孝老公啊……哼……几点？十点？！可现在才六点！……你倒没说十二点，那成明天了……那就去我的新家吧，今天家具都送来了……你管我呢？我找帅哥去。”

挂上电话，她的笑容迅速收拢，静静地在车上坐了一会儿，看看电视台楼顶被探照灯打得雪白的一小块儿夜空。

她也不知道该去哪儿。

守礼从总裁室鬼头鬼脑地探出头。他以为人都走了，没想到佳期还在外面，只好尴尬地搭讪：“没节目？”

“晚点儿。你有节目？”佳期明知故问。

守礼不好意思地点点头。佳期怎么也掩不住酸劲：“我以为你改头换面了呢。”

“我有分寸。我在你这里改头换面，因为你是我心中只可远观不可亵玩的女神，但自有别人喜欢邪的。”

这是一个相爱的日子，孤独的人是可耻的。

贺佳期是可耻的。

廖宇看见失魂落魄的佳期从饭馆外走过，犹豫了一下，还是跑出去：“喂。”

佳期看见是他，很没好气：“干嘛？”

“你去哪儿啊？”

甲女探出头来说："大晚上一个人在马路上走是很不安全的。"

乙女补充："是很可怜的。"

佳期冷笑着："一大堆人，也不过就是很多个一个人凑在一块儿而已。"

举国欢庆的情人节里，贺佳期约不到男人，只好跟胜利一块儿吃晚饭。

胜利喝得很高兴："什么中国的外国的，情人节我就没过过。今天跟我闺女一块儿过，有意思。

佳期看见他手指甲缝里黑蓝黑蓝的，问："您手指甲怎么了？"

胜利也不藏着掖着："我买不着'蓝色妖姬'，买了瓶蓝墨水染的。"

"您也太……哎哟喂。"佳期真不知道怎么夸自己爸爸。

胜利解释："不是我买不起，真是买不着……我有这份心，我就说啊，我有这份心。"

"你这份心干嘛用呢？谁领你这情呢？你还不如给我妈买件衣服呢。"

"没用。反正送谁东西都不落好，还不如送一长得好看的。"怕把闺女惹急了，胜利又说："我已经辞了。"

"啊？为什么啊？"

"眼不见心不烦。"

"那您以后干什么呀？"佳期没想到胜利还真对苏非非上心。

"郭勇他们剧组还缺一制片，郭勇让我跟跟，以后就能当制片人了。"

"制片跟制片人有什么差别呀？"

"差别大了。'人'，不要小看这个'人'，差别就在是不是'人'上。"

佳期觉得这世上任何人为苏非非做任何事都不值得："您辞职说明什么？我该以为您对那人是动了真情了呢。"

"有点，多少有点。谁不喜欢那喜兴的呀，嘴又甜，会来事，你知道她最招人喜欢的一点是什么吗？她尊重你，她不把你当一个普通人。”

“她那是装的。再说她不当你是普通人，咱自己得知道自己是普通人啊。”

胜利不在乎：“装，就表示重视，起码人家肯装啊。咱家谁给我装一个啊？”

“咱家人那是熟不拘礼。”

“还是拘着点吧。姥爷已经跑了，下一个也该我了。”

“你有什么不高兴的，也不用藏着掖着，你可以跟妈说啊。”

“我有那地位吗？我说话谁听啊？这么多年我就是那捧哏的——‘噢？’‘对，’‘可不是吗？’‘别起哄了’……我还说过别的吗？没进过娱乐界不叫经历过人生你知道吗？世界突然就在你面前打开了一扇门。”

胜利挥舞着手臂，推着别人看不见的门，佳期觉得他很滑稽：“您要这么着，世界指不定要关上多少扇门呢。”

“你知道我也不会怎么着，我就看看，学学，模仿，比划两下子，自娱自乐。不是指具体的某个人，可以是非姐，也很可能是别人，那只是一扇门，一扇通向你以前无法想象的世界的门。”

佳期不耐烦地说：“我什么都没听见。”

“不尊重。这就是不尊重。非姐听人说话，不管听没听进去，都特别认真特别专注。你呢？你是典型的陈家人，整天就想着怎么噎人，别人要舒坦了你们就特别不舒坦，觉得特没成就感，对吧？”

佳期否认：“没有。”

“得了，我比谁都了解你们家人，因为我深受其害。挣不着钱，看不起你，挣着钱，是应该应分……”

佳期听他爸这种话已经听出茧子了：“爸你怎么跟一怨妇似的？”

“嘿嘿，我就瞎说，喝点酒瞎说。这叫那什么，意淫。在家，我还是你们的好‘催巴儿’。”

堂屋里的电话响了半天，姥爷一溜儿小跑着进来接：“喂？”

听筒里传来冷冰冰的三个字：“陈倚生。”

“啊？谁呀？”

“你怕谁呀？”

“噢，你呀。有事吗？”

“没大事。就告诉你一声，佳期给我报了个团，去海南旅游的，还有一个名额，是照顾我的，你要是不放心我，想照顾我呢，下礼拜三之前就回来……”

姥爷一听去玩，心眼儿有点活泛，但又不能这么轻易就回去：“海南呀……海南……”似乎在掂量，很为难似的。

听姥爷居然拿捕，姥姥陡然变色：“其实我也不需要人照顾，以后这种机会多的是，你们也不用争这一朝一夕。”

“什么机会？”姥爷不明白。

建英拿过电话：“爸，我建英。我妈这趟海南回来，大夫就劝她住院做手术呢。她那腿不是不好吗？大夫老劝她做手术。”

“怎么做啊？”

“大夫说打折了重长。”

“胡说。”这回姥爷正经了。

“可我妈就非要做。”

姥爷不擅言辞，只会不断地重复：“胡说。什么大夫啊这是？胡说。”

“又好看了。”美刀深情地看着佳音。

佳音不理他，只与自己那帮娱乐圈边角料朋友说笑。

娱记哥哥挑事：“哎我看见那酸文儿了，佳音，就一千二百个字，就把你拿下了？不能吧。”

企宣姐姐站在女性立场，还是很欣赏美刀的作法的：“美刀哥哥，你写我吧，你写八百字我就跟你玩热泪盈眶范儿，写得多好啊，多动感情啊。”

美刀一看有人支持，也觉得这回是志在必得：“就是。她要没感动，能把我带这儿来吗？”

“我是看你可怜。”佳音说。

美刀可不自怜：“谁可怜啊？你知道每天有多少女读者在等待我的召唤吗？”

佳音瞪眼：“哎，求人得有个求人的态度。你想干嘛呀？我还告诉你，过了今天，明儿还各走各路，我就是今儿拿你填填空。”

美刀没皮没脸地说：“你天天拿我填吧，我时刻为你准备着。”

万征看看表，十点多了，他决定不等了，把给苏非非精心准备的礼物在桌子上摆正，关门离开。

刚从小区的铁门开出来，就看见一辆车迎面进去。他觉得奇怪，因为他知道整个“京东豪庭”现在只有苏非非一家。他从后视镜看见车停在苏非非家门前，连忙踩了脚刹车。

他把车开到暗处，熄了车灯。

不一会儿，苏非非的白色“宝马”也开了进去。

苏非非警惕地探头看了看，自己家黑着灯，这才把车停好，下车，娇嗔地看着家门口的秦导。

秦导咧开一嘴四环素牙，摆出哥哥抱抱的姿势。

他各屋打量一番，说：“你真敢花钱。”

苏非非心说废话，名不正言不顺的，给谁省钱呀，凭什么省钱呀。

到客厅坐下，她才看见桌上漂亮的包装盒。她犹豫了一下，脑子里瞬间做出多种设想。秦导也看见了，问：“这是什么呀？”

“不知道啊。”

话音刚落，万征开门进来了。苏非非看见他，脸色大变，张口结舌。

万征若无其事地走过来，拿起桌上的礼物：“对不起，我落东西了。”

苏非非目瞪口呆地看他关上门，才想起冲秦导一笑，指着门说：“装修的。”

城区里的万家灯火扑面而来。万征眯起眼睛，灯光变成一个个四棱形的转动的图案。他记得上幼儿园的时候，每到大风天儿，母亲就会摘下自己的纱巾给他蒙在脸上。透过纱巾，那时的灯光也是这个样子的。

后来，每看到这样的灯光，他就会感到没来由的脆弱，但他再不是那个坐在车梁上的男孩，身后也再没有母亲微胖的安全的怀抱。那种稍纵即逝的酸楚让他鄙视自己，他无可奈何地想，也许男人更没有安全感吧。

他从来不跟任何人探讨涉及心灵的问题，他羞于启齿，觉得那显得女里女气的。他是这个快餐时代里不合时宜的人，他不知道这些他自以为私人的问题，早被各种时尚杂志深入探讨到全无意思。他认为这是一种不健康的情调，所以白日里，他连说话都很小声，但每当脆弱来袭，他为了战胜它，就会像关门放狗一样汪汪地冲着贺佳期大喊大叫。

贺佳期。

他突然想起了她。

车在高速路上开得飞快，只听得见发动机的强噪声。

他打开收音机，扭大音量，交通台的主持人说："就让我们今天的节目结束在这首《为爱痴狂》里，情人节快乐，快乐情人节……"

万征听了一会儿，突然跟着大声唱起来，那声音从一出口就是劈裂的，难听至极，以至他自己也吓了一跳。

"想要问问你敢不敢/像你说过那样地爱我/想要问问你敢不敢/像我这样为爱痴狂……"

泪流满面。

离得老远，佳期就认出了万征的车灯光。她自觉有这样的天赋，小时候在平房住，她就能凭车铃声听出是家里的谁骑着自行车进了大院。搬到楼房以后，她在三楼自己的房间里，就能从楼道传来的纷匝的脚步声中辨别出父母的。长大以后，她认为这是她独有的一种本能，在茫茫人海里第一时间找到至亲的本能。所以，她觉得就凭这个，也能证明万征应该是她的，不管万征现在自己还不自知，但她相信总有一天他会明白的。

万征迎上来，搂着她问："来半天了吧？"他话里的温柔和弱小让她非常意外。她不可能知道，万征在这一天明白了。

"没有，刚到。"

万征随即说："我去给你买礼物了。"

在万征家柔黄的灯光下，佳期打开了那个原本该属于苏非非的大盒子，里面是码放得非常漂亮的三色玫瑰花和一个精致的音乐盒。万征转动音乐盒的发条，呆呆地看着那上面的两个小人转到一起，接吻。

原本选这个礼物，万征是想向苏非非传达一个意思——兜兜转转，还是应该他们在一起。但现在，他想，这礼物送给佳期，意思竟也说得过去。

“喜欢吗？”

佳期点点头。

“我也没送过你什么正经礼物……前一阵那么忙，太忽略你了，从现在开始，咱们好好过过，恢复一下记忆……咱俩刚认识时候是怎么着来着？”

笑起来的万征让佳期觉得陌生，她竟然胆怯了，向他紧张地笑。

万征问：“你笑什么？”

佳期茫然地说：“我想起九十年代初一首小范围流行的歌曲。”

“什么？”

“相信你总会被我感动。”

万征紧紧地抱住了她，才发现她浑身冰凉。二月十四号的夜晚还非常寒冷。他知道她一定在门口等了太久了。

佳音第一个向她姐表示祝贺：“他是不是知道苏非非的事了？”

“我不知道他知道不知道……但是，他不叫我‘小贺’了，他居然叫我‘佳期’。”

佳音不信：“突然就转了性？”

“但如丧考妣，强颜欢笑。”

佳音深表佩服：“你够沉得住气的呀。真阴险，跟一老婆似的。人说正室都这样，特别大气，处变不惊，以不变应万变。那种跳着脚着急忙慌的注定在婚姻生活中成不了大器，没什么作为。”她三下两下把万征的礼物拆开，惊讶：“SO BEAUTIFUL 呀。”

佳期苦笑：“所以说呀，如果不是苏非非东窗事发，能轮到我这儿吗？”

“你就不硌应？”

佳期装大度：“咳，第二名也光荣。”

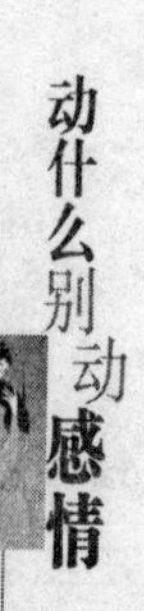

佳音一眼看穿："揣着明白装糊涂，难受吗？"

"还行，装啊装啊就习惯了。"

"他说什么了吗？"

佳期嘴角挂起一抹暧昧的笑："没有。全是肢体动作……他一直抱着我。"

"那是，让苏非非给闪了，再不抱着你，他还站得稳吗？他不得怀疑人生吗？"

佳期不能允许佳音打击她千方百计等来的幸福："你别那么说他。他那个样子，让人挺心疼的。像个小孩。"

佳音咧嘴装大傻子哭哭咧咧："是不是这样？妈他们抢我东西……"她自觉学得很像，笑得前仰后合："得了，终于让你这屁股沉的给落着了，你的心情现在好吗？"

"不好……你听过一首歌吗？很爱很爱你，所以愿意，舍得让你，往最美的地方去……"

"听过，我们这么大的孩子，也就从流行歌儿里学人生道理了。不过这歌……你觉得谁是那最美的地方啊？苏非非呀？你这是因为他回来你身边了，才能大大方方说话了。要是他现在还颠三倒四地跟苏非非身边的一条狗似的，你能说这种话吗？"

佳期用脑袋一甩隔壁房间："那孩子回来了吗？"

"没呢，你也不帮我看着，他是不是谈恋爱了？"

"他才不会呢，他是他在丛中笑型。只跟一个人谈，他受得了吗？"

佳音叹气："我听说现在社会上是男的多女的少啊，怎么落实到咱们身上，满不是那么回事啊？"

外面有动静，佳音"噌"地从床上窜下来，拉开门。廖宇正要回自己房间，看见她开了门，忙说："晚安。"

"哎，哎，别晚安呀，过来聊会儿。"

廖宇一进来就看见了音乐盒，问佳音："你的？"看佳音摇头，他不可置信地看着佳期："你的？"

佳期掩不住得意："新鲜吗？"

"有点儿。"

佳音一把抢过廖宇手里的大袋子："都什么呀？给我看看。"里面不但有巧克力、袜子、T 恤这种她可以接受的礼物，居然还有三角内裤，她举起来问："这是什么？"

佳期撇撇嘴："够你生活半年了吧？"

"你忌妒吧？"

"对对对我忌妒。"

"你这是谁给的？"

佳音抢答："万征。"

廖宇也颇感意外："啊？真好。"佳期刚要赏脸一笑，他马上又问："本来是想给你的吗？"

"反正拿到我手里的时候还没拆呢。"

廖宇站起来，搓搓手："好啊，都往好的方向发展了，你们以后就不要再给我添麻烦了。"

佳音忙说："谁说的？我就没有。"

"别装，我认字，看见报纸了。"

"我是那种有求必应的人吗？再说他和小柳已经断了，没人跟我争了，我喜欢他干嘛呀？"

"你们俩真变态，一个上赶着喜欢不喜欢自己的，一个非要跟人争得头破血流，为什么呀？怎么就不能有颗平常心啊？"

正说着，佳期的电话响，是万征，她受宠若惊，作轰廖宇走的手势，两个小孩赶紧退出了房间。

万征鼓足勇气问："其实你什么都知道吧。"

佳期还装糊涂："什么？"

"没什么。"

他很苦恼："佳期，你到底爱我什么呀？"

佳期想了想，看着窗户外边的天空："爱一个人是说不出为什么的。如果说得出来，还算是爱吗？"

"我心情不好。"

“我知道。”

“我想……调整一下……你别担心，我就是调整一下，等我调整好了，我会找你。”

佳期勉强地笑着：“你不会不找我吧？”

万征沉默了半晌，突然说了三个掷地有声的字：“我想你。”

佳期的眼泪应声而落。

10

第二名也光荣

又在苏非非楼下看见万征的车，佳音大惊："你怎么又来了？你昨天不是……"

万征打断她："她们家住几楼？我给她打了一上午电话她也不接。"

"你干嘛还给她打电话呀？"

"我管她要钱。她屋里的家具都是我交的钱。"

佳音这才不着急了，讽刺："喔，做了赔本买卖了？"

万征按对讲机，但没人接听："怎么回事？"

"我也不知道，两点还录节目呢，我也打了半天电话了，她也不接。"她问门口的保安："苏小姐今天出去了吗？"

"对不起，我不能告诉你。"

佳音不可置信地看着万征："对你有真感情？因为你不理她了，她痛苦不堪？"

万征的眼睛亮了一下，又随即黯淡，斩钉截铁地回答："不能够。"

佳音给台里打电话："喂？奎哥，非姐到了吗？……啊？换人了？……没人跟我说啊，我算什么啊……怎么回事啊？啊？"

万征注意到墙上挂着的主持人照片中，苏非非那张的镜框玻璃碎了。佳音出来，拉着万征就往外走，兴奋得五官移位："东窗事发！那镜框，导演他媳妇踢的，听说小时候是练体操的。"她站在镜框前比划："踢这么高，腿够长的啊。”

两人又去了苏非非父母处，仍然没有任何消息。佳音有点慌了，想起自己这个月的工资不知道找谁要去，急忙折回台里。

万征心里一动，他想起一个地方。

果然，苏非非的宝马在工地上停着。

万征开门进来，看见她正优雅地坐在沙发上发呆。他一点好脸都没有：“干嘛不接电话？”

苏非非看了一眼电话，没事人儿似的说：“噢，没开声儿。”看万征在对面坐下，她一派镇静：“我这儿什么都没有，不招待你了。”

“甭忙。”万征从包里拿出一个牛皮纸信封：“发票都在这儿呢。”

苏非非不接也不看，他只好放在桌上：“你看看。”

“你不会做假的，我知道。”

万征咬着牙，尽量平静地说：“一共你还欠我八万，包括这些家具我帮你垫的钱，你什么时候能还我？”

苏非非冲他眨眨眼：“我以为你送我的呢。”

“你以为错了。”

“昨天这时候你还想送我呢吧？”

万征没功夫跟她兜圈子：“你想说什么呀？”

“我想说点事实……万征，咱俩认识都半辈子了，你别一副受伤害的样子好不好？我现在才是不知道怎么办了呢。”

“跟我没关系。”

苏非非轻蔑地说：“可见爱情是靠不住的。”

“这时候我要还让你靠我就真是贱得嘀嘀叫了。”

“我又没骗你。我什么时候说我要跟你在一起了？”

“你跟你们导演的事你为什么不说？”

苏非非双手一摊：“我为什么要说呀？光荣？不见得吧。何况我只是隐瞒了事实，并没有歪曲事实，所以我没有对你撒谎。”

万征被她的强词夺理把脑子搅乱了。

“隐瞒和欺骗有本质的不同。我对你问心无愧，你指责不着我，秦河她老婆也指责不着我，我又没想拆散她家庭，我又没想拆了他们再跟她老公结婚，我碍她什么事呀？现在这人怎么都这么不讲道理呀。”她越说越激动。

“你这是混蛋逻辑。”万征骂道。

苏非非骨子里的厉害迸发出来了：“我是混蛋逻辑，你还是混蛋呢。你在这种时候，于情于理都应该先安慰安慰我，问我有什么困难，需要什么帮助——上来就管我要钱，亏咱俩这么多年的情义了。”

“啊？我有没有听错？”

“你有什么损失啊？搁我这儿受了挫，你扭脸找后备的第二梯队去了，贺佳期不是对你不离不弃吗？你自始至终也留着心眼呢，你也不是全心全意为我准备着呀。就你这种只爱自己的人，谁能放心跟你好呀？……你别在我面前摆出一副受伤害的嘴脸，我比你冤多了，我现在找谁呀？连个商量的人都没有，你们都是把退路找好的人，我的退路在哪里？我的退路不就是我自己？”她厉声问他。

万征是真糊涂了，只好说回自己的：“退一万步说，我高攀不上你，可我干活得拿钱呀，我不能义务劳动吧？你要非说你感情受挫我也没折，可是钱你得给我吧。你这儿啊那儿的受损失，可你钱上没损失吧？那你先把钱给我，我再看我有没有心情安慰你。”

苏非非冷淡地说：“我过几天给你。”

“过几天呀？”

“不要摆出斤斤计较的丑恶面孔来，我给你不就完了吗？三天。”苏非非嫌恶地看着他。

看见姥爷回来了，姥姥心里欢喜，但嘴上是不饶人的：“你倒不傻，一听旅游，麻溜儿就回来了。”

“我不回来咋着？谁让你给我报名了呢？我还能把这钱浪费了？”

“那你的意思是说，你为了这报名费回来的？我告诉你，我完全可以一个人去，把你这名额退了。”

姥爷不信：“你别逗了，你弄这打折腿的事不就是想求我回来吗？得了，反正我也回来了，你就别得便宜卖乖了。要不然我不回来，让你把钱浪费了，腿也打折了，心也疼死腿也疼死。”

“我找别人跟我去。”

“你别糊弄我，你当我不知道这是凭老年证打折的？你找别的老头跟你去？你上哪儿现找老头去？街心公园找去？”

“我不会不去？”

“那我要不回来，你可不就不去了吗？”姥爷得意地说。

姥姥气坏了：“那我不去了。反正还三天呢，你可以把柳凤香叫来跟你一块儿去。”

姥爷怒了，发出最后通牒：“胡说！流氓！你再扯这不靠谱的话我绝不原谅你……脑子里整天是些什么乌七八糟的东西。”

胜利进组了，高兴坏了，这比电视台强。电视台的组里，就一个苏非非可看，可这电视剧组不一样，连龙套都长得极养眼。他看见一一在候场，没人搭理，怜爱之心顿起，慢慢挤过去，假装无意地问：“该你了？怎么样？别紧张。”

一一说：“谢谢贺老师，我不紧张。”

“那就好……”胜利装出内行的样子：“你第一次拍戏呀？”

“嗯。还得请贺老师多帮助。”

“别客气，都好说。是北京人吗？”

到中午，俩人已经很熟了。郭勇一脸神秘地过来，胜利以为是看出自己的端腕，稍感害臊，往边儿上挪了挪：“哎郭勇，吃饭，来。”

郭勇并不接他的茬，眉飞色舞：“哎，听说了吗，非姐跟秦导有一腿儿。”

胜利又摆出圈里人的熟练样子：“知道啊，不是什么新鲜事啊。”一点也听不出他头两天还为苏非非五迷三道呢。

“咱们知道不新鲜，现在这事不知道谁捅给一娱记，上报纸了，变成了全国人民都知道。嘿，什么叫资讯发达？太厉害了。”

胜利心里“咯噔”一声，这才开始替苏非非着想：“那这得叫丑闻吧？”

“得叫啊，来劲吧？”

“那非姐怎么办啊？”胜利担忧地问。

“谁知道怎么办啊，反正‘明星脸儿’已经换主持了，这叫铁打的营盘流水的兵，节目捧人，不是人捧节目，换了谁，节目一样有人看。”

胜利想到苏非非一向待自己不薄，有些怅然。一一好奇地问：“贺老师，您和郭老师以前在‘明星脸儿’啊？苏非非漂亮吗？”

胜利发自内心地说：“有什么说什么，漂亮。”

郭勇搭讪：“没那事，比一一差远了。”

一一装纯：“我不信，贺老师说话客观。”

郭勇不爱听了：“你可真不会说话啊，他客观，那我呢，你算什么呀我对你不客观，我对你主观上有什么呀？”他并不把一一这种刚出道的小孩当人，一一脸上红一阵白一阵，很下不来台，胜利连忙护着：“嘿郭勇，别跟小姑娘粗声大气的。”

“嗯，你怜香惜玉，我知道，一一，你算遇见好人了，贺老师以前真是老师，对人可耐心了，你可盯住了。”

一一很识相：“是吗贺老师？您以前教什么啊？”

“教体育，也做团的工作。”

一一高兴地笑了，笑得像个中学生，一嘴莹白的牙如同广告，晃得胜利心惊。

姥姥姥爷穿得像两个老八路一样，正派地从楼道里走出来，每人手里拎着一个豁大的包。万征从车上下来，笑吟吟地帮他们拉开车门，姥姥对他没什么好脸，只略微点了个头。

上了车，佳期翻姥姥的包，一边往外扔东西：“带这干嘛呀？牙刷牙膏，酒店里有……毛巾也不用，都有……你们那团不便宜，住的都是三星以上的酒店，高级着呢。”

“比咱们在北戴河住的招待所怎么样？”

姥爷从前座上回身，讥笑姥姥：“又说外行话，当然强了。”

“行了，就留换洗的内衣裤就行了，我姥爷留本武侠小说，姥姥您带一本琼瑶就够了……下回出门，内裤买一次性的，穿完就扔，省得占地儿。”

姥爷不干："不行，兜裆"。他觉得不好冷落万征，问："你穿得惯吗？"

万征连忙说："穿不惯。"

佳期从后视镜里冲万征一笑，姥姥看在眼里，倒也舒心："你前一阵儿特别忙是吗？"

万征赶紧内疚地说："啊，真是的，也没抽出时间去看您。这趟您二老回来，我去接，顺便给您二老洗尘。"

谁知姥姥哈哈大笑："怎么回事，我以前见过的是你吗？"

佳期踹了姥姥一脚。还是姥爷忠厚，回头瞪姥姥："那哪不是呢？是他。你脑子记不住事了已经？"

姥姥狠狠地说："你脑子才记不住了呢。"

到了机场，佳期把姥姥姥爷送到旅游团的导游手里，一边嘱咐："我姥姥姥爷年纪大了，麻烦你多照顾着点。"她把登机牌递给姥爷，姥姥好奇，伸手去抢："这什么呀？"

佳期也不理，严肃地说："记住，不要顺人家酒店的东西，不外乎就是点香皂洗发水什么的，别让人觉得咱没见过世面。"

姥姥见这话当着万征说，觉得不愉快："废话，我当然知道。"

"……可也别不舍得用，人家一天一换，省了白省，不拿他们的，但可以玩命使他们的。"

看旁边的导游听得侧目，万征连忙解释："开玩笑呢。"

姥姥懂事地频频点头："知道知道。"她和姥爷紧跟着导游的屁股后头进闸，根本不让别的游客与导游有亲近之机。

美刀苦苦哀求："没工作没关系啊，我养你啊……其实我最烦女的不工作了，可是到你这儿，我就愿意当个没有原则的人。"

佳音不领情："别。撑不了两天，到时候再怪我。"

"我不怪你，不就是吃饭穿衣吗？两件小花褂子，几顿家常便饭，你这么瘦，也吃不了多少，我能养你。"

"不行。小柳在你这得着什么了，我也要得什么。"

"她得着什么了？没有啊。"

“不对，她得着了，得着名声了，我也要。”

“那还真是她自己争取的……你不是也要当美女作家吧？”

“不行，我认的字少，当不了那玩艺儿……可你认字呀，你必须写一本书给我，扉页上就得写着，此书送给我最爱的贺佳音……才行。”

美刀觉得挠头：“这你就难为我了。”

“你不作家吗？这都写不了。”

“我只写经过的事，那没经过的事让我怎么写呀。要不你先跟我好着，一边好我一边写。”

佳音马上翻脸：“那你和小柳区别何在呀？哼，还真是一丘之貉。你看着办吧，要不就为了追我，让自己的写作生涯上升到一个新高度，要不就每况愈下地接着骗文学女青年去吧。”

美刀脸一沉：“这话伤害了我。”

“怎么着？”

他马上又堆出笑脸：“行。我试试。你等着。”

守礼在例会上十分亢奋地说：“最近有很多谣言。你们信吗？”

底下明显已经少了一半的员工们不吱声。

“你们有理由信吗？彭总是公认的房产精英，你们要相信我，没有错。已经走了的人，因为他们不正派，他们根基不正，这样的人，在任何公司都不会受到器重。因为他们没有跟公司同甘共苦的决心，甚至，这样的男人不能嫁，这样的女人不能娶！因为他们不坚定，他们永远考虑的是自己……其实在这个公司里，我们每个人都有自己的角色。就像我，我就是一家之主，我去打拼，拿案子回来大家做，大家卖房养活这个公司，公司越好，家越好，我们越好。我的利益和你们的利益是一样的……”

廖宇问佳期：“丫到底要说什么呀？”

佳期目不转睛地鼓励地望着守礼，嘴上却说：“说你们不要离开我。”

“那到底公司出没出问题？”

“看来是出了。”

万征楼上楼下转了一圈，发现一切与自己最后一次来时无异。他不甘心地寻找着蛛丝马迹，终于在洗手间的马桶里发现了几个烟蒂，所有的烟蒂上都有口红。

他把马桶冲了，认真地看着那几个烟头被水卷走，想：她都躲到这儿了，化妆给谁看呢？

他推开窗，外面是几近于烂尾楼的情势。万征完全找不着北了，深呼了一口夜里的湿气。

佳音跟佳期交底：“我估计苏非非是跑路了，这事一败露，怎么混呀？”

“怎么不能混呀？现在人多宽容呀？这台做不了可以去别的台，我真不觉得这算什么事。”

佳音猜测：“要么就是岁数大了，骨子里还是知道羞耻的？”

“就算要缓一阵儿，也用不着凡人不理啊。她还欠万征钱呢。”佳期着急这个。

“咳，她估计不理也是挑一些人不理，比如我，比如万征，这种她欠着钱的。万征没疯吧？”

“快了，他已经住到苏非非那新房去了。”

“啊？那地儿怎么住啊也没别人荒郊野岭的。”

佳期也说：“不是长久之计。他就是想在那儿憋会儿，看能不能堵着苏非非。”

“我觉得这事不靠谱——有她那么买房子的吗？一买仨？那肯定不是花自己的钱，扔那儿也不心疼。等找着新主子，还让新主子给买房子置地呢。万征这回是赔了。”

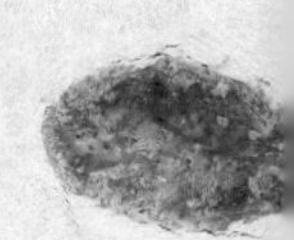

“谁不明白呢。可我不敢说。”

‘他现在对你如何呀？”

佳期担忧地说：“很好。除了好就是好，所以才让人觉得不适呢。”

大廖发财了。家乡的小煤窑转手一卖，净挣七十万。这个数字把建英吓着了：“我从来没听说过这么多钱。”

“我也适应了好几天呢。”大廖伸出手，虎口一片青紫：“掐成这样才相信是真的。”

建英连忙心疼地捂着："那你下面打算怎么着啊？"

大廖奇怪："你慌什么？"

"我没过过好日子，觉得那种有钱的生活跟我没关系，所以我现在看你有点远。"

大廖温柔地把建英搂在怀里，哄孩子似的轻轻拍着："说什么呢。我觉得我要不是又跟你结婚，摊不上这好运气。你有旺夫运。"

"别逗了，以前郭勇就说我是个败财运。"

"旺夫运也得是跟命里真正的夫。"

建英感激地冲大廖笑："天哪，那么多钱，存起来吧，咱们养老用。"

"存起来干嘛呀？得投资。"

"你还想弄煤矿呀？我觉得……"

"不弄了，老两头跑，我惦记你。"

廖宇很平静地跟父亲谈判："你的钱，拿多少给我妈？"

"为什么要给？"

"道理上你可以不给，可她的情况你也知道，"廖宇咬咬嘴唇，"随便你。"

"我顾不过来两头家，我只能顾现有的。"

"你说得对。"

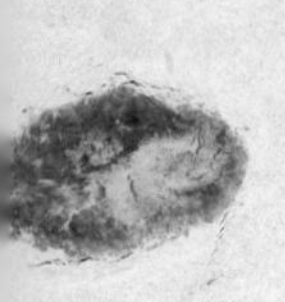

"你不要讽刺我。"大廖要急。

"我无心讽刺，是你心里有刺才会觉得我是讽刺。我知道你不容易。"

大廖被他说得张口结舌。他觉得这孩子从来就不像是他的，是债主，是来讨他的债来了。

佳期到苏非非那儿去看万征，看桌子上到处是吃剩的方便面盒子，于心不忍：

"回家吧，我看近期她不会露面的。"

"不行，我一定要憋到她。"万征坚持。

佳期体贴地问："你急等着钱用吗？如果不多，我可以借给你。"

“不是。”他沉默了好半天，才用很小的声音说：“拿不到那些钱，我怎么跟你结婚？”

佳期一愣，不知道该用什么情绪反应：“你……把搭给前女友的钱要回来，要跟现女友我结婚？”

万征连忙说：“别笑我。”

佳期没笑：“你不觉得……有点快吗？”

“快吗？我们在一起也三年了。”

“可从我上赶着你变成你上赶着要结婚，这个过程，太快了吧。”

“佳期你这就不好了。不要犯好多庸俗女性犯的毛病，男的一对你好，你就要拿搪。”万征笑着说的，但心里没底。

佳期被万征这个想法吓着了，她很想找谁说说，可佳音不在，家里的其他人也不是能交心的。她从廖宇门口过，他正在看书。她想：跟他聊聊倒也无妨。反正他是外人，没什么关系的人，就当是挖了个坑，冲坑里说自己的秘密一样。

廖宇听完了，皱着眉问：“你们两姐妹，骨子里不会是一样的吧？一没竞争对手，顿感了无生趣。”

“有吗？”

“可不有吗？”

“喂小孩，你作为一男的，还是一爱好艺术的男的，你想多大结婚？你整天这么左拥右抱的，累不累？”

“你当我乐意呢。再说，都是泡沫经济啊。还没找着合适的，就只好虚假繁荣。”

“你到底要找什么样的？”

“不知道，看见了就知道了。”

“然后呢，我主要是关心结婚，你想什么时候结婚？”

“我想……现在要是就能结婚，就好了。”看贺佳期一脸诧异，他解释：“真的，我特想照顾照顾谁。现在要是有一个特别弱小的人跳出来让我照顾，我肯定就结婚了。”

“你刚几岁就想结婚？”

“这跟岁数有关系吗？我觉得这是一个心态的问题。”

“你存的什么心？”

有时候人与人之间，就是要用秘密交换秘密。因为佳期和廖宇说了那些很私人的话题，廖宇似乎也觉得找到了一个可以聊聊心里话的人：“我爸，跟我，关系一直不好，其实……”他犹豫了一下，揉揉头发：“是为了我妈。”

佳期不是一个爱管闲事的人，可既然人家给她排忧解难了，她也只好沉默地听着。

“我不知道是不是每对夫妻都这样，在他们一辈子里，总有一段时期每天没完没了地吵架？”

“是呀。我妈我爸现在还吵呢。”

廖宇摇头：“那不叫吵，那叫耍花枪，跟唱戏的早上起来吊嗓子一样，要是不耍上几句，一天都说不出话来……我爸我妈是真的吵，恶吵，动手……”

他说不下去了，身临其境似的，一股寒意窜遍全身：“我特别小的时候他们俩就吵，不知道为什么，就跟生活在一起的天敌似的。后来我妈开始酗酒……你见过真正的酗酒的人吗？……我妈那个，精神病院给过鉴定，酒依赖……她喝了酒很可怕，可是又不能不喝，不喝的话脑子是不清醒的，可喝多了脑子也不清醒，而且有暴力倾向……所以他们离婚了……本来是判给我爸的……可是我妈，她太可怜了，根本就没人照顾她，她也没工作……我瞧不上我爸，因为他一离婚，一副如释重负的样子……”

佳期小心翼翼地劝：“我觉得你也应该理解廖叔，换谁也该喘口气儿……。”

廖宇突然忿忿：“可是他总该记得他们相爱过吧？”

这掷地有声的话问住了贺佳期，可廖宇接下来的话把她气坏了：“这又不是像你对万征那种单恋……我每次看见我妈喝醉的样子，我就发誓，我一定会爱一个特别需要爱的女人，把爱看得最重的女人，我要好好爱她，让她过上最幸福的生活……就算她铁石心肠，那我就是腐蚀剂，相信她总会被我感动……”

佳期听到这歌词不禁一惊，她刚刚用它给万征总结了他们的爱情。

廖宇突然问：“让一个人相信爱情……你觉得我能做到吗？”

佳期被问呆了：“我相信……我我我……那你干嘛还飞在花丛中啊？”

“我没有。我本无心求富贵，谁知富贵迫人来？”

听到这儿，佳期恢复了常态：“我觉得那是破锅自有破锅盖，破人自有破人爱。”

看那小孩哈哈大笑，佳期气坏了，觉得自己刚才听他话时候的投入是浪费表情：“在你这句话之前的话，我都没当是人说的……我以为我面前这位，是一天使呢……我刚才听你说的那些，如果我没领会错的话，是说你要找一个特别弱势的女的，得足够悲观，才能让你想要跟她好，我拿爱情拯救你我的爱人儿？”

“这我也弄不清楚，反正，我还是喜欢那种我见犹怜型的。”

佳期歪着脖子想了半天，突然想出一个来，伸出食指比着：“小柳——！”

廖宇气结：“一边儿呆着去，那还不如你呢。”

说完这话，两个人倒都是一愣，佳期连忙茬开话题：“虽然感情事业双失败，可我妹倒是一点都不消沉。”

“她比你自信。”

“那当然了，她比我聪明，也比我漂亮，也比我年轻……”

“你就是太自己瞧不起自己，所以才那么上赶着万征。其实你们俩是他配不上你。”

“啊？”佳期摸着自己的脸，又看看廖宇：“我听说有一种药，人吃了以后会与人为善，觉得周围的人都特好，你不是刚吃完吧？”

廖宇无可奈何地说：“对对对我今天的日行一善还没完成呢……哪儿有你这样的人啊，人一夸你你就听成侮辱你。”

佳音摇摇晃晃地和一帮人从迪厅里出来，拥吻告别：“再见哥哥，BE COOL 啊……再见姐姐，KEEP IN TOUCH 啊……再见妹妹……”

她抱完一圈人，一转身，就被刚才被抱过的娱记哥哥的车撞飞了。

佳期扶着右腿上裹着厚厚的石膏的佳音从洗手间出来，正碰上才智和大廖满面春风地往外走，佳音撒赖："廖叔你也不关心关心我。"

大廖搓着手说："跟才智早说好今天出去看房。"

才智笑眯眯的："好不容易休息，就不陪你了，今天是我们家的看房日。"

目送两人喜孜孜地出去，姐妹俩交换了一个心照不宣的眼光，佳音说："人有了钱就有了地位。"

"咳，地位就是地位，管它怎么来的呢？"

"廖宇呢？跟他们去了吗？"佳音费劲地直起身，想从窗户看看。

"这事儿好像没他参与。"

佳音抱怨："那他不来看我？妈也不在。"

"妈去补课去了。"

佳音觉得闷："真是久病床前无孝子。"

佳期啐她："天下雨，你脑子也进水啊？会用词吗？不会用别用。"

"我就说那个意思。"

门铃响，佳期跑去开门，引小李美刀进来。佳音一看就急了："这人谁呀？"

"这人？我不知道啊，说找你。"佳期装傻。

佳音很烦躁："哪儿都有你，走开。"

小李美刀一点也不生气："真好，真是天助我也。看你还凶。"

"天助你什么？"

"终于给了我照顾你的机会。"

"用不着。天给你，我不给你。"佳音挣扎着起来要轰他。

"你算了吧。"美刀轻轻一推，佳音就仰面朝天倒在床上，她刺耳地尖叫："姐——"

佳期拎着包往外走："我忙着呢，对不起我也不在你床前孝顺了，量他也不忍心对残疾人做出什么非人举动。"

门刚关上，小李美刀就冲她做出一个拙劣的凶恶的表情。

围着围裙的美刀还挺有家庭妇女范儿，麻溜儿地端菜出来，忙前忙后，佳音就一直厌恶地盯着，佳期和廖宇倒是很坦然地接受着他的服务。

美刀意犹未尽："嗨嗨，怎么会有这么好的机会呢？"

"少废话，待会儿我们家大人回来轰你走你可别嫌寒碜。"佳音打击他。

"没关系，等他们不在我还来。"

佳音拿这个人没辙，冲佳期发火："你们不愿意照顾我就算了，难道我会饿死？何苦把我推给这个不着四六的人？"

廖宇尝完了菜，赞："真挺好的。"

美刀越发得意忘形，问佳音："我喂你？"

佳音气笑了："你戏过了啊。"

佳期劝她："你就当咱家雇一临时保姆。"

佳音轻易不原谅美刀："哎哟咱家哪儿雇得起他呀？他再把崇拜者招咱们家来。"

"那不可能。我已经把我电脑里所有的女网友照片都给删了。"

佳音不信："噢我明白了他为什么上咱家来，他肯定是找不着小柳了。我告诉你，人现在功成名就，不来我们家了。"

"哎呀哎呀不要再提这个人。还要我怎么说啊？"美刀着急。

佳期说："小柳现在还真是火得不行，听说都卖海外版了。哎美刀，你的书有海外版吗？"

美刀低下头："还没呢。"

廖宇不解地问："她写得好吗？我为什么看不下去？"

佳音对踩小柳就非常踊跃："正常人都看不下去。"

美刀也踩："对对对，只有那种猎奇心理的人才看。其实就那点儿破事，有什么可说的呀？"

佳音觉得自己可以骂小柳，美刀不能骂，她拿筷子点着美刀的鼻尖，一字一顿地说："男人，任何时候不要批评曾经是自己女人的女人。"

美刀辩解："我不认为她是个女人。有这样儿的女人吗？"

万征耗不动了，他放倒自己，躺在沙发上发呆。烟头掉到沙发上，他跳起来赶紧胡撸，可惜沙发还是烫了一个洞。

他气坏了，在屋里转圈，一边骂着："妈的。"

正这时候，灯突然灭了。他一路摸索着，一直奔到小区门口的保安室，急赤白脸跟人家吵："怎么回事啊？为什么不给电了？"

"我们也没办法，我们也是听头儿的，现在整个小区就您一户，我们不可能只给您供电。"

"为什么不可能啊？只要有一个业主住在这儿，你们也应该供电啊。"

"请问您是业主吗？"

佳期听万征在电话里咆哮了二十分钟，她看看表，觉得很烦。虽然现在万征骂的不再是她，但她不明白他骂别人的时候，听起来怎么就那么乏味。

她的手机适时地响了起来，显示是"彭总"，她连忙跟万征说："公司找我，我待会儿给你打。"然后听也不听万征的反应，就挂上了。

可她听完守礼的电话，"噌"地窜出自己屋门，也没敲门，就直闯进廖宇的房间。廖宇正准备换睡衣，只穿着一条小花三角裤，大惊失色："怎么回事？"

佳期大声吆喝："赶紧，穿上衣服，老彭喝醉了，哭呢。"

"喂我……"

"别我我我的，谁爱看你啊小屁孩，快点穿上衣服。"

廖宇气坏了："什么口气啊，跟一老娘们儿似的。"

佳期本来要出去，一听这话，索性站那儿了，上上下下看个够。

守礼一个人坐在酒吧的角落里，已经喝得大醉。某个相熟的俗艳女子正在劝：

"彭哥，彭哥……"

"滚开，我没钱，穷了，'奥迪'都换'桑塔纳'了。"

旁边有桌人听着笑，女的觉得脸上挂不住，骂骂咧咧地走了："台湾傻逼。"

佳期和廖宇急火火冲进来，在灯光幽暗地酒吧里扫了一圈，才看到守礼，连忙过来。守礼一听见"彭总"这亲切的呼唤，顿时哽咽了："佳期，廖宇，兄弟……”

佳期连忙问：“您别哭呀，怎么了？”

“李总，开发商李总，跑了，不见了。”

廖宇还不明白事情的严重性：“什么意思？”

佳期脸色大变：“这房子烂那儿了，没的卖了。等于咱们之前的投资，那些宣传，广告，全泡汤了。”

守礼扪心自问：“我是坏人吗？啊？我是吗？为什么要这么对待我？”

佳期连忙哄他，用手拍他的背：“你不坏。”

“是啊……我彭守礼在台湾做房地产，你知道，开始他们都说我是地产奇才，地产奇才！后来不知道就怎样，命歹啊……一塌糊涂，输得很惨……我觉得我的经验，来大陆怎么样也可以打个漂亮的翻身仗……台湾的房地产开发早嘛，那些经验到大陆怎么样也够用了……谁知道大陆人更坏，更没有责任感啊。”

他最后的几句话给旁边那桌人听见了，喝问：“嘴里不干不净说什么呢？大陆人坏你丫在大陆混？”

佳期忙道歉：“对不起啊，他喝多了，刚让人把钱都给骗光了。”

“活他妈该，怎么还有衣服穿啊？怎么没把裤衩也给丫骗走啊？”

守礼急了，往起站，佳期廖宇几次摁他，几乎摁不住。

守礼问：“你骂谁？”

“骂你，怎么着啊？找辄呢吧，你丫过来。”

守礼还在往起起，佳期觉出这帮人眼熟：“哎，你们是不是我妹的朋友啊？”

几个人一听，上下打量她，虽然嘴里还横，但口气有点软：“你妹谁呀？”

“我妹是贺佳音。”

娱记哥哥们这才消消气，嘴角会疼似地笑笑：“那哪是你妹啊？那是我妹啊。”

佳期赶紧陪笑。

“得了得了，让这傻逼赶紧滚蛋。我今天看你面子啊。”

佳期抚慰守礼：“彭总，你还开得了车吗？”

守礼还来劲了：“干嘛？为什么要开车？我不走。”

廖宇跟佳期商量着：“车放这儿，明儿再取吧。”

11

红颜都是您知己

佳期倒了两杯茶，放到廖宇面前一杯，廖宇说："够熟门熟路的呀，来过？怪不得说你们俩有一腿。"

佳期瞪他一眼，又推开卧室的门看看，守礼鼾声如雷。

"他也挺可怜的，在这边儿连朋友都没有，心里难受了只好找咱们。"

廖宇不这样认为："找我了吗？找的是你吧。"

"没有啊，说是咱俩。他一直管你叫兄弟。"

廖宇也动了恻隐之心："嗯，开始我还有点不适应。"

"在大陆混的台湾人有好多种，他这种，其实还算是简单直接的，人不坏。"

佳期替守礼说话。

"他今年多大？四十几？"

"四十五。"

"年近半百了，什么都没有，真可怜。"

"他好像有女朋友？"

廖宇一笑："不是你吗？"

看佳期好像被得罪似的，廖宇连忙正色："他的那些女朋友，不作准的，大难临头各自飞。"

“明天到公司怎么说啊。他元气大伤，估计在大陆也呆不下去了。”

廖宇倒不这么看：“也不至于，我觉得老彭这个人挺坚韧的，你还是不了解他。他特别不服输，是那种哪儿跌倒哪儿爬起的人。虽然有时候爬的次数太多还是爬不起来。”

“你怎么好像很了解他似的？”

“他特别爱推心置腹。以前我以为是表演呢，后来发现来来回回人生的座右铭就那几条：对父母为孝对兄弟为悌对朋友为信对人则有爱心。”

佳期被他逗得笑：“现在往回一看，真像一场闹剧。你那会儿干嘛急赤白脸地要来这公司？他那么剥削。”

“我以前认识一些‘隆业’出去的人，都一副训练有素的样子，把我给骗了。”

“训练有素那都是装的，在外边混，必要的保护色。你要不认识我，是不是觉得我也挺训练有素的？”

“你？”廖宇看她一眼，不言语了。

佳期追问：“我怎么了？”

廖宇直率地说：“你给人的第一印象，特坏。真的，事儿了巴叽的，跟一假正经似的。而且傲慢，好像特别瞧不起人。”

“你这话伤害了我。我脾气最好了。”佳期绷起脸。

“那还真是自夸了。你给人第一印象特别北京，就是那种有优越感的，恨不得管外国人都叫外地人的劲儿。”

佳期哈哈大笑：“是吗？我北京人我骄傲我自豪。”

“所以招人讨厌。”

“现在呢？现在感觉怎么样？”

“现在就不用说了吧，多可怜啊。纸母老虎的本质露出来了，不堪一击，而且没心没肺。”

“这我不承认，我认为我还是很有城府的，我每天精心设计很多事呢。”

“对，精心设计得让人都看出来了。起码万征就看出来你百忍成钢就为了一心嫁进他们家门儿，所以才门儿都没有。”

佳期露出守得云开见月明的表情："哼，现在他对我可好了。"

"真满足吗？"廖宇的眼睛是雪亮的："其实我觉得你挺亏的。"

"对啊，你好像说是他配不上我。为什么？"

"不爱你的人，当然配不上你。"

这话说得很应该拿本儿记下来，佳期仔细回味着。

"只有爱你的人，才配得上你爱。"

"你谈过恋爱吗就一副很有经验的样子？"

廖宇嘿嘿乱笑："没有。我也是见着名言警句就记下来，将来肯定用得着。"

"那你觉得我和万征能结婚吗？"

"结婚有意义吗？你的问题就在于把结婚当成一个句号，其实结婚很有可能是个破折号，引号，反正不是句号……"他看着佳期的一脸懵懂，失望："跟你说你也不懂，你是一个爱情弱智。你还没谈过真正的恋爱！你跟万征结婚，现在看来是极有可能的，可是你甘心吗？你认为你们之间这叫爱情吗？要是我我就不甘心，我总是要谈一次真正的恋爱的。如果这恋爱的结果是结婚，就更完美了。"

佳期冷笑："幼齿。"

廖宇最不服气别人当他是小孩子："你们俩就是结婚了，也不一定就幸福。万一哪天苏非非不知道打哪儿又蹦出来了，把钱还他了，甚至是加倍还他了——人家比你精多了，三两句话就能让万征再度俯首贴耳。"

"胡说，我和万征，算是共患过难的。"

廖宇看她真是愚钝，懒得再和她掰扯："对对对。祝你们白头到老。"

"大姨，没豆浆了？"建英连忙从厨房里跑出来解释："今儿我去晚了，早上一直背单词，给忘了。"

才智觉得自己家现在财大气粗，也该训训佳音了："得了妈，您既然忙就歇着呗，噢没您这一家子人还不吃饭了䁖等着挨饿？"

这话说得大家都一愣，佳音小心翼翼地问："我说错什么了吗才智？"

“啊？你说什么了？我没听见。”她若无其事地爆料：“昨天我跟廖叔去看房了，已经看好了一处，是我一个朋友介绍的，准备就下订金了。”

“啊？哪儿呀？”事出突然，大家都懵了。

才智冲大廖使个眼色：“到时候再告诉你们，等交完首期的。到时候我们搬走，还真没人做早饭了，所以现在开始，大家得锻炼自己的生存能力了。”

建华不爱听：“买房？你挣着钱了？”当然，她知道才智是挣不到的，又问自己的姐：“你挣着钱了？”

才智骄傲地抢答：“是我廖叔！”

大廖连忙冲大家点头哈腰。

建华惊讶地问：“大廖真的？怎么挣的？”

大廖不爱说这个，支支吾吾：“咳，就是我们家乡那边投资的小煤矿。”

“噢，我知道了，就是那种违规作业，砸死不少人的？”建华的职业病就是把所有人都当成可以打击的对象。

才智不高兴了：“那我们不知道，反正廖叔把那个煤矿转手一卖，就是七十万。您见过七十万吗？”

佳音和自己的妈一拨儿：“你也是听说过没见过吧？”

佳期和廖宇都不吭声，不想裹这乱。但建华心里不舒服。在这个家里，建英家一向是弱势群体，从小到大都是她比姐姐强，这回姐姐家居然要买房搬出去住，这对她可是刺激大了：“咳，我们家没本事，也就能挣点辛苦钱。”

建英也有点不高兴：“大廖也很辛苦，这一年两边跑。”说完居然含情脉脉地看了大廖一眼，而大廖也含情脉脉地把这一眼给接过去了。建华更生气了，从来都是她说建英的份儿，哪轮得着建英说她。她想起廖宇现在还住在自己家：“那廖宇呢？廖宇肯定也跟你们走吧。”

这下大廖和才智倒是含糊了，建英不明所以：“那当然了。”

廖宇是非常敏感的小孩，听出自己不受欢迎，他马上说：“我准备回

老家了。我想复习一年，明年考美院。”

才智首先就蹿儿了，但脸上是挂着笑的：“你考美院？你考得上吗？再说美院一年得多少学费呀？”

“我可以勤工俭学，我工作过，有经验。”

大廖粗暴地阻止他：“你那点经验算什么经验？还不是要我供你。”

才智连忙拦着这话头：“廖叔，人廖宇都说自己勤工俭学……”

佳音急了：“忍心吗？忍心吗？你们住着大房子，让人廖宇在外边勤工俭学。”

廖宇连忙说：“勤工俭学挺好的，你别说得跟要饭的似的。”

建华看话题转了，颇为扫兴：“姐你们要搬了也好，家里宽敞多了。什么时候搬呀？”

一大早，守礼就一脸落寞地端坐在隆业的销售大厅中央，企划杨几个忠心耿耿的老员工坐在旁边陪他聊天。佳期问：“业务员呢？

“没业务要什么业务员……我告诉他们我现在比较困难，只能每人赔两个月工资，他们很爽快地走了。”

企划杨说：“彭总没关系，我们支持您，再找新的案子来卖。”

守礼惨笑：“难啊，现在都是开发商自己直接卖房子，我们很难再找到案子做了……没关系，你们也走吧，谢谢你们一路以来对我的支持和信任，我给你们都写了推荐信……我不信偌大北京没有我彭总的容身之地。”他强笑着：“我最开心就是认识你们这班好朋友，朋友是人生最大的财富。兄弟，你们要好好混，说不定将来哪一天，还能帮到彭哥一把。廖宇，我最看好你，看见你我就想起我弟弟……”他说不下去了，眼泪快掉下来：“彭总最难过的时候，身边从没有过女人。只有你啊，佳期，我永远忘不了你为我挺身而出，追打那个李忠义。李忠义，最不忠不义的东西……”他还耿耿于怀：“……好了，我们中午一起吃个饭吧。”

企划杨附和：“好好好，彭总，您别拦着我，这饭得我请。”

守礼瞪圆了眼睛：“你敢！我瘦死的骆驼比马大，你不要瞧我不起……哎，屋漏偏逢连夜雨，我车丢了。”

姥姥和姥爷顶着难看的旅游团帽子，紧跟着导游欢天喜地出来了。万征连忙很会来事儿地掏出相机给他们照相，姥姥摆出各种“V”的POSE给万征拍，得意得眉飞色舞。

午饭是小李美刀做的，看他一盘一盘往桌上上菜，佳音不耐烦地问：“行了行了，做完了没有？完了赶紧走吧，我们家要聚餐。”

姥姥觉得不合适：“说什么呢佳音，人家刚做完饭你就轰人走？怎么也得吃完饭再走啊。”

美刀不在乎：“没事，我可以走，我其实不太饿。”

姥爷连忙说：“别别，坐下吃吧。来坐这儿。”指着自己身边。

佳期和万征坐对面，建华说了句让大家都别扭的话：“终于来了。”

万征硬着头皮解释：“前一阵儿太忙。刚弄了个公司，接了点乱七八糟的活儿。”

姥姥赶紧派礼物，拿出一堆贝壳串的破项链：“佳音的……佳期的……才智呢？”她特意拿出一件蜡染的文件衫，神秘地给廖宇：“给你的跟他们不一样，比他们的都好，有文化。”

廖宇说“谢谢您”，打开一看，蜡染布上印着歪歪扭扭的四个字：“天涯海角”，忙说：“真好看。”

佳音盯着他：“真好看吗？”

廖宇不搭理她，收好。

“还有万征的，看在你接送我们的份上。”

万征受宠若惊：“不用不用……谢谢谢谢。”

姥姥看着小李美刀：“就没你的。”

美刀觉得自己替姥姥下台呢：“不用有我的，这种玩艺我们家一堆，没地儿放。”

姥姥懒得跟他计较，兴奋地汇报心得：“我头回坐飞机吧？可一点都不害怕，就你姥爷，使劲咽唾沫，还拿那垃圾袋问我吐不吐？我哪儿能吐啊？我吃了两份飞机餐呢。”

“你是舍不得吐，又咽回去了。”姥爷阴阳怪气的。

“这飞机上真有意思，比火车强多了，真的，还有卫生巾呢。我给你们拿了几个。”

佳期哼哼着："姥姥。"

姥爷揭发："哼，她还拿酒店里的洗发水，连擦鞋布都拿。"

"怎么了？花钱住店，用不完的还不让拿？"

姥爷补充："还有一次性拖鞋。"

陈家人的头越来越低，小李美刀笑出了声："真不开眼。您头回出远门吧。"

姥姥知道这人说话不靠谱，也不往心里去："佳音你这腿怎么弄的啊？"

"咳，天灾人祸呗。要不是这倒霉事，这人怎么窜进来的？"她一指小李美刀，美刀得意地挺挺胸："骂吧，我打不还手骂不还口。"

姥爷夸："这孩子厚道。"

大家都白姥爷。

建华说："还有更大的事呢。"

"什么事？"姥姥看着佳期万征："你们俩要结婚？"

佳期马上斥责："您说什么呢？"

"姐他们要买房，搬出去住。"建华笑眯眯地汇报："瞧不上咱这地儿呗。"

姥爷问："真的吗？廖宇？"

"我不知道。"

建华说："人大廖可不是一般人，人在老家的小煤矿一卖，可挣着大钱了，觉得咱家太挤，所以要搬出去住。人都这样，一有钱，就看哪儿都觉得小，我理解。"

廖宇满面通红："还没定呢吧。"

美刀插嘴："搬就搬呗。这房子是不怎么样，这都什么啊都不扔，跟一有顶的垃圾站似的。"

"你不说话会死啊？"佳音骂。

姥爷想不通："一家人住在一起不好吗？热热闹闹的？……他们又出去看房了吗？……倒也是，我们什么事都靠着建英，她也够累的……"

建华替大家申辩："她也没说不乐意。"

姥爷又说："她整天这么忙，还要管家里这么多事……"

姥姥的刁劲上来了："对，再加上我们都事多。"

美刀觉得有人的地方，就得有人说话，要不就该冷场了。他说："对对对，你们家尤其的。"

"你烦不烦啊？"佳音真想抽他。

姥爷叹口气："要说不累，换你们谁试试。"

建华不同意："大姐干惯了，不累，她习惯了。"

"习惯了不代表不累，日本就有过劳死。"

姥姥一拍桌子："她还会在我们家过劳死吗？"

万征觉得开眼："你们家够闹的啊，斗争够复杂的啊。"

佳期也烦："以前不这样，就自打廖叔挣了七十万以后，钱来了，矛盾也就来了，其实大姨确实挺辛苦的，搬出去也好，过过舒心日子。"

"你在家不做家务吗？"

佳期摇头："没做过。我们家一直是我大姨和我姥爷干活。"

"那可太不像话了。你要是想跟我结婚，就得学会做家务。"

佳期一听结婚，又不抻茬儿了，万征试探："怎么了？你不想跟我结婚？"

"啊？没有啊。你说认真的？"

万征强撑着装出笑脸："我发现你最近有点奇怪啊，一提结婚就闪。"

"没有啊？"

"我还不了解你吗？"

"你了解吗？"佳期索性摊开了说："你知道我最喜欢什么颜色吗？你知道我最喜欢什么花吗？你知道我穿多大的衣服和鞋吗？你知道我内衣的尺寸吗？"

这一串问题真把万征问住了，他嘟囔："就跟你知道我似的。"

谁知贺佳期一一道来："你最喜欢黄和黑，你最喜欢黄玫瑰，你穿 M 号的衣服，四二的鞋，你只穿内裤不穿背心，也是 M 号的。"

万征听到佳期答得一样不差，奇怪："你怎么知道的？"

“上心。这就是咱俩的区别。你的所有一切我都上心，但你对我，没有。”

她突然觉得廖宇说的对，这算怎么回事啊，她真应该谈一次真正的恋爱。

一大早，姐儿俩让一股怪味儿给熏醒了。佳音问：“什么味儿啊？你闻见没有？”

佳期耸着鼻子闻了闻：“说不上来，像是海鲜。”

姥姥在一楼的窗户下面搭了根绳，正在晾自己从海南带回来的海白菜。以前总跟她吵架的马老太太从边上过，客气地搭两句话，其实是给熏坏了，来问问缘故：“哟，这是什么呀？”

姥姥一反常态的热情：“海白菜，见过吗？”

“噢。在哪儿买的？”

“不——是。我们家佳期不是孝顺我和老陈去海南玩吗？我在海边捡的。”

“噢是吗，真好。”马老太正准备走开，姥姥热情地拦住她：“给你点儿给你点儿。”

马老太不爱要，但客气：“不用，我们家有。”

姥姥一脸惊讶：“啊是吗？你也从海边捡的？”

正在楼上扒着窗户听的两姐妹翻个白眼，呻吟一声，又躺回床上。

佳音说：“发现没？姥姥开始与人为善了。”

“咳，她不是要竞选楼门组长吗？”

“就为那点钱？”

“也不是，还是闷得慌吧。姥爷整天在外边玩，跟她没交流。”

佳音叹气：“你说结婚有什么意思啊？不也就是一时新鲜，到了还是得自己找乐。”

“你知道美国人形容俩人特合适，就说他是她的龙虾……”

佳期细瘦的手臂在空中比划着：“就是说两个人老了，腰都弯了，像龙虾似，可是还特别好。你一辈子可能会遇见很多乱七八糟的玩艺儿，三文鱼，乌贼，海蜇，水煮鱼，酸汤鱼……可你不一定会遇见你的龙虾。”

佳音看着她垂涎欲滴的样子说：“遇不着，能吃着也幸福。”

万征坐在沙发上抽烟发呆看报纸，廖宇在电脑上作图，回头问：“你看这样行吗？”

万征过来看，然后摇头：“有点怪看着。”他笑笑，不想让廖宇觉得他很独断：“可能我岁数大了，落伍了？”

“这也不是特前卫吧？”

“我还是觉得，这种杂志的版面应该弄得规矩点。”既然说不通，万征也不打算和他讨论：“活儿紧，你还是按着我那个版式做吧？”

廖宇到底年轻气盛：“会不会有点土？”

话一出口，觉出不合适了，又跟万征闲扯：“万征你是哪儿毕业的呀？”

“我？我没念过书。”万征最不爱人问他的学历：“从小就喜欢，小时候老画小人书。我听佳期说，你明年想考美院？哪个系？”

“环艺。”

万征很明戏地笑：“想挣钱？”

廖宇知道和他说不通：“也不是……咳，也是……以前就从来没考过吗？”

万征突然想起了苏非非，想起她总是坐在他的自行车后座上一起去补习班，他有点伤感：“考过一次，差十几分，第二年岁数就超了。我以前当兵，退伍回来考的，就在那时候认识的苏非非。”

廖宇回头看了他一眼，万征没察觉：“十几年了……要有个孩子都成人了……后怕。”

“现在好像北京的女孩都没有什么跟真的当过兵的人谈恋爱吧？”

“是啊，佳期开始就觉得特别新鲜。”

“是个人崇拜啊？”

万征笑：“她不正常。”

古装的一一从威亚上下来，腰都快勒折了，直想掉眼泪。胜利迎上来，心疼地问：“有点疼吧。”

一一强忍着不哭：“没事。”

“太不像话了，让你吊这么长时间。”胜利给一一找了个凳子，一一不敢坐，胜利按她肩膀，她这才坐下了，但胜利仍在回味着手感，一一的柔弱无骨让他浑身一激灵。

“一一你多大呀？”

“十九了。”

“你为什么不考北电或者中戏？当北漂可不太好混呀。还是科班出来起点会比现在高。”

一一是人精，笑眯眯地说：“贺老师您以前是老师，所以特别愿意鼓励别人念书吧。”这恭维真让胜利舒坦：“我会一直记得您的话。”

胜利脸红了，有点臭来劲：“咳，你红了以后，再遇上，能跟我打个招呼就行。”

佳期扶着佳音从楼道出来，看见小李美刀正从“捷达”上卸轮椅下来，佳音一看，脸色就变了——那个轮椅居然是下面有洞的。佳音骂：“你有病啊？这是什么？你下边不直接接个尿盆？”

美刀解释：“哎呀我也没办法，这是最后一个了，我就租来了。我一片好心，你就别挑了。”

佳期也批评他：“那你去买一个啊。”

“啊？买一个？佳音你要现在说你跟我一辈子我就买一个——我能想到最浪漫的事，就是和你一起慢慢变老。”

“我呸。人家后面唱的是‘坐着摇椅慢慢摇’，又不是轮椅慢慢摇。”

佳期在旁边哈哈大笑，更让佳音觉得没面儿，她觉得一碰见小李美刀就说不出的倒霉。她狠狠地说：“我能想到最浪漫的事，就是看你一人儿慢慢变老。”

公园里有很多老年人，仨一群俩一伙的凑堆打扑克，这些人和老干部活动中心的不一样，一看就是工人出身。佳期美刀推着佳音在公园里转悠，突然发现旁边一堆老头儿里，干部出身的姥爷很是乍眼，耳朵上正夹着夹子，一手出牌，一手还拿着烟卷，骂骂咧咧的：“他妈的。”

佳期连忙过去：“姥爷。”

姥爷抬头看是佳期，也不觉得特别寒碜，因为旁边的老头们耳朵上都有夹子。

“您怎么不去老干部活动中心了？他们还不让您回去呢？”看姥爷不爱理她，她只好说：“早点回去。”

美刀称赞：“你姥爷还真没架子，真看不出来以前是党的干部。”

佳音替姥爷挣面子：“我姥爷平易近人，跟群众打成一片。”

佳期叹气：“哎，姥爷真是沦落了。”

美刀电话响，他一边掏电话一边说：“哪儿玩不是玩，能玩就行，就怕有一天玩不动了。”

“你不说怪话会死啊？”

“不会死……啊喂？什么杂志？……什么内容的采访啊？……跟谁对话啊……我跟她有什么可说的？我不去……抱歉，我没空，下次吧。”

看他把电话匆匆挂了，佳音好奇：“跟谁呀？”

美刀支支吾吾地说：“小柳。我跟她有什么可对话的？”

佳音心里酸着呢：“人现在腕儿这么大，跟你对话是提携你呢，你还敢拿搪。”

“我其实无所谓对不对话，可一来没稿费拿，二来我怕你生气。”

佳期看看他们两个笑：“你也太不会说话了，说怕她生气就完了，还说什么没稿费拿。”

美刀很实在：“确实没稿费拿，我不去。”

“不要那么无情，老情人见个面，说不定百感交集抱头痛哭呢。”佳音不屑地说。

“不会的不会的，打女的不合适。你，我了解，说一套做一套，说不生气，我要真去了，你估计就跟我绝交了，我不，我就在你这棵树上吊死了。”

“你甭想。”

“佳音，得饶人处且饶人，当着你姐的面儿，你告诉告诉我，到底我怎么做你才能接受我？”

“整容，变一模样再来。”

美刀为难："这太难了，身体发肤，受之父母，再说我也不是特别难看。"

佳音想了想："那……等我谈一次恋爱吧，扯平了以后你再来。"

万征虽然对佳期的态度与从前有天壤之别，但他骨子里爱训人的毛病是改不了的，趁着晚饭的当口，他又忍不住说："我觉得你应该赶紧找工作，人都是越呆越懒，越呆越想呆，就不想出去工作了。"

佳期想探探他的底："你觉得女的结婚以后还应该出去工作吗？"

"那当然了。"

"可是小说上说，一个男的要真爱一个女的，不会舍得让她那么辛苦。"

万征不理解："工作有什么辛苦的？要是干两份工作可能还辛苦。你怎么？不想工作了以后？"

"没有啊，我就是随便一问。"

万征防着她呢："你可甭打这主意。我觉得不仅要工作，而且婚后也要经济分开，分得清楚一点比较好，省得离婚的时候掰扯不清楚。对，结婚前还要作一个婚前财产公证。"

佳期接受不了这些新思想："啊？就跟你有什么财产似的。"

万征精明地数着："车啊，房啊，这都是我结婚前买的，要不公证，一离婚让人分走了。"

佳期莫名其妙地问："可买卖不成仁义在啊，就算这女的不要，我觉得这男的也应该把车和房给这女的。"

万征很警惕："我一贯觉得你有物质至上的倾向，果然。"

佳期明白过来："你防谁呢？噢，防我呢？我不要。我只说这个理儿……俩人结婚前去财产公证是伤感情的事。爱一个人为什么要公证？"

万征跟她掰扯上了："爱一个人，如果这个人想公证，为什么不能公证？"

"那这人爱那人吗？"

"哪人爱哪人吗？"

佳期批评他："你真计较，人说老处女有怪僻，我看老处男也一样。”

万征咧嘴一笑：“可能，我是过独了，一个人过惯了，你要愣插进来，我还真得适应适应。”看她不痛快，万征又说：“你还是赶紧找个工作，我觉得女的要是没工作就肯定生事儿，再说你找到工作才好见我父母吧？别到时候我爸妈问你干嘛的，你说你待业，我们家人肯定得嘀咕。”

佳期没想到这个事这么快就提到议程上来了，倒是一呆。

美刀在追求佳音之余，也时不常出席一些社交场合。有个时尚杂志搞周年酒会，听说有出场费，他二话不说准时来了。当然，还因为这家杂志颇有几个姿色不错的女编辑。

小柳在签到处骚首弄姿拍了几张照片，也袅袅娜娜地进来了。女编辑们一看，起哄地拉小柳过来：“哎柳小姐，好久不见。”

美刀扭头想闪，女编辑们才不肯：“别走啊，你们也好久没见了吧？”

小柳微微一笑：“我最近忙得很，在写第二本书。”

美刀问：“噢是吗，是跟哪名人啊？”

“我本名人，跟什么名人？”

“噢对，我怎么给忘了。这人一有名，就恨不得把以前知根知底的都给灭了口了。不过你也没辙，全国人民都知道你的根底。”

小柳还真不在乎：“那是承蒙全国人民看得起我……我听说你那新书，人给你保底才两万啊？”

美刀一提这个就烦：“我又不荤着写。我要像你那么荤着写，早给禁了。我不靠写下三路出名，那不叫文学。”

小柳也给戳了心窝子了：“禁了说明我火了，有些人倒想禁呢。”

女编辑们打哈哈：“不要文人相轻嘛，同行要相互友爱，扶持。”

美刀不管那套：“她这滩烂泥还不是我扶上墙的。”

女编辑们笑死了，她们本来也不喜欢小柳，故意说：“美刀你这人就是心直口快，一点人情世故都不懂——不能这么说女士。”

美刀呲牙一乐：“我分人，对你我就不这样。”说完一搂人家小蛮腰，女编辑飞红了脸，转个身从他怀里出来，佯怒：“你不写下三路的书，可你干下三路的事。”

看小柳妒火中烧，美刀成心问：“怎么样？把名声写坏以后，没男的敢冲你了吧？”

“别逗了，前仆后继。”

美刀说着自以为特逗的话：“都是智商低于八十的吧？我知道你也看不上，真着急吧。”

“你发整版的求爱信，也没得着好脸啊。”

美刀也生气了，俩人乌眼鸡似的互相瞪着。

小柳先松了一步，叹口气：“哎算了，不与你分辩，浪费时间。有这功夫我还搞文学去呢。”

12

到 厦 门 一 游

廖宇还是决定去厦门跟着守礼干，这让佳期很失望。她倒不是对廖宇失望，而是她明白廖宇看不上万征，这间接证明了她隐约意识到、但不愿意承认的万征已经OUT于这个时代的感受是正确的。年轻人总比成年人绝决，冷酷，毫不留情，她明白她从前因为地位低下而仰慕的万征，其实也就是个凡人。

廖宇有年轻人的急进，他想要独挡一面。守礼一贯不擅用人，但从另一个角度讲，反而能让那种在论资排辈的正经地方一辈子也得不到重用的人大展身手。佳期说："我劝你还是再考虑考虑。厦门你去过吗？在北京你有同学，有朋友，有……我们算你们家人吗？"

"我把你当朋友。"

姥姥把马老太马老头叫到家里来打麻将联络感情，目的是为自己当选楼门组长扫清障碍。姥爷并不理姥姥是怎么想的，只要是玩，他就乐于被支使得团团转，又支麻将桌又摆麻将毯，很是热情。

马老头对蓝色的麻将毯产生兴趣，摸摸捏捏："这是什么麻将布啊？真软乎，真不错。"

姥姥一指"国航"标志，得意洋洋地说："没卖的还，我从飞机上顺的毯子。"

佳音在一边叫唤："您又偷人家东西！"

马老太出言讽刺："就你这么爱占小便宜，怎么能当好楼门组长啊？"

姥姥一听这个急眼了："怎么当不好？我把楼门当我家，肯定在外边给咱们楼门争好处。"

马老头摇头："哎，改不了，改不了啊。"

姥姥又拿出一块毯子来："还有一块儿呢，你要不要？"她递到马老太眼前去，马老太犹豫了一下，一把夺过："要，干嘛不要？又不是我偷的，是你给我的。"

姥姥满足地笑了："看，你的觉悟也不高，打牌打牌。"

佳期告诉她妹，廖宇要去厦门，还故意说廖宇是为了躲开她，这让佳音反应很大，她跟廖宇哭哭咧咧："你不能离开我……人海茫茫，人与人能相遇是多么的不容易，尤其我们又恰巧相遇在同一个屋檐下……都是缘分哪。为什么不珍惜呢？"

她死死地抓着廖宇的手，佳期很看不惯："真丢人。我们公司的女的都这样扑他，你能不能弄点新鲜的，要不他不感兴趣。"

佳音和廖宇商量："那儿你人生地疏的，要不然你等等我，我腿就快好了，我和你一起去，你就不会闷了。"

廖宇不领情："我不怕闷。"

佳音对佳期抱怨："我觉得他对我，就像我对小李美刀，人人都有克星。我今年是够倒霉的，参加'明星脸儿'没拿上名次，给苏非非当助理没拿到工资，现在又撞折了腿——可姐你今年很不错啊，虽然现在没工作，可公司关门之前也捞够本了吧？还有万征，终于让你给磕下来了，眼瞅着要变成幸福的少奶奶，同是一母所生……"

她越说越来劲："也好也好，你走吧，走得越远越好，我的心是被带走了，我从此是没了心了。"

姥姥坚决不同意，头摇得跟拨郎鼓似的："不行，你不能走。你好不容易找着家。"

大廖沉吟良久，说："小宇啊，你还是留在北京补习吧，既然想考，就踏踏实实地静下心来，不要一边想着挣钱，一边想着考试，那样两样都干不好。你上学的钱我自然会给你。”

廖宇听了这话，倒没什么可说的，他知道父亲能说出这样的话是不容易的。建英很惶恐：“是啊，你不要走，难道是我对你不好吗？”

“没有没有阿姨。”廖宇没想到有这么复杂。

“可是你一走，就好像是说我对你不好。”建英虽然笑着，但表情很尴尬。

佳期突然语出惊人：“或者，我跟他一起去厦门吧。”

其实她是在问自己，但大家，包括廖宇全当真了。

“我怕你们担心，一直也没跟你们说。其实我不是歇年假，是我们公司接的那个案子，开发商跑了，公司也就关门儿了。现在廖宇要去厦门，是因为彭总，你们见过的那个台湾人，在厦门那边弄了一个游乐场的项目，彭总挺器重廖宇的，对他来说也是个好机会。”

姥姥眨巴半天眼睛才听懂：“那你干嘛也去呀？”

佳期有自己的算盘，但顾左右而言他：“换个环境也挺好的，听说厦门空气特好，养人，在那儿肯定挺舒服的。您看我虽然天生丽质，可北京这么干燥，呆得我这张脸还能看吗？皱纹和青春痘同在！再说彭总待我不薄……”

“可是万征同意你去吗？”姥姥问。

佳期马上烦躁起来：“为什么我要去哪儿，一定要征得这个那个的同意呢？”

果然，万征第一反应就是阻拦：“不行。”

佳期慢条斯理、但是很坚定地说：“我不是来征得你同意的。”

万征的脸色难看起来：“那你是来通知我的？”他明显被得罪了：“佳期，你最近变得挺强硬的呀。”

“是吗？有吗？”佳期明知故问。

“我不想干涉你，但是你得想想，第一，厦门是个小城市，不见得有多大发展，多少外地人，像廖宇，人都奔着北京来，你居然还要走？第二，北京是什么地方？人才济济，今天拉一步，明天就要追十步才追得上。你要是一走，很可能回来的时候都找不到自己的位置了。廖宇他本来是外地人，外地人去外地，也无所谓。第三，那个老彭一直跟你眉来眼去的吧？”

佳期听到第三，抬起了头：“说什么呢？”

万征嘿嘿笑，但不改口：“我说得没错吧？”

佳期不觉得这有什么可笑：“过了啊。再说这次去还有廖宇呢。”

“他年纪那么小，真有什么事，他帮不上你。”他收起笑容，郑重地说：“还有第四，你一走，恐怕没个半年不会回来吧？结婚的事怎么办？”

佳期心说怎么躲什么来什么：“你怎么好像特别急着结婚似的？”

“那当然了，既然认定了，就不要再耽误了。”

佳期胡言乱语地找茬儿：“你是说你以前认不定，是在求证呢？”

“现在我认定了，我要娶的是你。反正也是你，那不如早点结了算了。你告诉我你怎么想的？”

佳期吭哧半天，才说：“我觉得，我觉得，我觉得我其实可以再等两年。”

她的话声越来越小，万征果然再也装不出高兴的样子：“再过两年，我都快四十了。”

佳期心说早你也不年轻，那会儿你干嘛去了？

“早结婚早落停，你也趁年轻赶紧生孩子，还能恢复体型。”

佳期涨红了脸：“越扯越远了你。”

“结婚生孩子，难道不是顺理成章的事吗？”

佳期越想越觉得可怕，不回答，头摇得像拨浪鼓似的。

守礼和一个满脸俗艳的女孩来接他们，三人久别重逢，居然有很亲的感觉。

拥抱完毕，守礼介绍说：“这是我的干女儿林青，这就是佳期，廖宇，我的兄弟。”

林青马上很亲热地挽上佳期的胳膊：“你就是佳期姐姐啊，总听彭总提起。”

但眼角眉梢却一直冲着廖宇放电。

他们要走到停车场才发现守礼已经喝醉了，佳期担心地问："您还能开车吗？"

守礼拍拍她的脸，她甚至没来得及躲："没问题，让林青来开。"回头看见林青正挽着廖宇嘻笑，守礼猛拍她屁股一下："干什么？"

在小餐馆里，守礼对着大海诉说远大理想："……然后，我就是厦门房地产第一人！"

林青"噢噢"叫着拍巴掌："干爸好棒……"

"干……有你们两个，我就什么都不怕了，什么都不怕！"守礼看着廖宇，装出一副莫测高深的样子："不过他一来，我的偶像地位又要坍塌了。"然后一把搂过林青："是不是？是不是？"

守礼帮他们租的是一个两间的公寓，和从前在家里一样。佳期在床边坐下，忧心忡忡地说："我怎么觉得他有点不对劲啊，可又说不上是哪有问题。"

"先看吧，他不会天天喝成这样吧。"

佳期左右看了看："你累了吧？"

"还行。哎，你这次来，是为了躲万征吧？"廖宇机灵地问。

"没有啊。"

"别装了。免费到这儿来度假，还打着帮老彭的旗号，你倒精。"

佳期注意到林青永远是一身短打，衣服少得简直可以被逮起来，尤其是和廖宇说话的时候，总是挺胸瞪眼作心潮澎湃状。就算她是守礼的干女儿，佳期可不吃这一套，她知道自己在守礼这儿是有份量的，所以平日在公司里，她总是板着面孔。公司里的女孩私下问廖宇，佳期是不是他女朋友，廖宇只答了三个字："她倒想。"

守礼总是醉的，每天对着大海喊："我将是厦门房地产第一人！"而林青的巴掌总是很脆："干爸好棒……！"真让佳期头疼。

"我有点后悔……他这不是做事的态度。天天吹牛，喝得大醉，搂着那位，能干什么呢？"

天气很晴朗，空气里充斥着湿湿咸咸的味道。天上有星星，两个人却在如此美景下愁眉苦脸。

佳期突然说："你离林青远点，我看老彭都不高兴了。"

"我怎么离啊？她过于热情了。"

"是人未到，这儿先到。"佳期挺挺胸，夸张地学着林青，又撇撇嘴，鄙夷地说："林青不太像好出身，你说老彭是打哪儿把她挖出来的？"

廖宇听着不顺耳："不要老彭一忽视你，你就对林青打击报复。什么叫好出身，什么又是不好的出身？"

佳期张口结舌地说："我只不过看到了一个大家都会产生疑问的现象，你至于吗？你为什么反应过激？你是不是……"

廖宇粗暴地打断她："住嘴。林青这个人很单纯，你看人不要只看外在。"

佳期气不过："你怎么能为这种人跟我吵？"

"哪种人？你又是我什么人？"

她倒真想不出来自己是他什么人，但两个人在这边，其实是比在北京近了好多，佳期自己都未觉在心理上已经当自己是他无话不说的人。这下距离被重申，她被噎得心里不舒服："我是看你年纪小，怕……"

"我觉得她比你可爱，起码在她眼里，所有人都是一样的。"

佳期生气了，站起来拍拍屁股上的沙，故意都拍到廖宇脸上。

第二天，她故意当着廖宇的面问："林青你是哪里人？"

林青一愣："我是武汉人。你呢佳期姐姐？"

佳期相当自豪："我就是北京人……你以前是干什么的？怎么认识彭总的？"

林青倒是一派大方："我以前在一个歌厅里当领班，彭总总去我们那里玩，就这样认识。"

佳期得到想要得到的答案，满意了，她笑眯眯地看了廖宇一眼，可廖宇就像是什么也没听到。

一出门，廖宇把她揪到一边问："你干嘛那么问林青？"

"嗯？怎么了？我好奇。"

"那干嘛用那种瞧不起的口气？你觉得你比人家高贵吗？"

"我没说。"

"干什么都只是一份职业。林青就算像你所谓的出身不好，但她对人好，她会有福报的。你瞧什么都不顺眼，你活得高兴吗？"

"还行。"

廖宇硬梆梆地说："就你这样把人分三六九等的人，才会用巴结的眼光看你觉得高的人，结果那样的人再瞧不起你，这就叫报应。"

这话果然戳到了佳期的痛处："你说我什么都行，你不能说我势力眼。"

"如果你就是，说不说有什么关系？"廖宇一点不让着她，针锋相对。

"我是为你好。你以为老彭看不到你们眉来眼去吗？"

廖宇不领情："老彭心里不舒服自然会跟我说，你在干什么？你为什么要嫉妒？"

"我嫉妒？"佳期指着自己。

"那你解释一下。"

佳期解释不了，干在那儿了："我为什么要嫉妒？"

"是啊，你为什么要嫉妒？"

"我问你呢。"

"问你自己。"

电话响了半天，正在发呆的佳期才伸手去接。因为是串机，那边廖宇也接起来了，两人同时在电话里"喂"。

万征犹豫了一下说："我找佳期。"

佳期听见轻轻的"咔"的一声。

到厦门以后，他们基本上保持着每天一电，万征从来没和佳期说过那么多话，每天的吃喝拉撒都要汇报一遍，佳期发现，这还真是个枯燥的人呢。

"我又接了一个杂志的设计，所以又招了两个人。"

"是吗？男的女的？"

万征对佳期这种不能免俗的问话很满意，觉得她仍然非常小心在意自己："是老王介绍的，一个男的一个女的，那女的是他侄女……你想我吗？……我还挺想你的……主要是担心你，人生地不熟的，身边又是两个那样的男的。"

"两个？"

"那老彭，还有廖宇呀……一个男孩，长得那么好，你们孤男寡女……"

佳期生硬地打断他："一点都不好笑。"

不知道是因为和廖宇相处得不愉快，还是在陌生地方难免的紧张感，佳期比起在北京的时候神经质很多。游乐场的项目最终没有通过，她不知道继续留在厦门还有什么意义。

醉醺醺的守礼安慰她："没有关系呀，游乐场批不下来，我们可以做别的案子嘛。"

佳期以为他是有谱的，她可不想在厦门打游击："那要等到什么时候？您在这里认识业界的人多吗？"

守礼眨眨眼："我认识得不多，可林青认识得多呀。"

佳期这才发现林青在守礼心中的地位是无可替代的。从此他们每天泡在歌厅里，陪一些官样的人唱K，在这样的环境里，林青如鱼得水，往往是几个中年男人争着一亲芳泽。这让其他亲不上的以为佳期是林青的姐妹，很想对她也上下其手，可佳期的脸总绷得跟江姐似的。

"我要回北京！这成什么了？让林青在外边替他拉客。"佳期怒气冲冲地对廖宇说。

"说话不要这么难听。林青能帮上老彭，是老彭的造化。老彭还得谢谢她呢。"

"对，所以我得走。我无法在这种形式上对他有任何帮助——拿我也当陪酒的了。"

其实廖宇也觉得她说得对，但连自己都不知道为什么，就是控制不住地要和她唱反调："你有什么了不起？陪酒怎么了？陪酒也是自己的劳动。"

"你还少站着说话不腰疼，你会跟林青这样的女孩交往吗？"

廖宇非常肯定地说：“如果世界上只剩下你和林青两个女的，我肯定选择她。”

佳期气疯了，她不能容忍有人把她和林青相提并论……还不选她：“如果世界上只剩下你和老彭两个男的，我肯定选择……”

廖宇挑着眉毛好奇地看着她，等她说出下面的话。

“我肯定去死。”

临进雇来的那些女孩子都被辞退了，佳期要亲自接电话：“喂？”

里面传出林青焦急的声音：“佳期？彭总在不在？”

佳期冷淡地说：“你等一下。”

“不要不要，你告诉他，赶紧离开办公室。”林青尖叫着。

“怎么了？”

“不要问了，让他赶紧离开。”

佳期连忙进守礼房间，醉醺醺的守礼正在手机上和人对骂：“怎么样？你怎么样我？林青就是对我死心塌地，有种你用光明正大的办法把她追走……你砍我？你有种就来，我等着你。”

佳期冲上去揪他起来：“彭总，林青打电话让你快点离开。”

守礼没想到人家跟他玩真的，一时间脑子有点发懵：“我不走。”但已经麻溜儿站了起来，脚软软地往外冲了。

候机大厅外的天空很蓝，佳期趴在窗户上看飞机的起降，觉得人生十分无常。林青没化妆，样子十分憔悴，守礼耷拉着脑袋，粗暴地骂：“滚开。”

廖宇连忙把她拉到一边。一看有人安慰，林青的眼泪马上扑扑簌簌掉了下来。

佳期买了几瓶水，递给他们，然后坐在守礼身旁，用手胡撸脸。她也很累，可还要强撑着安慰守礼：“没关系，到北京从头再来。”

守礼拉住佳期的手，把脸深深地埋了进去。

她已经习惯了守礼时常婴儿般的表现，就那么任他埋着，自己左顾右盼。一扭头，她看见哭得花枝烂颤的林青正靠在廖宇怀里，她皱起眉头。

林青的厚嘴唇居然碰上了廖宇的脸！她瞪大了眼睛。

而廖宇居然没什么反应!

他甚至还拍拍她的肩膀，很体贴似的。

佳期顿时极不舒服，觉得自己被林青给亲了。

真的，觉得倍儿脏，特不舒服。

13

一　仆　二　主

佳音的腿已经好了，和她的狐朋狗友们在舞池里旁若无人地跳舞，廖宇坐在一旁心事重重地喝酒，低头看着旁边的椅子，好像在找什么东西，其实是贺佳期躺在那儿睡觉。廖宇想不通，这儿的音乐这么吵，她怎么能睡得这么香呢？

娱记和企宣们回桌，问："我姐呢？"

廖宇指指凳子，又拍拍佳期，她莫名其妙地起身，显而易见又喝多了："什么情况？几点了？"

廖宇看看手机："十二点多了。"

佳期摇摇晃晃地站起来，很高兴似的："我先走了，你们接着喝吧，再开瓶酒，今天我来买单，谁也别拦我。"

没人想拦她："真的啊姐？真崇拜您，您白领就是不一样，真大气。"

佳期美坏了，嘎嘎嘎地乱笑："服务员再来瓶杰克，然后买单。"

廖宇看她那样醉，也跟着站了起来："一块儿吧。"

佳期看他一眼，很不欢迎："你是不放心我吗？"

"我不放心马路上的男青年。"

廖宇伸手叫车的时候，佳期就在他背后手舞足蹈。有出租车停下，看贺佳期那模样，马上开走了。廖宇回头劝她："别美了。"

好不容易有车停，他强行把她塞了进去。可开没多远，车就靠边停下了。佳期从门里跌出来，冲到路边的树坑狂吐。

廖宇用熟练的手势帮她捶，一边数落："不能喝就别喝。"

佳期嘴硬："我不能喝，可我敢喝……服了吧？"

"服了服了。"

吐够了，她接过廖宇的矿泉水在前边摇摇晃晃地走，还咿咿呀呀地唱起来了："为你我受冷风吹，寂寞时候掉眼泪，有人来说是与非，说是与非，可谁又真的相信谁……"她站到马路牙子上去走，为了保持平衡，伸直了双臂，但几次都要掉下来，廖宇想拉她下来，又拉不动，只好用手牵着她。

佳期觉得走得很直，很牛，狂笑。廖宇讽刺她："你们中年妇女喝多了样儿可真够大的。"

佳期很不高兴，站住了："我下个月才二十七岁。"

"真老。"

"成熟，这叫成熟，请注意你的措词。二十七岁，是全球女性黄金年龄，是收获的季节……"

廖宇不明白："二十七岁为什么是全球女性黄金年龄？"

"因为我二十七岁，我多大，全球女性黄金年龄就多大。"佳期指指自己。

"可你收获什么了？"

佳期站马路牙子上想了半天："我收获了一种直面惨淡人生的勇气。"她可能觉得自己的话特别深刻，站在那儿发呆，像是在倾听这掷地有声的话在深夜的回声，突然间，就呜呜哭了。

廖宇看不得醉女人掉眼泪："你怎么了？"

"我下月就二十七了。"她哽咽着。

"好事呀，黄金年龄。"

"为什么我在黄金年龄里，还是事业没着落爱情没前途啊？"

廖宇答不上来这么深刻的问题，他能做的只是伸出一条手臂搂着她，任她把鼻涕擦了他一胸膛。他安慰她："你不要跟比自己强的比，你得学会比上不足，比下有余，学会跟不如自己的比。我心里难受的时候，就想到世界上还有那么多人挣得比我少，生活条件比我差，顿顿吃不上肉，可我都吃烦了，只想吃素，然后我就知足了，知足常乐，我就乐了。”

佳期爬到街心公园全民健身的劈腿器上，大幅度地劈着腿，也不知道这些话听进去没有：“……甭往远的比，你就跟我比，你多幸福啊。一大家子人，热热闹闹在一块儿住着，有一个现在上赶着要跟你结婚的男朋友，你学历也挺高，找不了特好的工作但是找一一般点儿的没问题……可我呢，我有什么啊？你说我有什么啊？你多想想我过得这么差，你会不会高兴点儿？”

“你过得差我为什么要高兴？再说你过得不差啊——那么多女的围着你，你多咱儿看见有一堆男的围着我了？”

“我不是说了吗，那都是虚假繁荣，泡沫经济。”

“可是至少你有选择的机会，我连选择的机会都没有。你说女的活一辈子为什么？肯定不是为了事业，作为一女的，谁不把爱情婚姻放在第一位啊。为什么我就不能有选择的机会呢？也让我尝尝这种举棋不定的痛苦，尝尝伤害谁都不忍心的痛苦，多美啊。”

廖宇骂：“你神经病吧。那老彭对你，也算是有爱的吧。”

她不同意：“凭什么给我一个又老又丑又不靠谱的选啊？为什么不给我一个你这样的，又年轻又英俊还前途无量的选啊？”

“这位同学你的问题提得很尖锐，我回答不了，就像我也不知道我怎么这么有魅力一样。”

两个人皱着眉头，都是一副百思不得其解的样子。

佳期站在那劈腿器上，伸手叫他：“你过来，我看看。”她仔细看着他的脸，突然天真地笑了，她说了句心里话：“你还真挺好看的。”

廖宇从小到大，听到这样的话太多了，他很反感这种话和说这种话的人以及这种人说这种话时的口气和表情。

“……我还从来没和你这样漂亮的男孩谈过恋爱呢。”

“您这种姿色，不是什么都有机会试的。”

这话让佳期觉得很不入耳：“凭什么凭什么凭什么呀？”

他还没来得及回答，她脚下的器具一滑，突然上身前倾，结结实实地吻到了他脸上。

廖宇吓了一跳，仰头看着她。她也看着他，很得意。他这才意识到这不是一个意外。

佳期的口气是挑衅的，笑眯眯地问："怎么着？小屁孩。"

廖宇从没想到自己居然被贺佳期给非礼了，张口结舌。

"林青亲得，我亲不得？……嗯，我现在心理平衡点了。"

廖宇使劲擦着脸："你这叫酒后无德！你这不是女流氓吗？"

佳期一点都不觉得寒碜："林青凭什么就能亲你啊？"

"她不是故意的，她那会儿心里难受。"

"你以为我现在心里就不难受吗？"

说完这话，佳期想了想，仔细体会了一下自己的难受，又咧嘴哭起来了。

廖宇被她的又哭又笑满脸放炮弄崩溃了。看她站在劈腿器上哭得脚下不稳，他又赶紧得扶着她，她索性抱着他哇哇大哭起来。

后来，他不知道自己想什么了，只觉得确实想起了什么。他来不及细究那是什么，小心翼翼地用嘴去吻干她的眼泪，她哭的样子，让他怦然心动，心疼极了。

然后，他们莫名其妙地接了一个长吻，直到佳期脸上的泪都干了。

看起来两个人都没有什么经验似的，接吻的姿势相当怪异。

佳期奇怪地看着他，脸有点红："我很久没……"

"我也是。"

两个人都有点尴尬，也觉得这事奇怪，万万想不通。

佳期突然又干嚎起来："为什么情侣却不接吻呢？为什么万征就不肯接吻呢？接吻多好啊。"

为了让贺佳期安静下来，两个人只好又接了一次吻。

廖宇辗转反侧了一夜，不知道第二天应该怎么面对贺佳期。谁知早饭桌上，贺佳期虽然脸肿得像猪头，目光却相当坦然，这让廖宇很紧张。

因为宿醉的原因，佳期稍嫌呆滞，问："昨晚上谁结的帐？"

廖宇和佳音大惊："你结的帐啊？"

佳期也大吃一惊："我结的帐？"

廖宇说："您大手一挥，拦着所有人说，谁也别拦着我。"

佳期张大了嘴："我疯了？我为什么要结帐？我真是一点都记不起来了……那我昨天怎么回来的？"

廖宇突然脸红了："我看你喝太多，就跟你一块儿回来了。"

佳期歪着头想："打车回来的？我怎么没印象？"

廖宇小心地提示："走回来的。"

佳期看着他，努力地回忆着："走回来的，对，走回来的，我怎么记得我上车了？"

"又让人轰下来了。"

他不知道自己该不该帮她想。

"噢又给轰下来了……然后我就在马路牙子上走来着……后来我好像还锻炼来着？再然后……我怎么就什么都想不起来了……"

廖宇失望地长出一口气。

可突然佳期问："那谁哭来着？"

就在这一瞬间，她什么都想起来了，大惊失色地指着廖宇。廖宇吓坏了，目瞪口呆地看着她。

贺佳期放下碗就跑回房间，原地站了一会儿，抱出所有的皮鞋，摆了一地，戴上手套开始狂擦不止。

廖宇推门进来，递给她一封信。

贺佳期恍惚觉得这个场景是她见过的，她不接，努力地想什么时候见过。她以为信是他写的，相当抗拒："干嘛？"

他觉得奇怪："你的信啊，欧亚广告来的。"

她连忙接了过来，拆开读了一遍，茫然地看着他："他们要我了……昨天，我错了……我酒后无德，占你便宜，太不像话了。"

廖宇脸色一沉："那你好点没有？"

"我好了，没事了。"

"那就行，我也没白牺牲。"

贺佳期一脸官司走进万征新公司的写字楼，也不往两边看，直往楼梯上走。

接待台后边的保安叫她：“你去哪个公司？”

她没听见，或者听见也不知道是叫自己呢。保安脾气很大，冲上来拦她：“你去哪个公司啊？跟你说话呢你没听见啊。”

佳期吓了一跳，没想到一个保安敢跟自己这么说话，不理，绕过他接着走。

这触犯了保安的威严和自尊，他再度冲上去：“你去哪儿？得登记。”

佳期想了想：“二零五。”

“公司叫什么？”

佳期这才意识到自己居然不知道万征新公司的名字，她发现自己并不真的像想象中那样关心万征，还背着他勾三搭四，不禁又愧又恼又急又气，一阵急火攻心，复杂的情绪正好发泄在这保安头上，她严厉地说：“走开。”

“你不能上去。”

佳期一瞪眼：“我就要上去。”

“你不能上去。”

佳期懒得跟他废话，推开他接着上楼。保安气急败坏地伸手拉她，她马上找到了借口，指着保安威胁：“你碰我一下？你敢碰我一下？”

保安倒也不敢碰她，但就是不让她上楼。很多公司的人探出头来看，她就这样径直走到了二零五，保安仍挡在前面不让她进。

她毫不客气地推开保安，大声嚷着进了门：“滚。”

里面的万征和廖宇以及另外两个小孩都愣住了。

她看见他在，突然就沉默下来。

万征批评她：“你就登个记怎么了？跟人吵什么呀？别的公司都看见了，以为你什么人呢？”

“我什么人啊？”佳期反问着，突然眼泪就无声无息地掉下来了。

大家面面相觑，两个小孩赶紧对着电脑干活。

廖宇倒了杯水放在她面前。

万征关心地问："你怎么了？心情不好？"

"没有。"她倔倔地说。

"你要心情不好，今天就别去我们家了，改天吧。"

廖宇一愣，他没想到今天贺佳期就要去万征家拜访父母了。他站起来对万征说："我先走了，这书我下个月还你。"

万征也起来："不着急，我也用不上，你什么时候不用了再还吧。"他把廖宇送到门口，廖宇回头客套："行了别送了，我走了。"

她正抬眼看他。

万征的父亲是个很威严的老头，母亲却很低眉顺眼，两人的关系看上去很像从前的万征和佳期。

佳期强打精神做出一副很乖的样子，故意显出生涩的尴尬，以期给人留一个单纯的好印象。

万父见多识广，问："你是做创意的？听说你那公司在世界上还很有名？比我们中国的长城广告怎么样？"

佳期没想到："啊……都不错吧。"

"你是学什么的？"

"我学中文的。"

万父失望："中国人学中文，听起来不像有什么大用的。"

佳期玩命踩自己，给老头儿发挥的由头："咳，混呗。"

"你二十……七？工作几年了？换过几个工作啊？听说你们年轻人都爱跳槽？"

还真没人这么关心过她，她想了想："五个吧。"

"四年换五个工作？你可不踏实噢。"万父上套儿了。

"开始没有经验，不能随便挑，有地方要就不错了。工作几年以后，就能选自己喜欢的工作了。"

"我们都是在一个工作岗位上呆一辈子的。"

万征插嘴："他们年轻人，跟咱们不一样。"

"谁们年轻人？跟谁们不一样？"万父斜着眼睛问。

万征咧嘴笑，他在家里倒很像个儿子。

万父又问："你身体怎么样？喜欢什么体育锻炼啊？"

"我不锻炼，一锻炼就胖。"

"那不行。我看你也像是挺弱的，将来结了婚，又得伺候丈夫，又得伺候孩子，还得好好上班。我们倒不用你伺候，我们身体还行，可你们自己的小家，也得你操心啊。"

佳期被他这通不见外给说颓了，不吱声，苦笑着，突然发现自己处于孤立无援的状态。她借口上厕所，遛达到厨房来，其实她什么也不会干，但似乎袖手旁观又不大合适。

万征捅她腰眼："你学着点。别将来就擎等着白吃白喝。"

"哎。阿姨我帮您干点什么？"

万母更不见外："不用，你坐着去吧。不在这一顿两顿的，将来你有的是机会学，以后我就把厨房让给你了。"

这一惊非同小可，只用想象的就吓坏了。佳期看见万征正得意地冲她笑，似乎只有这样才算是融入了他家，她来做牛做马才不是外人。

明天就竞选了，大家七嘴八舌地给姥姥出主意。佳音比比划划地说："……我就穿一超短旗袍，披一红绶带跟您后边，上边写着，人民的楼门组长人民选。他们就不冲您，冲我这么舍得自己来助选，也得投这一票。"

才智叹息："姥姥这就是一辈子没当过官憋的，甭说官了，党员都不是。"

这可真让姥姥不服气。要知道她当年也是党组织重点培养的对象，要不是她嫌上政治课烦，也不至于现在挨小辈们这种挤兑，每每看见户口本上的"群众"二字，她就觉得刺眼睛，心里堵得慌。

佳音问："那明天当时结果能出来吗？"

"能。当场验票嘛。"

姥爷好奇："你有勇气面对失败吗？"

"我有……我凭什么失败啊？"

建英担心："人二楼张老太太当得好好的，凭什么大家选您啊？"

建华马上说："张老太太是文盲。"

姥姥连文盲都不放过："什么文盲？是'不识字'，比文盲还低一级。文盲是经过扫盲的，张老太太户口本上写的就是'不识字'……不识字怎么帮大家占便宜……啊谋福利啊？"

看见廖宇进来，佳音连忙用屁股挤开旁边的才智："坐这儿……什么书啊？"

"专业书，你不懂。"廖宇敷衍。

"不懂我可以看画。"

才智让她给拱一边，很不高兴："张老太太也老这么说。"

佳音不理她："说我姥姥明天选举的事呢。"

"噢，您肯定能选上。"

姥姥乐了："真的？你也看好我？"

"咱家人这么多，票数也占优势啊。"

姥姥有点沮丧："那不是，一家就一票。"

"那……噢。"廖宇不说了，他也觉得姥姥悬。

姥姥分析："张老太太家庭内部也没咱们家团结，儿子那么不孝顺，他妈要找后老伴都不让……"

佳音有点愤青地说："这岁数再找后老伴就不叫嫁人了……叫嫁祸。"

才智问："那姥姥您能给咱楼门什么新面貌啊人家明天肯定得提问。"

"我能平息咱们楼门长期以来存在的邻里矛盾啊。"

建华说了句实在话："咱们楼门的邻里矛盾主要是您跟人家的。你弄个小菜地，不让人停车，不让小孩在外边踢球……"

"所以我得当楼门组长啊，我当了，我就不好意思低标准要求自己，我把自己搞好了，咱们楼门不就好了吗？"

才智恍然大悟："噢我明白了，那就跟让后进生当班干部一个意思。"

"说什么都行，让我当就行。"

佳期回家，臊眉搭眼的跟大家招呼。廖宇有点不自在，两人都只敢偷偷看对方一眼，可这一眼偏偏互相看见，连忙又看别处。

建华心里记挂着："怎么样啊？说说，他们家怎么样？他们家人怎么样？"

佳期不愿意说，尤其是当着廖宇："就那样吧。"

胜利问："哪样啊？"

"还行吧。"

"对你好不好？"

"可以。"

姥爷的目光从老花镜后炯炯看来："听这意思，你跟他们家人合不来？"

佳音也闻出了味儿："不对头啊姐，你怎么没精打彩的？这不像待嫁的样子啊。"

"就是去他们家认认门，嫁不嫁还远着呢……"佳期停住，突然看了廖宇一眼。廖宇一直闷头听着，听她不说了，抬眼看她。

建英注意到了："廖宇，有事吗？"

"啊……我正要说呢，我要搬出去住了。"

大家的注意力又转移到这儿来，佳音反应最大："为什么呀？瞧谁不顺眼呀？"

"没有。我有个同学在美院旁边租了间房，我下礼拜就要去美院开的补习班上课了，住那边方便点。"

建英着急："别别，别走，你爸不在，等你爸回来再商量。"

"反正我每礼拜还可以回来。住那边不是跟谁有意见，就是为了上课方便。"

佳期突然说："这儿离美院也不远，为什么要走呢？"

廖宇像是说给自己听，又像是在问谁："能专心一点吧？"

佳音问："在这儿谁又分你的心了？"她的话里已经带着哭腔了："别走，求你了。"

建英笑："他们关系倒是挺好。"

和蔫头搭脑的张老太太相比，姥姥跟打了鸡血似的。台下面就数陈家人多势众，姥爷、佳音、廖宇、建英、胜利……居然还有美刀，佳音说：“你算干嘛地呀？”

“不能光自己吆喝，还得有外人的客观评价。”

廖宇笑：“你能客观吗？还不是只会说好话。”

美刀拍着他的肩膀：“重要的是有外人，不在乎外人说什么。”

居委会主任拍了两下手：“行了开始吧。大家反正都是街坊，也都认识，直接说吧，我也甭发言了。都是为了楼门好，对吧？谁先来？”

姥姥站起来：“我先来吧。”她抻抻衣服，很庄严，预备诗朗诵似的。

张老太太明显比姥姥衰弱，费劲地扬扬手：“我来吧。”

姥姥连忙有礼貌地一侧身，一伸手，门僮似的：“行，您先来。”

“我身体不好，也不站起来了……我就说啊，我儿子呢，经过你们隔三差五的批判，不知道是良心发现了还是磨不开面儿了，说要把我接到他那养老去。所以我都不住这儿了，还当什么楼门组长啊，老李你就踏踏实实当吧。行了我说完了。”

姥姥不干了，觉得让人给闪了：“啊？我还一肚子词呢，您不早说。”

佳音想得深远：“您儿子不是把您接到他们家虐待去吧，我们也看不见了，谁替您说话呀？”

张老太太一听傻眼了，直想哭，姥姥说：“就是，您别去了。我们大家互相照应着，这楼门组长您还当着，也有事干，分分心，打发打发日子。”

马老太是个暗托儿，马上赞扬：“嗯，老李这话说得不错，还像个有觉悟的样子。”

张老太太摆手：“得了，到底是自己儿子，我不跟他过跟谁过？老李你就别谦虚了，你当吧，你厉害，你当合适。”

居委会主任问：“那有没有别人现在自愿报名的？”

马老太挥手：“没了没了，就这样吧，散了吧。”

“大家什么意见？”

大家才没意见呢：“就这样吧，还回家看电视呢。”

居委会主任也懒得废话：“那那那就这样吧，你明天来居委会开个会，就算上任了。”

姥姥高兴地站起来：“行啊，谢谢大家，我说两句。”

“别说了，该开演了。”大家纷纷站起来往外走，剩下陈家人面面相觑，都有一拳打空的感觉。佳音扑上来：“祝贺您，姥姥，四百块钱算拿着了。”

姥姥偷偷指着居委会主任：“人还在呢。”

万征开始准备新房了，兴致勃勃地画了一堆效果图，向佳期征求意见。佳期接过来看了两眼，心不在焉地说：“我没有什么想象能力。”

万征比划：“这儿放书桌，这儿再做一组柜子，你衣服那么多，然后那屋放一单人床。”

“干嘛用？”

“谁犯错误了可以进去反省。”

“你不如直说是给我住的。”佳期翻个白眼：“我就喜欢大，不如把这两间打通了吧，一览无遗，多痛快。”

“那不行，你整天无所事事就爱看电视，吵得慌。你要说你每天就几点到几点，固定一个时间段看电视，那行。”

“啊？那你跟电视台商量去，让他们把我爱看的都放一块儿播。”

万征对新生活的即将到来也有点紧张：“这俩人生活到一起还真有点烦啊。”

佳期连忙附和：“是啊，你受得了吗？”

“磨合呗……怎么了？你怎么意思？好像是想劝我知难而退？”他仔细看着佳期的眼睛：“你真是越来越不对劲儿了，自打从厦门回来，我看你整天魂不守舍的，要不就暴怒，不知道什么时候就崩溃，怎么回事你跟我说说。”

佳期顾左右而言他：“没有啊，天气吧，天气太闷。”

看万征怀疑地看着她，佳期的脸开始红，谁知万征问：“那台湾人是不是又骚扰你了？”

“你第一次接吻是多大？初二？”

佳音脸一红：“那是你。我哪有那么早？”

“我怎么记得你什么事都在我前头？”

佳音大言不惭地说：“我是那种最难能可贵的、外表看着大大咧咧其实是个大家闺秀的好孩子。”

佳期对这种自吹自擂很熟悉，也没往心里去：“什么感觉？”

“嗯……烦，觉得特脏。你呢？”

“我忘了。”

佳音不高兴：“你不能老这样，套我话，然后自己不说。”

“真忘了。都忘了跟谁了……你说，俩人要是谈恋爱，是不是应该特别喜欢那什么，接吻？”

“对呀。你跟万征不是啊？”

“极少，所以我觉得不正常。”

佳音也赞同：“对，你们俩瞧着是像不搭界的。”

“……有的人你就特麻木，跟吻自己的手似的。有的人，奇怪……”

佳音听着不入耳了：“还有的人有的人的，有多少人啊？”

“我觉得会接吻的人，嘴唇儿都特软。”

佳音纯洁地笑：“真恶心。”

佳期却很认真：“不会接吻的，或者你对那人没感觉的，就跟砂纸似的。”

“你是不是有艳遇啊最近？是不是你这新公司有帅哥？”

“啊？新公司？我没注意，太忙了，……你说人会不会因为原始冲动而喜欢一个人？”

“你别说文言文，说浅点。”

“我就是说啊，你会不会就看一人，长得特好看，笑起来特别好看，就喜欢他？”

“当然，我基本上就这样。”

“……也不管他有没有钱，有没有房，有没有车。”

“对呀，有没有这些有什么关系？”

“甚至就为了他是一把接吻好手？”

“那不就更好了。”

佳期沉默下来。

佳音肯定地说：“你绝对有问题了。你说的这人，肯定不是万征。到底是谁？我帮你分析。”

“我……有点……喜欢……廖宇。”佳期犹豫地说了出来，她实在是太想跟人分享这秘密了，就忘了分人。

贺佳音如遭雷劈：“说什么呢？他是我的。”

佳期装傻：“啊？是吗？什么时候的事啊？”

佳音真急了：“姐你没事吧？我一直说我喜欢他。”

“你不是开玩笑吗？”

“我我我……”佳音也结巴了：“你不能因为我老开玩笑就当我一句正经的没有啊。”

“谁知道你啊，真真假假的老掺着说。”

佳音急坏了：“我也是一女的，我当然得开玩笑地说了，要不然我特正经地跟人家说我喜欢人家人家把我撅了……啊，他知道吗？”

“我不知道他知道不知道。”

“他要搬走跟这事儿有没有关系？”

“我不知道有没有关系。”

佳音大喊大叫：“姐——！你可不能跟我抢，你可太不厚道了。”

佳期解释：“我没跟你抢。我心里乱，才跟你说说。”

“你们是不是在厦门，也没另外的熟人，就……”

“那倒不是，是回来以后的事……就那次我喝得失忆那次。”

佳音记得：“啊……然后他送你回来……你们俩干什么了？”

“没干什么啊？我记不起来了。”

“真记不起来了？”

“真……的，好像……”

佳音百爪挠心：“好像什么？你最能装傻，别人不知道我还不知道？”

佳期一副问天问地的样子：“好像……接吻了？”

佳音瞪着她姐，咬牙切齿地说：“你太不仗义了姐。”她愤然起身，拉门就往外走，直冲进廖宇房间。廖宇正躺着看书，一看这阵势，连忙坐直：“干嘛呀？”

佳音二话不说，冲到廖宇面前，冲着他的嘴吻了下去。廖宇被堵个正着，玩命推她。佳期在后面看得目瞪口呆。

廖宇差点把佳音推一大跟头，幸亏后面有佳期接着：“你有病吧？”

佳音气恼地说：“我没病，我很健康。”

“你干嘛呀？”

“你干嘛跟我姐那什么呀？”

佳期很惭愧，低下头去，一言不发。

佳音伤心地说：“我早看出来了，跟你好好说还真不行，就得来硬的。”

廖宇简直要被气疯了：“你们俩怎么都疯疯癫癫的呀？”

“对不起对不起。”佳期拉着佳音就要回房间，佳音不干：“我不走，今天得把这事定了。你给个说法吧。你喜欢我姐吗？还是喜欢我？”

廖宇看了佳期一眼，她的表情十分暧昧，不知道在想什么。于是他淡淡地说：“我觉得都谈不上。”

佳期心里一紧，她觉得有点受伤害。

佳音先不干了：“你必须选一个，就只能在我们俩中间选一个。”

“我这就搬走。”廖宇收拾东西。

“不行！你告诉我姐，你们那是因为喝多了，我原谅你。”

“我干嘛要你原谅啊？”

“因为我喜欢你，我一直说我喜欢你，你知道啊。”

“我不喜欢你，我是喜欢你姐。”他说完这话，自个儿都愣了。

佳音闭上眼咧开嘴准备尖叫，但还没来得及叫出声，已经被佳期一把缛住，拎出屋门。佳音不甘心地对廖宇说：“我姐都要结婚了，人跟万征挺好的……”

"好吗？"

两个小孩征询地看着佳期，佳期不响，这种鸵鸟态度让佳音很不满："你对万征到底什么态度？要不我把他叫来。"

"别呀。"佳期慌了。

"你还吃着碗里的看着锅里的，太自私了。"佳音转头对廖宇讨好："你看，她一点都不真诚。她跟我不一样，我没主儿，所以我喜欢你我问心无愧，她呢？她这叫劈腿，脚踩两只船。姐我跟你说你这样不行，脚踩两只船的人，迟早掉水里，跟两只船全没关系。"

佳期惭愧地蹲在一旁，双手插在头发里。

佳音急了："说话呀，你们俩怎么都不说话呀。"

谁都不理她，也不理对方。

"姐你也不要有心理负担，接个吻不说明你是个作风有问题的女同志。谁都有喝多了情不自禁的时候，我原谅你。"

佳期闷闷地答："我不用你原谅。"

佳音给气得直翻白眼："如果说接吻能接出爱情，那廖宇你得对我公平点，你也认认真真跟我接一次。"

佳期喝住她准备欺身上前的身形："你不要二百五了。"

佳音绝望地喊："我不信！廖宇我不信你喜欢我姐，这不可能，你醒醒。"

她摇晃着廖宇："我告诉你们两个，我就是一个字，不服，姐，我要跟你竞争……"廖宇刚要说话，她马上指着廖宇："你别说话！公平竞争！你见我姐一次，就得见我一次，你现在让人给非礼了脑子糊涂，慢慢你就知道你应该跟谁好了。"

"我不觉得这里边有该跟谁好的问题。"廖宇强调着"该"。

"那你说说，你喜欢我姐什么？她有什么值得你喜欢的？她岁数那么大，装得那么傻，心眼那么多……"

佳期被说得无地自容，但廖宇迟疑地说："她……软弱。"

佳期一愣，没想到自己跟这词有关系。果然佳音就先炸了："她软弱？她软弱你们俩以前为什么掐成那样？噢我明白了，你是想报复她。姐你别上他当，你这孩子怎么这么坏呀，你不能对我姐这样……”

佳音已经有点疯了，佳期和廖宇都担心地看着她。

“佳音，你太小了，你是那种……反正不太适合我。我喜欢那种，就是比较成熟的，懂事的，啊……”他看了佳期一眼：“……包容的。你说喜欢我，可你喜欢我什么呢？我最讨厌别人说我好看。”

“难道我姐不是喜欢你好看吗？姐你不是吗？你不是天天嚷嚷着‘女人也好色’吗？”

佳期不敢接廖宇的目光：“我不太知道。”

佳音俩手一摊：“你看，她说不上来。”

廖宇很烦：“我听见了。”

“可我喜欢你就多了，我喜欢你好看是第一，还有，聪明……”她没词了，干看着廖宇，看了半天，突然把蹲在那儿的佳期推倒在地上，扭头跑了。

佳期坐在那儿，看着佳音消失的方向，也不知道在想什么。廖宇把手伸给她，她看了看，握住，站起来，廖宇就势把她拉到身边。

廖宇鼓足勇气，目光看向黑暗的深处：“那是我的初吻。”

佳期很沮丧，她真的没想到：“我知道……对不起。”

“真意外。”

“真的对不起。”

“可是我觉得……挺好的。”

“我也是。”

廖宇有一点惊喜，他看着佳期。但佳期手忙脚乱地解释：“所以我不知道我这是因为好久没接吻了还是怎么着，咳。”她干笑着。

廖宇咬咬嘴唇：“你这么说，好像是我对不起你，大惊小怪，你们北京人觉得这不是什么大事是吗？”

佳期大惊：“不是不是不是，这跟北京人没关系。”

他站起来：“就这样吧，我走了。”

“那以后……”

“我不知道，我看你也不知道。”

佳期很消极："我对你的喜欢是那种……"

廖宇飞快地替她说道："我知道你要说什么。我不想听你说你对我的喜欢不是爱……我只想提醒你，你对万征，根本就连喜欢都没有。"

一语惊醒梦中人，佳期喃喃："是啊。"

"所以……我也不知道该说什么了……你一定要真的幸福才行啊，别再糊里糊涂的了，你跟他，那是一种惯性。我知道不会是我，但我肯定那也不是万征。"

万征在卖床的地方左看右看，又和售货员聊了几句，回头看见佳期在一边没事人似的站着，问："哎，你什么意见啊？"

"啊？我没意见。"

"多少给点。"

"啊……非得买吗？"

"这是什么意见？什么都不买，床得买一新的吧？"

"啊……为什么呀？"她这种心不在焉的回答有点像抬杠，万征索性不搭理她了。

佳期看到旁边有卖床上用品的，倒是大感兴趣。

万征看见了："看那干嘛？家里有几套新的呢。"

"我喜欢纯白的。"

"不经脏。"

"勤洗着点呗。"

万征不爱接受别人的意见："花的，有家庭的温暖感。"

"让你一说，家庭是藏污纳垢的地方。"

万征往前走了一会儿，回头看她还在那儿看呢，又走回来："别乱花钱啊。"

"我花我的钱。"

"哟，你不是说经济不要分开吗？分开显得生分吗？"

"我说过吗？"

万征从头到脚打量她一圈，一拉她手："走吧。"

他把车停在陈家楼外，体恤地说："赶紧回去吧，我看你在欧亚好像特累。”

佳期推门刚要下去，想起个事，又上来，关上门坐好，也不说话。

“怎么了？落什么东西了？”

“没有。”

“那怎么了？”

佳期突然探过身去，吻了万征的唇一下。

万征一愣，他与佳期很少有这种亲热的动作。

佳期停在半途，思索地看着他。

万征觉得好像应该有所表示，犹豫了一下，慢慢迎上前去，和佳期接了一个情侣间的、正式的吻。

贺佳期从始至终，一直睁着眼睛。

她发现自己确实一点感觉没有，味如嚼蜡。

她从万征车上下来，站在路边挥手，直到车开到看不见了，才打了一辆车。

廖宇打开门，看佳期拎着那套雪白的床上用品站在门外，两人都没说话。

“谁呀？”佳音连跑带颠地从屋里跑出来，看见是佳期，也没当回事。她手上拎着块抹布，正在帮廖宇收拾新房间。

佳期把床上用品递给廖宇：“送你的。”

“谢谢。”他一侧身，示意她进来。

“我不进去了。”

佳音在里面喊：“进来吧姐，你也帮我干会儿。”她像女主人一样冲佳期招手：“进来吧。”

屋子很小，床，桌子，画具，就挤满了。佳音正跪在床上擦半旧的木质床头，三个人在屋子里就更觉逼仄。

佳期讪讪地问：“还缺什么吗？”

佳音抢着说：“差不多了。”

佳期又看看：“没电脑你怎么画图？”

廖宇指隔壁：“他有，我可以借他的。”

佳音看了他们俩一眼，出去淘抹布，佳期才有机会说：“这儿还行，就是小点。”

“够用。”

佳期再也想不出什么话来：“那我先走了。”

“我送你。”

佳音淘完布进来，看两人往外走，好像很大方似地说：“送送吧，送送还是可以的。没事。”

楼道里很黑，廖宇使劲跺跺脚，灯亮了。佳期在前面，廖宇比她高两级台阶。

转弯的时候，佳期突然回头说：“我是想……再验证……”

“知道了。”他不用她再说下去，两个人一个使劲探着身，一个玩命弯着腰，撑着楼道落满土的扶手，姿势非常别扭但结结实实地接了一个吻。

那一刻，佳期的眼睛是闭着的。

很久才分开。

她如梦方醒：“明白了……再见。”

下班后，万征和佳期约好去挑戒指，虽然她心里不情不愿，但实在找不出推搪的理由。

廖宇发了一个短信：在哪儿。她随手删了。

“谁呀？”万征注意到了。

佳期张口就来：“卖发票的。”

万征不疑有诈，对售货员说：“您拿那个我看看。还有那个。”

佳期都戴上，伸开来给万征展示：“你也试试。”

“我不要。”

“啊？结婚戒指就买一个？”

万征嘿嘿笑：“咳，咱们能省则省，我一男的戴这个也不好看。再说在苏非非那儿亏了那么多钱……”

这让佳期心里真不舒服：“没有买一个的。”她抬头问售货员：“都是一对一对卖吧？一个卖吗？”

售货员甩片汤儿话：“卖，您买三个我们都卖。”

佳期开始没明白，仔细一想，啼笑皆非。但万征没什么幽默感：“我们买三个干嘛呀？”

俩人从金店出来，万征看佳期没精打采，以为是因为没买到称心的戒指，连忙安慰：“没事，明儿我接着看。总有一款适合你。”

佳期却说：“明儿我加班。”

“我自己看，反正你这人也没什么品味。”

“对，我没品味，所以看上你，你有品味，所以看上我。”

万征现在对佳期打不还手骂不还口，搁以前早蹿儿了。

佳期给廖宇买了一套台式电脑，但廖宇非但不领情，还很不快：“你真把我当小白脸了？”

“说这种话有什么意义呢？物质不能衡量什么。”佳期说：“贵的物质跟便宜的物质，感情是一样的。能收便宜的，就能收贵的。”

廖宇沉吟了一会儿：“我说不过你，但是我不要。”

佳期着急了：“我觉得你在把这事庸俗化。”

外边有人敲门，廖宇的同屋把佳音放了进来。佳音本来想乐呵呵地打招呼，看见桌上的电脑，都快哭出来了：“姐，这招太损了啊，用物质打垮我？你欺负我没钱？”她手里拎的是超市里买来的可乐、方便面。

佳期觉得头疼：“得得，我宁肯跟明白人吵架，不跟糊涂人说话。”

“见谁去了？婚前好友？”

“啊？”佳期装听不懂。

“我买了戒指了。”万征亲昵地拍拍她脑袋，把一个红锦盒扔了过来。

并没有佳期从文学作品里看来的跪地求婚之类的举动，她只好自己打开看，是一枚很细的白金戒指，交接处衔着一枚小钻，式样很简洁大方。

万征掩不住地丑表功：“好看吗？找熟人打了六折呢。”

这让佳期十分不爽：“啊？结婚戒指还打折，不太好吧？不吉利吧？”

“有什么不好的？他们就是专宰你这种磨不开面儿的人。你不知道这是暴利行业？打六折他们也有赚。不能把婚结得跟上当似的。”

佳期“噢”了一声，随手把盒子放下，万征诧异：“你怎么不戴上试试啊？”

“啊？噢。”佳期连忙戴上，戒指有点大，钻偏到一旁去了。她很高兴，伸手给万征看，傻气地说：“大，得拿回去改吧？”

“不用。粗的细的价钱一样，粗了还赚了呢。”

佳期要疯了：“可会偏到一边儿去呀。”

“把底下拿红线缠上。我看好多人都这样。”

佳期气馁：“啊？我没见过人缠白金戒指的。再说多难看啊。”

“在底下，又看不见。”

佳期生气了：“不行。”

万征看她不像好对付的：“行行行，我拿回去改去。”

佳期稍放了点心。她总觉得这戒指收下的话，这事就不能再改了。

万征心细如发，笑着问：“你怎么好像长出了一口气啊？”

佳期没想到让他给看出来了，矢口否认。万征观察她：“佳期，你是不是不想跟我结婚啊？我看你最近老没精打采的，跟一大号的童养媳似的。”

“没有，我刚去‘欧亚’，特累。”佳期敷衍着。

万征在她面前蹲下，手放在她膝盖上，很动感情地说：“我对你是真的。”

佳期害怕了。她真希望万征像以前一样对待她，她就能找茬儿拍屁股就走了。

“我也是经了好多事，才有今天结婚的决心的。”万征的声音有点哽咽：“对我来说，认定一个人，不容易……我……哎，我不太会说话，但是我觉得结婚是表示诚意的方式。你觉得呢？”

佳期说不出拒绝的话，只得点点头。看万征仍在观察，佳期告诉自己要直视对方，眼神不能散。

万征没看出太多问题，站起来，坐到她身边，搂着她问：“你是不是婚前恐惧症啊？”

这是个好借口：“有可能。”

万征觉得自己怪聪明的："其实我也恐惧。人小时候都对自己将来的另一半有幻想，反正我小时候想的那个跟你一点边儿不沾。"

佳期提醒他："跟苏非非沾吧？"

万征把这话听成玩笑："还真是。我从小就喜欢那种说话柔柔的，眼睛大大的，皮肤白白的，个子小小的……总之是小鸟依人型的。"

佳期还是被这话气坏了："你跟我想象的也差特远，我想的是那种个儿高高的，皮肤黑黑的，眼睛大大的，牙白白的……总之是阳光运动型的。"

万征一想，果然跟自己不一样，不服气地说："那是四肢发达头脑简单型啊……我说的是苏非非那样的，你说的是谁那样的呀？你认识过这样的人吗？这种人在学校里特抢手，怎么也轮不到你吧。"

"看来咱俩都没实现理想，找错了……"

万征倒安慰她："理想没实现，不等于找错了。现在我觉得你也挺好，虽然说话傻傻的，眼睛怪怪的，皮肤挺牙碜的，个儿也人高马大的……没事，我挺满意。"说完了，他还拍拍佳期肩膀，差点儿把她鼻子气歪了："我觉得咱俩应该再分头找找，说不定出门就遇见理想中的那个了呢。"

"会吗？"万征想了想："我有可能，你估计没戏。"

美刀殷勤地递咖啡给佳音："腿好了就不理我了，真冷酷。"

"腿坏的时候能理你就不错了。"佳音对美刀鼻子不是鼻子脸不是脸的。

"是是是是是，最近干嘛呢？"

"谈恋爱呢。"

美刀装出一副莫名其妙的样子："没有啊？"

佳音懒得跟他逗："没说跟你。"

"你不能这么狠心啊，过河拆桥。你忘了我租了轮椅推着你满世界转悠。"

佳音还生气呢："少跟我提那轮椅。"

"为什么我老好心办坏事啊……跟谁谈恋爱呢？"

“廖宇。”

“噢那我就放心了，你没戏。那孩子一看就不喜欢你这样的。”

“你怎么看出来的？”

其实美刀是随口一说，但没想到竟然说中，他装神弄鬼：“他肯定有恋母情结！那么小就离开家，长得又好，肯定被女的宠的什么是的。”

佳音第一次佩服美刀：“真让你给说中了，他居然喜欢我姐。”

这还真让美刀大跌眼镜，他眯起了小眼睛，频频点头：“太好了。”

戒指改好了，万征马上送到陈家来。看着他、廖宇、美刀都在，佳期头都大了，她问：“你怎么来了也不跟我说一声？”

她不知道怎么在家人面前拿捏与万征的关系，灰溜溜地坐到一边，离万征很远，离廖宇倒很近。

万征问：“今天比稿怎么样？”

“啊？我就是去听听。”

“你那创意呢？”万征很关心地问。

“我那创意多不靠谱呀。不过我们公司的人说了，不靠谱就对了，不靠谱才有可能出奇招，靠谱就太行活儿了。”

佳音突然说：“对，靠谱是相似的，不靠谱是各不靠各的。”

美刀兴奋地从兜里掏出一个小本：“哎，说得好，我得记下来。”

万征把装戒指的锦盒掏出来，故意当着陈家人的面递给佳期：“改好了，你试试。”

佳期下意识地看了廖宇一眼。

姥姥大喜：“戒指啊？给我看看。”

佳期从廖宇面前递过去，廖宇只看着前方。

大家轮流传看，传到廖宇，他也不好意思不看，看完又递给美刀。美刀自认为机警地观察着。

万征巴结地问：“姥姥，听说您喜欢旅游？那您出过国吗？”

“哎哟，那还没呢。”

万征讨好地说：“那不如咱们一块儿出国玩吧。去……泰国吧，太贵的地儿我也请不起，顺手我跟佳期也度个蜜月。”

佳期觉得这“顺手”二字实在是太不顺耳了。

姥姥大乐：“真的假的？那多不合适呀。”正看武侠小说的姥爷贼贼的双眼也从老花镜后看过来：“那你们什么时候办事呀？”

万征看了佳期一眼，又转而问建华：“阿姨定吧。”

建华很意外：“别我定呀，你们定吧。”

“叔叔拿个主意。”

胜利连忙说：“我也没主意。还是看你们。”

万征这才又看回佳期。

戒指传回她手里，她像拿着炭似的：“我刚到这公司就歇婚假，不合适吧？要不然，明年吧。”

万征不吭气，指望陈家人反对。果然，想出国的姥姥反对：“干嘛明年啊？明年还有明年的事呢。新公司就不让人结婚了？真是的。”

万征赞许地颔首微笑，又对胜利讨好：“您接新的戏了吗？毛导是不是跟您挺熟的？导《两双小鞋》那个。”

提圈里的事真让胜利高兴：“熟啊，特熟，哥们儿，老一块儿喝酒，喝多了特德性，怎么着，你也认识？”

“我给他设计过电视剧的海报。”

胜利顿感亲切：“咳，也是圈里人。”

俩人一副对上了暗号，相见恨晚的样子。胜利因此说：“佳期你赶紧结了吧，要不然我下边不定接了什么戏，不知道在不在北京呢。”

佳期没想到万征巴结起人来这么有一套。

“就是，我查查黄历，今年赶紧结了。”姥姥戴上老花镜。

佳期拦着：“您都楼门组长了，别搞封建迷信。”

姥姥却说：“哎呀不要用完人的标准要求我。”

佳期垂头丧气地把戒指递还给万征，万征眼神很犀利：“干嘛还给我？”

“现在就我拿着吗？”佳期慌慌张张地问。

万征怀疑地看着她，在另外三个人的紧张注视下，缓缓把锦盒放进兜里。

14

第一次及最后一次成功分手

守礼突发奇想，成立了一支民间女子网球队，专门和各大开发商的老总切磋。佳期虽然觉得这个事可笑，但很愿意一块儿蹭着打。这天，两人约在友谊宾馆的露天网球场。

网球场外车来车往，谁也没注意到万征的车悄无声息地停在网球场外。他看见守礼正站在佳期身后，抓着她的手臂比划发球的角度，脸色顿时大变。

他把车停到停车场，急匆匆地跑回来，那俩人不见了，他掏出电话狂打，正在冲凉的佳期被他骂得一溜小跑出来，浑身还湿漉漉的，她很困惑："谁告诉你我在这儿打球的？"

"你爸。"

佳期对胜利这种把圈里人引为知己的行为非常愤恨，刚要发牢骚，守礼出来了，看见万征，他稍一愣，马上笑容满面地打招呼："嗨，你好，过来找佳期啊？"

看万征的脸不像好惹的，佳期打发他走："啊，对，有点事。"

守礼看不出眉眼高低，居然还打趣这两人："那时候还装成没有关系呢，呵呵以为我记性很坏。"

万征突然问："你公司关门了，在北京靠什么混？"

守礼听到这样不客气的话，不知这人什么来意。佳期连忙说："彭总，我们还有事，先走了。”

“还彭总呢？哼哼。”万征干笑两声。

守礼赶紧闪人：“啊……有事哈，好啊白白再联络。”

佳期觉得很挂不住，批评万征：“有你那么说话的吗？”

“我就那么说怎么了？他都……”他回身看见守礼走向一辆“夏利”，也吃惊不小：“他都开夏利了，还涎着脸勾引你呢？”

佳期顿足：“你有没有同情心啊？”

“我有啊，可我不会逮谁同情谁呀。”

佳期不跟他废话了：“你找我有正事吗？”

“没正事。你跟他这是正事吗？”

佳期看不惯万征从一种小家子气变成另一种小家子气，愤然答：“是。”

万征气得抓狂：“你别告诉我说你千方百计拖着不结婚是为了这台湾傻逼。”

看佳期不理，他更撮火了：“你说话呀！”

佳期嘴上是不饶人的，拱火：“说什么呀？你不是让我别告诉你吗？”

“贺佳期！”万征连名带姓地骂道：“你这绿帽子给我戴了多长时间了？”

“你放屁。”佳期涨红了脸。

万征瞪了她半天，突然撒腿就往守礼的“夏利”那跑，佳期连忙追赶，边骂：

“你干嘛呀？你有病呀？”

守礼听见吵嚷声，回头一看，万征目眦欲裂的样子吓坏了他，他连忙钻进车里，又赶紧把车窗锁落下。因为这辆低档的“夏利”没有中控，他要在车里四处乱窜地按下四个车窗锁。万征赶到，拉门不开，使劲踹他的“夏利”。佳期在后面拉：“关人家什么事呀？”

“不关他事？不关他事关谁的事？你丫下来！”

守礼一脚油，慌慌张张地开走了。万征看着佳期，大口喘着粗气：

"你总得承认有事吧，啊？你从那么上赶着求我结婚变成今天这么牛哄哄爱搭不理，你总得承认有事吧？还把戒指退给我！你什么意思？这要搁以前你还不千恩万谢欢天喜地地拿走了？"

"我错了。"

万征正说得痛快，没想到佳期也这么痛快地认错，倒停住了："嗯？"

佳期抬起头，目光明亮："我是说，我以前错了。我以为你是真喜欢我，其实你骨子里还是瞧不起我！"

"我瞧不起你我跟你结婚？"

"你那是不得已！"

"哟，那你这是什么意思？报复我？拿一台湾傻逼报复我？你打击不了我啊？他不配。"

"我也不配，我配不上你。"佳期鼓足勇气说："我是喜欢别人了，可不是他。"

万征的眼珠子快要努出来了。他努力让自己平静下来："谁呀？说吧。"

佳期的声音也很平静，但很轻，轻不可闻："廖宇。"

万征真的懵了："廖宇？"他发了会儿愣，突然笑了："这你还真打击到我了。我——靠。"他茫然四顾，完全失去了方向感。

美刀美滋滋地开着车，一边开一边想一边乐，他突然斜着身子从副驾驶座前的杂物箱里掏出一个小采访机，按下 REC："'昨天贺佳音跟我说，她跟她姐喜欢上同一个人了。那人不但是他们家亲戚，还比她们俩都小……太逗了……"把他逗得直拍方向盘。

建华脸色铁青，"啪"地一拍桌子："大廖我必须得说你了。教育？为什么人需要教育？为什么教育是一个国家最重要的课题？"建华从大廖挣那七十万就一直憋着气呢："光有钱行吗？……这就是没受过教育，才会做出这种大逆不道的事。"

大廖沉痛地检讨："都是我不好，是我引狼入室，我非抽他不可，我这就把他送回老家去。"他站起来就往外冲，建英忙拉他："哎呀你别这么急。”

姥爷也不看武侠小说了，坐在一边搓着手干着急，看着姥姥，示意她讲话。姥姥很像个干部：“虽然人不齐，但这个会也要开……”她目光炯炯地环视了一遍，最后看到佳期身上。

佳期是她最引以为荣的长外孙女，把话说太难听，她自己也不光荣，所以姥姥的话音突然软了：“他是你的近亲，这不行。虽然没有血缘关系，可说出去让别人一听，可不就是近亲吗？人脸一张皮，你干出这事，以后咱家人出门，人不得后脊梁上指指戳戳的？我是楼门组长，这下还有什么威信？”

建华痛恨地看着佳期：“你长大了，工作了，挣钱了，自立了，翅膀硬了——想为非作歹了？这真是滑天下之大稽，闻所未闻，没听说过。”

大廖简单直接地说：“都是我管教不好，我让他滚蛋，就什么事都没有了。”

佳期一揽子承担下来：“廖叔，您还别这么说。就算有错，也是我错。”

建华踹一边一直抠抠这儿摸摸那儿、心不在焉的胜利：“你说话呀，这时候你怎么不说话了？“

“我说？我没什么可说的。”看大家不明白他的立场，胜利解释：“感情这种事啊，没对错。”

建华很意外：“哟嗬，你这是什么口气？贺胜利你不要站错队。”

“也没什么站不站队的，我就说这个理儿啊——我觉得吧，这人的感情是复杂的，没有一定之规，没有条条框框，也没有必要约束。约束，就是假的。感情是真的就行，这比什么都重要。”

连佳期都意外父亲能说出这么有水平的话。

“我一直在思考一个问题。”胜利看看大家，不过看大家也不像什么会思考的人：“束缚我们的，到底是什么东西？”

看大家瞪目结舌，胜利得意地自问自答：“是道德。为什么要被道德束缚？有没有必要被道德束缚？尤其是在今天这个社会里，是不是应该冲破道德束缚呢？我觉得，应该。人，活得真实最重要，勇于面对自己最重要，这才是最彻底的诚实。”

建华想插嘴，胜利伸手盖住她的手：“让我把话说完……虽然，最彻底的诚实是会给人带来伤害的，但我仍然认为，诚实最重要。对别人诚实，对自己也要诚实。我说完了，你们说。”

建英理解能力差点，缓缓地问：“你说这些，到底是什么意思呢？”

“我是说，我们应该尊重佳期的感情，尊重她的选择。”

虽然佳期觉得父亲说了一堆废话，但她也实在意外居然有人站在自己这一边。建华却懂得听话听音儿，马上戳穿胜利的私心：“贺胜利，别人不知道你，我可知道你。你冠冕堂皇说这么多，无非是在给自己将来的出轨或者以前我不知道但以后有可能暴露的出轨找说辞，对不对？”

一看媳妇看出来了，胜利有点慌：“没有啊。”

“自打你进了你那圈儿，怪话儿越来越多，我知道您是见了世面了，心门大开小鹿乱撞你是春心荡漾了吧？”

“别扯我身上。”胜利有点恨自己藏不住话了。

“你少废话。终于把心里的实话说出来了借着这机会。好啊，我倒要看看你今后的路要怎么走。”

姥姥连忙主持大局：“静静静静，建华你有病啊？你就不要提醒他去干不好的事了。这儿说佳期呢，你们俩不要为还没发生的事提前吵嘴。佳期，我代表全家告诉你，咱家不同意你跟廖宇。还好你只是动动心思，我们原谅你，你去跟万征道个歉，老老实实把婚赶紧结了，这事我们就当没发生。万征说他愿意原谅你。”

姥爷憋半天终于说出了话：“哎——对。”

佳音回来，听到尾音，看场子热闹，连忙问：“怎么了？跟谁道歉？”

建华对她也没好脸：“没你事，大人说话，你回屋去。”

“还挺严重。我不走，什么热闹啊拦着我凑？”她看了佳期一眼，佳期冲她会心一笑，她明白了：“廖宇的事啊？”

家里人没估计她会知道这事，吃惊不已，但接下来她的举动更要让她们心碎而死了。

“那不叫事。我这才叫事呢？”佳音干笑两声，突然站到椅子上：“我也爱廖宇，我要跟我姐竞争……”然后下来，就手坐下：“这叫事。”

建华觉得今天是遭了雷劈了，她绝望地问：“他有哪点儿好？我们学校里这种小痞子论堆儿撮。”她迁怒于一边儿已经傻了眼的贺胜利：“贺胜利，真没想到，你们家人身上还真流着热情奔放的血。”她摔门而去。

姥姥转了枪口：“你姐上班，我管不了，可我管得了你，打今儿起，你哪儿也甭去了。”

“那不行。我和我姐说好公平竞争，她见廖宇一次，我也得见一次。您插一杠子，还有什么公平可言啊？二十一世纪了，这已经二十一世纪了，您还敢私设封建牢笼？”

“竞什么争？丢不丢人啊。我造了什么孽了我？”姥姥很想哭，一转眼看见姥爷，骂道：“我看这毛病都是你遗传的。”

万征来和佳期谈判，他坐在她床边，态度温和：“我回家也想了，这事是我不好，一个巴掌拍不响，两个人出了问题，不会只是一个人的问题。”他突然间的通情达理让人很不适应：“是我以前的态度太暧昧了。这是我的错。”

他点了根烟，又体贴地把窗开开：“我为什么到今天都没结婚？就是因为我很犹豫。我当年的战友，同学，孩子都挺大的了，但是我对感情……怎么说，就是因为希望一击即中，所以前边才犹豫。我其实和你一样在这一点上，我也希望一辈子只结一次婚，结了婚就不离婚，说什么也不离。所以才会在结婚前想很多事情。但这不是你以为的对你不在乎，而是过于深思熟虑了……以前你误会我，咱们俩那会儿也是老吵架，可是也没说真的分手啊，这说明什么呢？说明咱们的感情基础还是挺好的……”

看佳期木无反应，他加大了煽情的力度：“我也不会说什么煽情的话，反正你就想想，一年前的这时候，你是不是特别爱我？特别在意我？全部身心都扑在我身上？是不是挺甜蜜的？咱俩是有过特别好的时候的，特别快乐。”

佳期不理解地问：“为什么你只强调我特爱你？你爱我吗？”

“那当然。我不爱你我跟你折腾这些年？我不爱你我早不跟你玩了。当然，这中间有苏非非那件事……我知道那时候我对你是不公平，但我跟她真的什么都没有。”

“有。有重视。这是你没给过我的。”

万征以为找到了症结所在：“你是还对这事耿耿于怀是吗？所以才会弄出廖宇这事？那好，现在我跟你说，我要跟你结婚。在今天之前所有的事，不管我干的，还是你干的，咱都让他过去，从现在开始，以后，谁也不提了，好吗？……你说话呀？”看贺佳期一副紧咬牙关的样子，万征无可奈何：“行，你现在也甭说。我可以等，三天，好吗？三天？”

他竖着三个指头冲着佳期，用问询的表情形成了一个“OK”的手势，其实很在压抑着内心的怒火。

万征明白，在这种非常时刻，不采取人盯人的战术，是休想打胜仗的。他在姥姥姥爷面前表忠心：“没关系，结婚可以往后推。心里有疙瘩，结婚是不好。我是要跟佳期结婚，不是冲喜。”

姥姥陪着笑说：“可真不像话这佳期。”

“没关系，真的。我甚至跟您说，她跟不跟我结婚没关系，真的，我的信条是：你可以不理我，但你不能不理解我——她不能糊涂，我们俩在一块儿这么长时间了，就算是普通朋友，我见她作出这种错误的选择，我也得劝她。结婚不是最重要的，重要的是让她明白道理。“

万征采用逐个击破的方法，又到学校去找建华。建华对万征不像以前那么不客气了，露出罕见的笑容，虽然这笑容还非常虚弱：“你们结婚的事，我百分之百支持。”

“没关系，您不支持我也感谢您。咱们现在的当务之急，是把她错误的想法扳过来。她现在就跟发烧似的，糊涂，脑子嗡嗡的。”“

“叔叔这边，其实他对你没意见，他就是那种语不惊人死不休的人。”

万征想起胜利对苏非非的爱意，冷冷一笑，这笑容倒让建华警惕起来。

廖宇硬把坐在雪白床单上的大廖挤开。

"你走吧。"大廖说。

廖宇木无表情地看着窗外，又是北京常见的那种灰扑扑的天。

为了逃出封建家庭，佳音破例主动要求小李美刀来接她。虽然陈家人很讨厌美刀，但突然发现原来他可以把佳音弄走，少一个添乱的总是好的。何况小李美刀在陈家人面前大骂小柳，其断然划清界限的态度终于获得了首肯，姥姥宽容地说："既往不咎，改了就是好同志。"

佳音冲美刀使眼色，美刀连忙请示："姥姥，我想请佳音看电影。"

"好呀，去呀，干嘛问我呀？姥姥挥着手："我们陈家的大门，永远给你开着。"

两人走后，姥姥问佳期："你想好了没有？什么时候跟万征结婚？"

"姥姥，我平时对你怎么样？"看姥姥不说话，佳期说："你不能把我往火炕里推，不要逼我嫁一个我已经不喜欢的人。"

姥姥找到了说辞："你也说'已经'，你是喜欢过他的，而且很上赶着来着你当我不知道？"

"我不想为了结婚而结婚。"

"你别告诉我你想跟廖宇什么结果，那都是白搭。女大男小没什么好下场……"明明四下无人，姥姥还是看了看，作出一副跟佳期交心的样子："你柳奶奶喜欢你姥爷一辈子，又怎么着了？男的都这样，只喜欢比自己年轻的，对岁数大的，也就一时冲动，没长性。"

"我也跟你说实话吧。本来没什么事，可能就跟您说的是的，一时的头疼脑热就过去了。可是你们这么轮着训我，我烦了。我还就要怎么着了。我劝你们别管了，让我这股子劲儿自生自灭，好吗？"

姥姥仔细地看着佳期："你骗我呢。你是不愿意听我说话。"

佳期要烦死了。

"但凡长着眼的，就算不跟万征，也不会跟廖宇。万征有房有车有公司，廖宇明年还要上学，就算他考上了，四年，毕业了才能怎么着吧？你就三十一了。太可怕了，我都不敢再往下想了。"

一听到"三十一"，佳期心里也凉了。

廖宇去意已决，他决定回老家补习文化课，为了未来更久地留在北京，他必须暂时放弃和佳期的厮守。

“你不跟我姐商量吗？”佳音问。

美刀到现在是松了口气，开始劝别人：“不过我觉得你也够拧巴的，我旁观者清啊，你跟佳期真不合适。迟早也得吹。”

“我真是到现在也想不明白，你怎么就突然喜欢她了？两个看对方最不顺眼的人，怎么就把酒后无德当真了呢？”

“要不是那次……我可能也发现不了其实我一直……”廖宇还是不说了。

美刀跟佳音解释：“真有这么回事，那种见面就掐的，慢慢反而掐出感情来了。”

“不就是在一个公司上班吗？日久生情？办公室恋爱也不靠谱呀。”

廖宇烦躁地说：“别问我了，我答不上来。到处都没有正确答案。”

佳音把这些话添油加醋地向佳期汇报之后，佳期镇静地说：“我知道我们俩没戏，但是要没这事，我就算和万征结了婚，也不会幸福。我今天不明白，总有一天会明白，与其婚后成长，不如自己成熟以后再结婚……万征现在是在争这个面子，如果我真不跟他结婚，他丢不起这人。其实你当他现在多愿意跟我结婚呢？他是自己把自己逼到这份上了，拧巴在那儿，怎么也扳不回来了。”

“那怎么办啊？”

“不知道，可能哪天睡醒了突然照照镜子，抽自己一嘴巴说‘我这是干嘛呢？’然后就拧回来了。”

“那你，也不打算跟廖宇来这段插曲了？”

佳期微笑：“都是插曲。就算你跟他在一起，那是你们的插曲。我跟他在一起，是我们的插曲。不到死，你就不知道谁是你的主旋律。”

“你也别把话说这么狠。你就直说，是不是准备放弃了？”

佳期避而不答：“他真要走吗？也好。谈恋爱还真得天时地利人和，缺了两样，就算人和也屁用没有。”她果断地站起来，上厕所去了。

坐在马桶上，她从兜里掏出电话：“过完我生日你再走好吗？”

佳期不知道林青为什么要约她喝茶，她又不喜欢林青，而且她认为她清楚地向林青传达了这个信息。谁知林青完全不以为意：“佳期姐姐，我知道你不喜欢我，没关系，我这人只招一小部分人喜欢，我明白。”

佳期对林青这种直率没有防备，只好低头喝茶。

“我来是想跟你道个别，我要去澳洲了。”

“啊？那彭总呢？”

“我就是还没跟他说……但我后天就要走了。”

佳期有几分明白：“你……要结婚？”

林青很坦白：“倒也不一定是结婚……我实在是不能再跟彭总这么混下去了，我跟你们不一样，你们有学历，有本事……我不趁着现在上岸，将来更没有机会了……虽然你不喜欢我，但是我喜欢你。我走，也不打算跟他说，我没法想他会怎么样，哭？骂？我都不想看。可是我又担心他……他真的待我不薄……所以我跟你打个招呼，希望到时候你能劝劝他……都是不得已。”

佳期安慰她：“我了解。你跟他这么混也不是回事。”

“是，没名没分的。你们这样自立的人视名分如粪土，我还没到那个境界。要是我也跟你似的，大公司里上班，每月挣五位数，我也不在乎，想跟谁谈恋爱跟谁谈恋爱，想跟谁结婚跟谁结婚。”

佳期很窘，不明白林青怎么知道她和廖宇的事情，林青却说：“廖宇难得当我是朋友，你别怪他。他是那种完全没有偏见的人，你相信我，他将来肯定有大出息。”

“如果考不上，我也不会再来北京了。”

“何必说这种狠逮逮的话？”佳期是笑着说的，想宽他的心。

他也笑了：“是啊，听起来像是心理不健全的人说的。”

其实最近一段时间，两个人见面反而没有以前多，可他们谁都没发觉。因为想念吧，想念的时候，好像对方就一直在身边。

廖宇疑惑：“你说，有多少人是因为喝酒把一辈子都给变了呢？所以才会说喝酒误事吧。”

“你想说什么呀。”

“要是我有自知之明，就不应该再见你了。”

“你也想撤了？”

廖宇注意到了“也”：“什么叫‘也’？你想撤了？”

“我说了吗？”

廖宇认真地看着她，她躲避着，把脸埋到膝盖，喃喃：“我太老了。”

“我不觉得。”

佳期的口气里充满了惆怅：“你想想，我刚工作的时候，你才上初中……这怎么可能呢？太荒谬了，我简直我是那种到学校门口劫小男生的女流氓。”

他不知道该怎么跟从来都是举棋不定的她表达。他抓住她的手，慢慢地、谨慎地说：“我不是一个那么小的小孩。”

她不明白他的话，但听懂了那话里的沉重。

“我是藏在这个身体里的大人……”

她被深深地震动了。

“……我不想骗你，本来那天的事，我是想让它过去了。我以为你就是喝醉了，酒醒以后，什么都没发生一样。可是我知道你不肯跟万征结婚以后，我才知道是真的，我吓了一跳，我没想到你是真的……我以为只有我是真的……原来你也是。”

佳期听得哭了。

这时候，佳音和美刀从街上走过来，大咧咧地说：“我就知道你们在这儿呢。”

两个人之间的美好气氛被迅速冲散。

“怎么了姐？”佳音看见佳期在哭，高兴了：“说分手哪？”

“我先走了。”廖宇也不知道是跟谁打招呼，转身就消失在黑暗里。佳音看着他的背影发愣：“真分了？”

“他们就是真分了，也没你事。”美刀说。

“没关系，我岁数小，我可以等。”

佳期突然说：“我也可以。”

佳音还没来得及大惊失色，美刀接上一句：“我也可以。”

万征请姥姥姥爷去长安大戏院看戏，这招果然奏效。姥姥虽然爱看戏，可是舍不得花钱，这回看得真儿真儿的，高兴死了。万征从头到尾大张着嘴，就跟他多爱看似的，反而是姥爷比较实在，坚持出溜在座位上睡觉。

看完戏已经很晚了，万征坚持要送二老回家，姥姥叹口气："哎，佳期跟了你，我就放心了。"

万征很自信："您放心吧。"

姥姥还是心里没底："结婚以后，你不会老记着这事吧？一想起来就对我们佳期不好？"

"不会的。她也没跟那谁怎么着。"万征真是大人大量。

睡梦中的姥爷在后座上突然发出一声冷笑。

回到家，姥姥揉了揉笑皱的脸，问姥爷："你说这万征拍胸脯说的都是真的吗？"

"不好说。"姥爷摇了摇头。

"我心里也含糊。你想想他以前那样，现在跟那会儿比，根本就是不正常啊。"

"对对，就跟凉水给激着了似的。"

姥姥觉得她这楼门组长当得可真是不顺，政绩太糟糕，自己家不但没好，更乱了，拿什么教育别人啊？她从来喜欢攀比，老希望自己家拿出去一说，蝎子拉屎独（毒）一份儿，最高最快最强，可现在邻居们在外边聊天，她都不好意思凑过去。生怕别人问，你们家佳期什么时候和她对象结婚啊？

守礼又看了一遍林青留给他的信，无可奈何地对佳期苦笑，摊摊手："树倒胡狲散，墙倒众人推……没关系，我并没有怪她。是我不好，我这树和墙不应该倒，既然倒了，就不要怪别人，我无话可说。"他像喝酒一样把茶干了："但是她为什么一直瞒着我？"

"她怕你会难过吧。"佳期宽慰他。

"彭总我一向是这样子的，男人嘛，流血不流泪，女人我不缺，开'奥迪'有女人，开'夏利'也一样有女人，不过是花钱多少的问题。

哎，林青也算难得了，我为什么要挣钱？挣钱为了谁？不是为我自己。以前也许是，为了别人崇拜我，赞美我，现在我这样四处打拼，挣钱，是为了她。我不想让她白跟我一场。”

他敲着桌子：“我是生我自己的气……反正是希望她可以幸福，如果别人也可以给她幸福，我祝福她。也要谢谢那个人，替我给了她幸福。”

“我能帮你什么？”佳期同情地问

守礼苦涩地笑了：“一定要幸福啊。”

万征是要在沙家浜扎下根来了。佳期回家一看，他正和美刀陪姥姥姥爷打麻将，每人面前一堆二分钢镚儿。看她进门，他看她一眼，没表情，也没说话。

姥爷打得很慢很小心，一张牌手里捏半天，而且是还没出牌的时候叫牌，再慢慢把牌拿出去：“二饼。”

刚伸手往外放，万征说：“碰。”

姥爷连忙把手缩回来：“我再想一想。”

美刀不干：“那不行，都说了。”

姥姥替姥爷觉得脸红：“就是，放下放下。”

姥爷申辩：“我还没想好嘛。”

万征很不耐烦：“得得，算了。”

姥爷换了一张：“九饼。”

又出了一圈儿牌，姥爷小心翼翼地说：“西风……嘿嘿，这没人要吧？”

谁知刚把牌放桌上，万征推牌：“和了。”

姥爷目瞪口呆：“啊？他妈的我……”

姥姥呲他：“我我我我什么呀我？给人钱。”

“那西风下面都有了……太阴险了。”姥爷都快哭了。

美刀帮着算：“门清一条龙，一毛二。”

姥爷心疼坏了，颤颤巍巍地数了数，闭着眼把面前的钢镚儿都推到万征面前：“给。”

最终，姥爷输光光，他心里很不高兴，等俩人一走，马上跟姥姥“扎针儿”，大摇其头：“我觉得这两个人都不行。”

“怎么了？赢你点钱，有五毛吗？就不行？”

“不是那个。是这个牌品——这人牌品不好的话，人品也不会好。”

姥姥长着火眼金睛：“我看这些人里，就数你牌品不好。出张牌那叫一个磨唧——输房子输地啊？”

“不是。咱们多大岁数了？他们俩小年轻跟咱们玩儿牌一点都不知道敬老，有一句名人名言说，如果自己不能成为一个有牌品的人，至少要嫁给一个有牌品的人，我得告诉佳期去。”

“什么名人有功夫说这种废话？那起根儿上打我这儿就嫁错了。”姥姥生气地摔摔打打：“还有，你不能再去公园跟那帮工人出身的老头儿玩了。”

姥爷急了：“凭他妈什么呀？”

“你听，你听，你跟他们学得整天骂人……我再也不跟你玩了。”

出了廖宇这单事后，整个陈家，只有胜利能和佳期说说贴心话了。他告诉佳期：“犹豫，就说明俩都不是最好的。你要是见着最好的了，肯定不犹豫，二话不说，跟。所以，都甭理。”

佳期只是一味地笑：“您呢？苏非非以后，暗恋对象换谁了？”

胜利得意：“见天儿换。这样多好，我意淫，不招谁不惹谁，剧组那点儿活也累不死我，热情没处儿释放啊，我就呵护呵护后辈。你关心她们，她们也真信任你，什么事儿都跟我说，我有满足感。”

佳期不以为然：“可人拍完这戏，谁还认识您是谁呀？”

胜利不管这个：“一时的真心实意也是真心实意呀。你不知道，这小姑娘刚入行，组里没个撑腰的，你一关心她，她特别感激。而且你说女孩子心眼儿再多，能坏到哪儿去？不就是势利眼吗？没事，以后万一红了，我一想我曾经温暖过她孤独的心，挺好。”

“我真服了您了。那你现在对我妈什么态度？”

“咳，一个字，不解风情。不过没关系，好歹半辈子了，我这人知足。虽然世界刚刚在我面前打开这扇自由的门，可它总算是打开了。它要不打开，我糊里糊涂地不也就一辈子吗？”

“您就不怕常在河边走哪天湿了鞋？”

“咳，不能够。君子好色而不淫，发乎情止乎礼，你爸毕竟是教书匠出身。”

“那你不觉得对不起我妈？”

“我干什么了我就对不起她？我这就是一‘好’，好照顾个小姑娘，照顾个女演员，我也没别的爱好，就是好个理解万岁。”胜利说：“你妈这人，刀子嘴豆腐心，其实笨着呢，没什么心眼。我觉得要过日子还得跟这种没什么心眼的，有时候我觉得你妈特像那种落满了雪的大棉鞋，我老想把它抱出去在地上撴撴……穿上接着走。”

出了陈家，美刀又神秘兮兮地把采访机拿出来：“今天和佳音他们家人玩牌，他们家人真是不靠谱得活灵活现，很有性格。佳期的法定男友也去了，是个很计较的男人……”

廖宇买好了回老家的票，是佳期生日的第二天。佳音明白他是想给佳期单独过生日，可仍然作最后的挣扎：“你生日要是不跟家里过，他们肯定是不干的。”佳期很严肃地回答：“晚上我在家吃饭，不过白天，我要和他在一起，我希望那天你别打扰我们。”

佳音很不甘心，可又实在是没理由再捣乱了，只好不情不愿地点头。美刀兴灾乐祸地说：“有挫败感了吧？明显被淘汰出局了，我都能感觉出你是不受欢迎的人。不过，第二名也光荣，算了。”

佳音给自己找台阶：“你不懂，我姐那是绝望了。所以，最后的疯狂。”

“哼，我劝你，第二名跟第二名是最配的，你认命吧。”

“还有谁是第二名？”

“我呀。我就觉得第二名挺好，因为大家的注意力都在第一名身上，第二名安全。”

佳音不响，顺手打开美刀的杂物箱看，拿出了采访机：“这是什么？”

美刀的汗当时就下来了：“我的吃饭家伙。”

“什么吃饭家伙？你不是作家吗？又不是记者。”

美刀伸手去抢。但毕竟一手还在开车，抢不过她。佳音按下PLAY，听见小李美刀絮絮叨叨的声音："看起来贺佳音是疯了，廖宇和她姐怎么也甩不掉她……"

佳音大惊失色："你是变态呀？你录这些干什么呀？"

"我我我我是作家，我不记下来，我怕忘了。"

采访机里，美刀的声音仍在继续："可我就是喜欢她。喜欢她倔了巴叽的蠢样子，喜欢被她招之即来挥之即去，她始终是我的理想，我管这种女孩叫"小可爱"……就像她姐愿意等廖宇长大一样，我也愿意等待她长大的那天。如果她是疯子，那我就是精神病院里用海绵垫做成的墙，随便她怎么撕咬，冲撞，我都乐意……"

佳音不吭气了。

"我瞎说的，什么玩艺呀，完全是胡说八道。"美刀不好意思地解释。

佳音突然狠狠地按下REC："疯子疯子疯子疯子……"

"哎你别给我洗了呀这都是我的素材。"美刀大叫，一手扶把一手跟她抢着："扛不住了吧，听得想哭吧，别别别扔啊……"

佳期正垂着头正往家走，突然听见旁边一声短促的汽车喇叭声，她循声望去，是万征。

她刚拉开门坐进去，笑眯眯的万征就按下PLAY，音响里放出"零点"那首著名的歌，一个声音高叫着："你玩够了没有——？我已不想再等候"。

万征仔细观察，看她确实是没有反应，失望了，把音乐声调小。

佳期茫然地问："你怎么也研究起流行歌来了？你不是说不听不看不读流行文化吗？"

"我想了解你。"他疲惫地胡撸脸："我觉得有点儿拧巴。"

佳期理解地点点头："明白。"

"不知道是谁把谁耽误在哪儿了。"

"对不起。"

"没关系。得之，我幸，不得，我命。"

这真把佳期吓着了："你真补了不少课。"

"嗯，我发现咱俩还真是两个世界的人，两代人。我是太古板了……我放弃。我知道你们也不一定会在一起……我不承认我输了，或者说我不承认我输给谁了，我是输给我自己罢了。"

佳期喃喃："我不知道该说什么万征。"

"别说什么。可能这就是我的命吧，一对谁认真，就肯定没戏。"

"是我不好，是我不知道要什么。"

"就别自我批评了。"万征把音乐关了："还是朋友吧。"

"当然。"

"那就好，我特别怕那种反目成仇的人。"

佳期的头深深地低了下去。

"我是需要结婚的人，可是咱俩的感觉不同步……所以我准备盲婚。"

佳期抬起了头："什么意思？"

"先结婚，后谈恋爱。以前的风格不适合我，我试试新花样。佳期，我要结婚了。"

"啊？跟谁呀？"

"既然不是你，是谁都可以。"

佳期拦着："你别这么说。"

"不不不不不，我这不是自暴自弃，我就是要换一种生活方式，真的，我要结婚了。我今天来之前已经想好了，放这歌给你听——你要是不为所动，我就放弃。"

佳期着急："你放弃也不一定要结婚呀？而且，你现找呀？哪儿找去呀？"

"这你就别管了。我的条件，干别的不成，找老婆还是很容易的……不过，我的婚礼，就不请你参加了，希望你能理解。"

看贺佳期目瞪口呆，万征突然诡秘地一笑："失落了吗？"

佳期完全被他搞懵了，仔细想了半天："还好。"

"看来是真的，没有爱了。"万征张开怀抱："祝福我吧，我也祝福你。”

美刀换完鞋，回头一看，贺佳音站在门口往里探头探脑，死活就是不进来，还耸耸鼻子说：“有异味，女人味儿。”

美刀一把把她拉进来：“胡说，我有洁癖。”

佳音还在不依不饶：“你？你谈恋爱怎么就没洁癖呀？什么香的臭的全往屋里拉。”

美刀听出这是《红楼梦》里的词，知道贺佳音因为不服也闷头儿补了课，心下有点感动。

佳音看地上有女式拖鞋，不干了：“我不穿这个，不知道都什么人穿过，有没有鸡眼香港脚啊？”

美刀没听出话里的讽刺，真挚地关心她：“那怎么办？光脚太凉了，肚子疼，”他把自己的大拖鞋脱下来，自己穿上女式的：“你穿我的。”

这种文学青年的家布置得还是很有氛围的。佳音首先冲进卧室，卧室里有一张放在地上的床垫，佳音嫌弃地撩起来看看。

美刀随她去转，自己上网收信。一会儿功夫，佳音撸胳膊挽袖子地进来，手里捧着一把打火机：“有个屁洁癖呀你？这是从你的床缝里找出来的，二十多个呢，你也不怕天一热你们家着火。”

“噢是吗？有你我就放心了，我就不会被烧死了。”美刀谄媚地说。

“哼，我把你的床单床罩枕套全洗了。”

“哎哟真好，头一回来就干活，小时工都没你这眼力见儿。别累着，啊。”

佳音发现美刀正在整理女网友的照片集：“你不是说你把女网友照片都删了吗？”

美刀狡辩：“啊对，以前的删了，这是新的。”

“胡说，新的都有这么多？”

佳音一张张评论着：“这长得是人样儿吗？……怎么还发艺术照啊？你得告诉她们，不能发艺术照，化妆都不行……这怎么还有男的啊？删了删了。”

看美刀不动，她自己动手：“你以为我不会呢？我跟我姐学电脑了，删除，DELETE，我会。”她毫不手软地按下“删除”键，女网友顿时从美刀的电脑上消失，美刀大叫：“我就看看画，怎么不行啊？”

佳音得意洋洋地说：“追人得有个追人的基本姿态，这才叫洒扫以待，去旧迎新。”她牛逼哄哄地拍拍手，出去了。

美刀坐回电脑前边，打开“回收站”，按“还原”，女网友们的文件夹又回到了页面上，他自言自语：“笨蛋，就吃没文化的亏吧。就知道删除，不知道什么叫还原吧。”

一会儿功夫，佳音又冲进来，从包里掏出自己的一迭照片，上来就拆美刀的相框：“从此你有主人了，每天要看着我的照片。”

“你怎么随身还带着这个呀？”

“我要进军影视界，谁知道出门会不会遇见星探呢。”

美刀苦口婆心地劝她：“不要天天想着出名儿，我已经怕了这种女的了。你们都把我当垫脚的砖头，想借我出名。”

“就你，你也就是一普通砖头……我不混文学界，我这么漂亮，当美女作家可惜了。”佳音拿出一堆自己头像的贴纸，贴在电脑上，门上，床头上。美刀伸手一摸，傻了：“哎，这撕不下来呀？你要是把我甩了呢？难道还要我天天看着你的照片哭吗？”

“随便你。”

“那我有新人了呢？”

“不用你费心，她自己会想办法的。”

美刀对佳音的侵入感到非常不适应，他一把抱住佳音：“你把我们家弄出这种天翻地覆的变化，总得交代点什么吧？”

佳音装听不懂：“什么？”

“你跟我之间，得下个定义呀。”

佳音一把推开他，美刀噔噔噔后退几步坐到电脑椅上。

“没定义，就这样吧，先混着，我给你一个月试用期，不合格的话就一拍两散——我对你已经很宽容了，你还少跟我讨价还价。”

美刀想了想，缓缓地伸出五个指头：“半年。”

佳音哈哈大笑：“半年是六个月。”她想了想，伸出三个指头：“仨

——月——！要么就仨月，要么就他妈拉倒。”她往墙上一靠，一副爱谁谁的架势。

美刀想了想，往前探身，也作出“三”的手势：“OK。”

姥姥一听说万征要结婚，以为自己听错了，愣了半天，像姥爷惯常做的一样，自欺欺人心存侥幸地问：“真的？你们要结婚啦？”

佳期哭笑不得：“我像是说跟我吗？”

“不跟你？那跟谁呀？”

佳期大度地说：“他们公司的一个女孩，也是作设计的。”

姥姥有点生气，她岁数大了，不像这帮孩子似的能够在思想上强行猛拐。佳期劝：“结婚是好事，一人儿有一人儿的路子。没准这么结了就结对了，就碰上一合适他的。像你跟我姥爷上个世纪谈恋爱结婚，也不一定就互相多了解，跟盲婚也差不多吧？”

姥姥不承认：“那可不是，那是组织上介绍的。领导跟我说我妈同意了，跟他说他妈同意了，我们一听既然妈都同意了，就结了。”

“噢，那不是盲婚，是骗婚。”

姥爷连忙否认：“瞎扯，那不是。那时候我觉得你姥姥还是不错的，要不然，打死我也不结。”

好话不会好好说，又把姥姥气着了：“你又牛起来了你。你以为你在老干部活动中心玩你就真是老干部了？你还不是从看大门的岗位上光荣退休……”

姥爷懒得听，粗暴地打断：“得了得了，咱们家女的，都坏在一张嘴上……不过有什么说什么，你姥姥年轻时候是真好看，我记得特清楚，她第一天上班，穿了件绿色的布拉吉……”

姥姥觉得这话会误导佳期，连忙说：“不要光看外表。”

姥爷明白姥姥的意思，但还是不服气地小声嘀咕：“其实第一眼谁不是看外表呀？这人身上要实在没的看了，才看内在美呢。”

“陈倚生我说话你别老插嘴，现在我不但是这家的领导，还是这楼门的领导，领导说话你普通群众不要随便打断……这是怎么回事呢？佳期？”姥姥苦恼。

“没事……没什么大不了的事。人结婚了，喜事，祝贺人家就完了。”佳期现在的样子有点变了，不像以前那么缺心眼，脸上多了几分平和。

“你不要太潇洒呀。如果是你跟万征结婚，也有房子了，也有车子了，等于一嫁过去就是一地主婆，就有司机，过起了上等人的生活……”

“姥姥，我听不得这个，谁是上等人，谁又是下等人？”

姥姥自知理亏，连忙解释：“可他是不是受刺激了？这么快就结婚，实在是欠考虑。他要真是受你的刺激结的婚……结婚以后要是过得好还行，要是不好，可是你的罪过呀。”

“这年头儿，谁比谁傻多少呀？没人拿枪堵他腰眼儿上逼他结婚，都是心甘情愿，你就别替人操心了。”

姥姥正色道：“可我告诉你，他结婚了，不意味着我就同意你跟廖宇好了。”

“我知道，您那么轴，且翻面儿呢。”

一提起廖宇，姥姥心里怪难受的，她是那么喜欢那个男孩子：“他最近一人儿在外面过得怎么样啊？”

“行吧？我也不知道。”佳期不愿意说。

姥姥长出一口气：“你们是不是打一开头就蒙我呢？是不是说跟廖宇好，就是为了不理万征啊？其实不用废那么大劲，我也不是多喜欢万征。为了这事，你大姨他们家都搬走了，大廖说没脸见我，其实，哎……，万征还说请我们去泰国玩呢，也没戏了。要是指望廖宇，不定得哪年呢。”

美刀把佳音送到陈家楼下，佳音刚要推门下车，美刀探身过去，贱兮兮地问：“吻别吧得？”

佳音脸一红：“用得着吗？”

“要不怎么证明咱是一对儿啊？”

“自己知道就行了，跟谁证明呢？”

“你，给我个证明。来，这儿。”美刀指指脸。

看佳音不理，他哀求：“就算盖个戳。”

佳音犹豫半天，很勉强地在他脸上蜻蜓点水般一吻，还装作很大方的样子："拿去花。"

"吝啬。"

进了家，佳音一本正经地把人归拢一处，宣布自己退出廖宇事件，请大家自此放心，该干嘛干嘛去吧，。这变故令姥姥简直防不胜防，她问："你跟谁好了？"

姥爷嘲笑她："还谁呀？美刀呗。"

姥姥骨子里对美刀是不满意的，况且佳音还小，再挑挑也无妨。佳音一听就翻脸了："您不是愿意我跟他吗？天天把他叫咱家来骚扰我。我现在遂了您的愿了，怎么着您又要反悔？"

建华冷峻地说："我把丑话说在前头。你跟他好，我不反对，但是，不许每天见面，不许超过十点回家。不许不工作，你也长着一双手，别在家里吃闲饭。"

佳音觉得很烦："为什么啊？为什么谈了恋爱管得更严啊？早知道不谈了。"

姥姥不放心地追问："你也跟我玩阴谋诡计呢吧？"

"为什么啊姥姥？你现在怎么这么患得患失啊？您没病吧？"

佳音换了句式，姥姥猛不丁没听清楚："你才没病呢……我当然没病了，我是说，你是不是让着你姐呢？万征结婚了，你跟美刀了，你以为这就能各归其位了吗？你以为你姐就可以跟廖宇了吗？"

佳音气乐了，她还真没她姥姥心眼多："我是看小李美刀可怜，所以屈就一下，给他苍白的生命里多少留下一点鲜活的回忆，以后的事，我还小，不知道，也不想知道。"

姥爷很有大智慧地说："嗯，这么想好，留一手，不要动所有的感情，动一点点，就行。"他还比划呢，一点点。

姥姥勃然大怒："留一手？留给谁呀？留给柳凤香啊？"

"不是，我是说，这样她不受伤害。"

姥姥气鼓鼓的："你这么说话我很受伤害。"

马上就到十二点了，佳期使劲盯着墙上的钟，她在等廖宇的电话，她希望在二十七岁生日这天，第一个接到的是他的电话。

电话如期响了，但很可惜，是万征的。

佳期竭力掩饰内心的失望："啊？你呀？哈哈哈，干嘛呢？"

"我等着给你打电话呢，怕十二点打给你会占线。"他竟然料得到。

指针指向了十二点，万征说："生日快乐，佳期。"

佳期夸张地笑着说谢谢，然后就听见电话里开始有"嘟嘟"的声音，她看了一眼，廖宇的电话在等待。她很想把万征的挂了，但又觉得不太好意思，因为万征还在抒情："二十七岁了，真是，我看着你长大呀……我明天登记。"

"啊？明天？"佳期吃了一惊。

"不是，是今天，你生日的今天……因为这样我就一辈子也忘不了你的生日了。"

佳期半天才缓过神来，这么重的话让她承受不住，她小心地问："你总是对前任女友比现任女友更关心是吗？"

万征干笑两声，佳期说："那，祝福你。"

"谢谢。"

再也找不出别的话了，她等着他挂电话，终于，万征说："我是第一个跟你说生日快乐的人在你的二十七岁……行，那再见。"

他刚要挂断，佳期突然轻轻地"喂"了一声，他欣喜："嗯？怎么了？"

"我觉得……如果没有准备好，不要为了结婚而结婚。"

万征颇感安慰，似乎挽回些面子："你是说，如果我结婚，你心里会有点不舒服吗？"

"这倒不是"，佳期知道他会错意了："你心里舒服吗？我不自量力地问一句，你不是赌气吧？"

"赌气。怎么着？你挽救我吗？"万征赖皮赖脸的。

佳期尴尬地一笑："还是得自救吧。"

万征泄了气，说："就这样吧……你就让我结婚去吧。"

佳期连忙解释："我没不让你结。"

万征用玩笑的语气要挟道："那我真结了？"

“你要想好啊。”

万征沉吟半晌，狠狠地说：“再见。”

“嘟嘟”声早停了，佳期连忙给廖宇拨回去，他迅速地接起来：“生日快乐，刚才打不通。”

“是万征。”佳期抱歉地说。

廖宇并没往心里去，他急切地问：“今天白天，你都交给我了是吗？”

“是呀。”佳期笑了，他还是要再确认一遍。

“你陪我逛逛北京吧？我一直也没逛过北京呢。我小时候来，去过长城，十三陵，天安门，北海，但是好多别的地儿都没去过。你愿意陪我去吗？”

佳期觉得意外，但又挺有意思。她和好多北京人一样，因为觉得那些风景没长脚，跑不掉，所以他们就是想不起去逛。

“我们坐公共汽车去好吗？”

“好。”

“那，你睡吧，天一亮，你就归我了。”

15

再　见

这是很晴朗的一天。

佳期和廖宇并肩坐在摇摇晃晃的公交车里，像一对逃学的高中生。

他握着她的手。

在八大处合影留念。

在香山合影留念。

在颐和园长廊合影留念。

在十七孔桥合影留念。

在天安门合影留念。

所有的照片里，他们的微笑都纯净无比。

然而，当帮他们照相的人按下快门，闪光灯自动闪起的时候，他们不约而同、下意识地抬头看天。

天快黑了。

他们上了回城的车，是总站，佳期毫不犹豫地选择坐在第一排。未被青山挡住的几缕夕阳灿烂地打在他们年轻的脸上。

她想了想，试着把头靠在他肩上。

他们都没有看对方，但笑容同时浮现在嘴角。

车摇摇晃晃地开着，停靠在一个又一个车站，他们牢牢地记下每一个站名。到站了。

他们在人头攒涌中手拉着手，怕被冲散似的。

“明天七点的车？”

“嗯。”

“我可能不能送你了。”

“我知道，你好好休息，好好上班吧。”

“你会给我打电话吗？”

“写信好吗？”

佳期开玩笑：“因为肉麻话写出来就不显得肉麻了是吗？”

“对呀。我有好多肉麻的话要跟你说呢。”廖宇也笑了。

如果笑容也有思想，它自己愿意消失吗？

它会在消失的时候感觉到伤感吗？

佳期摇头说：“我不回。”

“为什么？”

“我不要有白纸黑字的把柄。”

“我就是一张白纸。”

她停了片刻，说，“别给我压力。”

她是笑着说的，但这笑像是一种躲避，躲避着未来，所有的结局，好的，或者不好的。她突然像很多文艺作品中描写的一样庸俗地想：时间如果只停在这一刻就好了。因为就什么也不用想了。

陈家客厅的灯开了。对着窗户的廖宇看见，眼神黯淡下去。佳期顺着他的目光回头望，脸色也在苍茫时分变得凄凉。

“回去吧……他们等你吃饭呢。”

“嗯。”

却都没有动。

天越来越黑了，几乎看不见彼此的脸。

“我走了。”

佳期用力点头，眼里霎时涌满泪水。

廖宇转身，又站住，回头看她。

他走回来，看着她笑，她也笑了。

“我能抱你一下吗？”

“好呀。”

他用力抱住了她，她的手在空中停了半晌，终于，她也抱住了他。

街上所有的路灯突然间都亮了。

新出图证（鄂）字 03 号
图书在版编目（CIP）数据
动什么，别动感情/赵赵 著
武汉：长江文艺出版社，2005.1

ISBN 7-5354-2976-9/I·1036
Ⅰ.动…
Ⅱ.赵…
Ⅲ.长篇小说-中国-当代
Ⅳ.1247.5
中国版本图书馆 CIP 数据核字（2004）第 136096 号

选题策划：金丽红　黎　波
责任编辑：张　瑾
媒体运营：赵　萌
封面设计：大象工作室

出版：长江文艺出版社（电话：027-87679301　传真：87679300）
（湖北省武汉市武昌雄楚大街 268 号湖北出版文化城 B 座 9-11 楼）
发行：长江文艺出版社北京图书中心
（电话：010-82845152　传真：82846315）
印刷：北京师范大学出版社印刷厂　北京方成印刷有限公司

开本：880×1230 毫米　1/32　印张：9.875　字数：220 千字
版次：2005 年 1 月第 1 版　印次：2005 年 1 月第 1 次印刷
印数：0001-80000　定价：20.00 元
